de l

D1626642

De storm

CLIVE CUSSLER

met GRAHAM BROWN

DE STORM

the house of books

Oorspronkelijke titel
The Storm
Uitgave
G.P. Putnam's Sons, New York
Copyright © 2012 by Sandecker RLLLP
By arrangement with Peter Lampack Agency, Inc. 350 Fifth Avenue, Suite 5300, New York,
NY 10118 USA
Copyright voor het Nederlandse taalgebied © 2013 by The House of Books, Vianen/Antwerpen

Vertaling
Theo Horsten
Omslagontwerp
Loudmouth
Omslagillustratie
Tom Hallman
Foto auteur
Rob Greer
Opmaak binnenwerk
ZetSpiegel, Best

ISBN 978 90 443 4030 3
ISBN 978 90 443 4031 0 (e-book)
D/2013/8899/122
NUR 332

www.thehouseofbooks.com

Proloog

Indische Oceaan, september 1943

Het s.s. John Bury schudde van voor- tot achtersteven terwijl het door de aanschietende golven van de Indische Oceaan ploegde. Het was van een type dat bekendstond als een 'fast freighter', een vrachtschip dat ontworpen was om oorlogsschepen te vergezellen en zodoende gewend om stevig vaart te maken, maar nu, met alle ketels op volle druk, sneed de John Bury door het water met een snelheid die het sinds zijn proefvaart niet meer had bereikt. Beschadigd, brandend en een rookwolk achterlatend, liep de John Bury voor zijn leven. ·

Het schip klom tegen een drie meter hoge golf omhoog, het dek helde voorover en de boeg dook in de volgende golf. Een breed scherm van buiswater stoof over de verschansing en over het dek en klapte tegen wat er nog van de gehavende brug over was.

Bovendeks was de John Bury een verwrongen wrak. Rook walmde uit rafelig verwrongen staal op plaatsen waar raketten in de opbouw waren geslagen. Het dek lag bezaaid met brokstukken en overal lagen dode bemanningsleden. Maar de schade was boven de waterlijn en als het vluchtende schip kans zou zien om volgende treffers te ontwijken, zou het het overleven.

Aan de donkere horizon achter het schip stegen rookwolken op van andere schepen die minder geluk hadden gehad. Een ervan braakte een oranje vuurbal uit die boven het water opsteeg en de slachting heel even verlichtte.

In het schijnsel waren vier brandende wrakken te zien: drie torpedo-jagers en een kruiser, schepen die het escorte van de John Bury hadden gevormd. Een Japanse onderzeeboot en een eskader duikbommenwerpers hadden het kleine konvooi tegelijkertijd ontdekt. Terwijl de avond begon te vallen, waren de zinkende schepen omringd door een brandende olievlek van minstens een mijl lang. Geen van de vier zou de ochtend halen.

De oorlogsschepen waren als eerste doelwit gekozen en al snel vernietigd, maar de John Bury was alleen met mitrailleurs beschoten en door raketten getroffen en had de kans gekregen te ontkomen. Voor die daad van barmhartigheid kon maar één reden zijn: de Japanners waren op de hoogte van de geheime lading die het vervoerde en wilden die zelf in handen krijgen.

Kapitein Alan Pickett was vastbesloten dat niet te laten gebeuren, ondanks het feit dat zijn halve bemanning dood was en zijn gezicht gewond door granaatscherven. Hij greep de spreekbuis naar de machinekamer en schreeuwde: 'Meer vaart!'

Er kwam geen antwoord. Volgens het laatste rapport woedde er onderdeks een felle brand. Pickett had zijn mensen bevel gegeven op hun posten te blijven en de brand te bestrijden, maar deze stilte deed hem het ergste vrezen.

'Vliegtuigen op bakboordsboeg!' riep een uitkijk vanaf de brugvleugel. 'Tweeduizend voet en snel dalend.'

Pickett keek door het gebroken raam voor hem. In het snel minder wordende licht zag hij tegen de grijze hemel vier zwarte stippen afgetekend die snel op zijn schip af doken. Vanaf de vleugels zag hij mondingsvuur oplichten.

'Zoek dekking!' riep hij.

Te laat. Een regen van .50 kaliber kogels trok een streep over het schip, sneed de uitkijk doormidden en schoot dat wat er nog van de brug over was aan barrels. Stukken hout en glas en staal vlogen door het stuurhuis.

Pickett liet zich plat op het dek vallen. In de voorkant van de brug sloeg een raket in en een hete golf spoelde over hem heen. De klap deed het hele schip schudden en het stalen dak van het stuurhuis krulde omhoog alsof er een reusachtige blikopener bezig was.

Toen de golf van vernieling voorbij getrokken was, keek Pickett op. Zijn laatste officieren waren gedood en de brug was verwoest. Zelfs het stuurwiel was grotendeels verdwenen, er zat alleen nog een stuk van een metalen spaak aan de as vast. Toch ploeterde het schip op de een of andere manier verder.

Toen Pickett overeind krabbelde, zag hij iets wat hem hoop gaf: donkere wolken en door de wind voortzwiepende regen. Een buienlijn kwam aan stuurboord snel naderbij. Als hij zijn schip daarin zou weten te krijgen, zou de invallende duisternis hem verbergen.

Met zijn rug tegen het schot gesteund, greep hij het weinige wat er nog van het stuurwiel over was vast. Hij duwde met alle kracht die hij nog in zich had. Het wiel draaide een halve slag en hij viel op de vloer, maar hij liet niet los.

Het schip begon van koers te veranderen.

Met zijn rug tegen het dek gedrukt duwde hij het wiel omhoog en toen opnieuw naar beneden zodat het een volledige slag in de rondte had gemaakt.

Het schip helde over in de bocht en trok een wit schuimspoor door het water van de oceaan terwijl het in de richting van de bui draaide.

Voor hem doemde een zware, donkere wolkenmassa op. De regen die eruit viel veegde als een gigantische bezem over het wateroppervlak. Voor het eerst sinds de aanval was begonnen, kreeg Pickett het gevoel dat ze een kans maakten, maar terwijl het schip verder ploegde in de richting van de bui, begon hij bij het afschuwelijke geluid van duikbommenwerpers die opnieuw op hem af doken, te twijfelen.

Door de gapende wonden in het schip probeerde hij na te gaan waar het geluid vandaan kwam.

Recht voor hem zag hij twee Aichi D3A duikbommenwerpers naderen, *Vals*, hetzelfde type dat de Japanners met dodelijk effect bij hun aanval op Pearl Harbor hadden gebruikt en enige maanden later tegen de Britse vloot bij Ceylon.

Pickett zag hoe ze aan hun duikvlucht begonnen en hoorde het gierende geluid van hun vleugels luider worden. Hij vloekte en trok zijn pistool.

'Laat mijn schip met rust!' schreeuwde hij terwijl hij zijn Colt .45 op ze leegschoot.

Op het laatste moment trokken ze op en raasden voorbij, waarbij ze het schip opnieuw met een regen van .50 kogels bestookten. Pickett viel op het dek, zijn been verbrijzeld door een kogel die er dwars doorheen was gegaan. Hij deed zijn ogen open en staarde omhoog. Hij kon zich niet bewegen.

Boven zich zag hij alleen grote rookwolken en een grijze lucht. Het is afgelopen, dacht hij. Het schip en zijn geheime lading zouden straks in handen van de vijand vallen.

Pickett vervloekte zichzelf omdat hij het schip niet had laten zinken. Hij hoopte dat het op de een of andere manier alsnog zou zinken voordat het geënterd kon worden.

Terwijl zijn gezichtsvermogen snel minder werd, hoorde hij opnieuw het geluid van duikbommenwerpers. Het geraas werd steeds harder en het demonische gekrijs van hun vleugels kondigde de verschrikkelijke onontkoombaarheid van het einde aan.

Toen verduisterde de hemel. De lucht werd koud en nat en het s.s. John Bury verdween in de zware bui, opgeslokt door een muur van mist en regen.

Het laatste rapport was dat van een Japanse piloot die meldde dat het in brand stond, maar nog steeds op volle kracht voer. Er werd nooit meer iets van het vrachtschip vernomen.

1

Noord-Jemen, nabij de Saudische grens
Augustus 1967

Tariq al-Khalifs gezicht ging verborgen achter een doek van zachte, witte katoen. De *keffiyeh* bedekte zijn hoofd en was over zijn neus en mond gewikkeld. Het beschermde zijn verweerde gezicht tegen de zon, de wind en het zand en hield hem verborgen voor de wereld. Alleen Khalifs ogen waren zichtbaar, hard en scherp na zestig jaar in de woestijn. Ze knipperden niet en hij wendde ze niet af terwijl hij naar de lijken staarde die voor hem in het zand lagen.

Acht lichamen. Twee mannen, drie vrouwen, drie kinderen; naakt, alle kleren en bezittingen verdwenen. De meesten waren doodgeschoten, een paar doodgestoken.

Terwijl de karavaan achter Khalifs rug wachtte, kwam een ruiter langzaam op hem af. Khalif herkende de krachtige, jonge gestalte in het zadel. Het was een man die Sabah heette, zijn meest vertrouwde luitenant. Over zijn schouder droeg hij een Russische AK-47.

'Bandieten, geen twijfel aan,' zei Sabah. 'Inmiddels geen spoor meer van te bekennen.'

Khalif keek naar het zand aan zijn voeten. Hij zag dat de sporen naar het westen liepen, rechtstreeks naar de enige plek binnen een straal van honderdvijftig kilometer waar water te vinden was, een oase die Abi Quzza werd genoemd – het 'zijden water'.

'Nee, mijn vriend,' zei hij. 'Deze mannen blijven niet wachten tot ze worden ontdekt. Om niet te verraden met hoeveel ze zijn, blijven ze op harde grond waar geen sporen op achterblijven, of ze lopen in het meest rulle zand waarin de sporen snel vervagen. Maar hier kan ik zien hoe het werkelijk is, ze zijn op weg naar ons thuis.'

Abi Quzza behoorde al generaties lang aan Khalifs familie. De oase voorzag hen van levenbrengend water en een klein beetje welstand. Rondom de vruchtbare bronnen groeide een overvloed aan dadelpalmen en gras voor de schapen en kamelen.

Met het toenemende gebruik van trucks en andere vormen van modern transport, was het aantal karavanen dat voor de gaven van de oase betaalde, teruggelopen en daarmee de rol van de bedoeïenen zoals Khalif en zijn familie die kamelen fokten, maar verdwenen waren ze nog niet. Khalif wist dat als de clan ook maar enige toekomst wilde hebben, de oase beschermd moest worden.

'Uw zoons zullen Abi Quzza verdedigen,' zei Sabah.

De oase lag ruim dertig kilometer meer naar het westen. Daar wachtten Khalifs zoons samen met twee neven en hun gezinnen. Zes tenten, tien man met geweren. Geen gemakkelijke plek om aan te vallen. Maar toch maakte Khalif zich vreselijk ongerust.

'We moeten ons haasten,' zei hij en hij klom weer op zijn kameel.

Sabah knikte. Hij schoof de AK-47 vanaf zijn rug naar voren in een meer aanvallende positie en spoorde zijn kameel zachtjes aan.

Drie uur later naderden ze de oase. Van een afstand zagen ze alleen maar kleine vuren. Geen tekenen van een gevecht, geen gescheurde tenten of loslopende dieren, geen lijken in het zand.

Khalif gebaarde dat de karavaan halt moest houden en steeg af. Samen met Sabah en nog twee man gingen ze te voet verder.

Het was zo stil om ze heen dat ze het geknetter van de houtvuren en hun eigen sloffende voetstappen in het zand konden horen. Ergens in de verte jankte een jakhals. Het was heel ver weg, maar in de woestijn droeg het geluid over grote afstanden.

Khalif bleef staan en wachtte tot de roep van de jakhals op zou houden. Toen het wegstierf, hoorde hij een veel aangenamer geluid: een ijl stemmetje dat een traditioneel bedoeïenenlied zong. Het kwam uit de hoofdtent en zweefde rustig door de stilte.

Khalif ontspande. Het was de stem van zijn jongste zoon, Jinn.

'Breng de karavaan maar,' zei Khalif. 'Alles is in orde.'

Terwijl Sabah en de anderen terugliepen naar de kamelen, liep Khalif verder. Hij kwam bij zijn tent, sloeg de flap weg en verstijfde.

Daar stond een in lompen gehulde bandiet, die een gekromd mes op de keel van zijn zoon drukte. Naast hem zat een tweede bandiet, met een oud geweer in zijn handen geklemd.

'Een verkeerde beweging en ik snij hem de hals af,' zei de bandiet.

'Wie ben je?'

'Ik ben Masiq,' zei de bandiet.

'Wat wil je?' vroeg Khalif.

Masiq haalde zijn schouders op. 'Wat willen we niet?'

'De kamelen zijn geld waard,' zei Khalif, die vermoedde waar ze het op hadden voorzien. 'Je mag ze hebben. Als je mijn gezin maar spaart.'

'Dat aanbod betekent helemaal niets voor me,' antwoordde Masiq, zijn gezicht was vertrokken in een sardonische grijns. 'Omdat ik kan nemen wat ik wil en omdat...' – hij greep de jongen stevig vast – 'afgezien van deze, je hele familie al dood is.'

Khalifs hart kromp ineen. In zijn tuniek zat een Webley-Fosbery automatische revolver. De zelfspannende revolver was een robuust wapen van een dodelijke zuiverheid. Zelfs na maanden in het woestijnzand zou het niet vastlopen. Hij probeerde iets te bedenken om het te kunnen grijpen.

'Dan geef ik je alles,' zei hij, 'alleen voor hem. En daarna ben je vrij om te gaan.'

'Je hebt hier goud verborgen,' zei Masiq alsof dat een bekend feit was. 'Vertel ons waar het is.'

Khalif schudde zijn hoofd. 'Ik heb geen goud.'

'Je liegt,' zei de tweede bandiet.

Masiq begon te lachen, wat uit zijn mond met scheve en verrotte tanden een afschuwelijk geluid was. Met zijn ene arm greep hij de jongen nog steviger vast en hij hief de andere arm alsof hij hem de hals wilde afsnijden. Maar het kind wrong zich los, dook op Masiqs vingers af en beet er hard in.

Masiq vloekte van de pijn en trok zijn hand terug alsof hij zich verbrand had.

Khalifs eigen hand vond de revolver en hij vuurde dwars door zijn tuniek twee schoten af. De man viel achterover met twee rokende gaten in zijn borst.

De tweede bandiet schoot en schampte Khalifs been, maar Khalif schoot hem midden in zijn gezicht. De man ging zonder een kreet te slaken neer, maar de strijd was nog maar net begonnen.

Buiten de tent klonk geweervuur. Er werden schoten gewisseld en over en weer klonken salvo's. Khalif herkende het geluid van zware grendelgeweren zoals ook de dode bandiet er een in zijn handen had, gevolgd door het geknetter van Sabah's automatische geweer.

Khalif greep zijn zoon en drukte de jongen de revolver in de hand. Zelf pakte hij het geweer van een van de dode bandieten. Hij griste het gebogen mes van de grond en liep verder de tent in.

Daar vond hij zijn twee oudere zoons, naast elkaar alsof ze lagen te slapen. Hun kleren waren doordrenkt van het bloed en zaten vol met gaten.

Khalif werd overspoeld door een golf van smart; pijn en verbittering en woede.

Terwijl het vuurgevecht buiten voortwoedde, sneed hij met het mes een klein gaatje in de zijkant van de tent. Hij gluurde naar buiten en zag het gevecht.

Sabah en drie andere mannen vuurden vanachter een aantal dode kamelen. Een groepje schurken die net zo gekleed gingen als de bandieten die hij zojuist had gedood, hadden in de oase dekking gezocht achter dadelpalmen in kniehoog water. Het leken er te weinig om het kamp met geweld ingenomen te kunnen hebben.

Hij draaide zich om naar Jinn. 'Hoe zijn die mannen hier binnengekomen?'

'Ze vroegen of ze hier konden verblijven,' zei de jongen. 'We hebben hun kamelen water gegeven.'

Dat ze gebruik hadden gemaakt van de traditionele bedoeïense gastvrijheid en vriendelijkheid van Khalifs zonen voordat ze hen vermoordden, maakte Khalif nog razender. Hij liep naar de andere kant van de tent. Deze keer stak hij het mes in het doek en sneed het met een snelle haal naar beneden open. 'Blijf hier,' zei hij tegen Jinn.

Khalif glipte door de opening en verdween in het donker. Hij sloop in een wijde boog om de oase heen tot hij zich achter zijn vijanden bevond.

De bandieten werden zo in beslag genomen door Sabah en zijn mannen dat ze de omtrekkende beweging van Khalif totaal niet in de gaten hadden. Hij naderde ze van achteren, opende het vuur en schoot ze van korte afstand in de rug. Drie gingen onmiddellijk neer, gevolgd door een vierde. Een volgende die probeerde weg te rennen, werd door een schot van Sabah gedood, maar de zesde en laatste schurk draaide zich om en schoot terug.

Khalif werd in de schouder getroffen. Hij sloeg achterover en voelde een felle pijnscheut door zijn hele lichaam gaan. Hij viel in het water.

De bandiet rende op hem af, mogelijk in de veronderstelling dat hij dood was of te zwaar gewond om nog te kunnen vechten.

Khalif richtte het oude geweer en haalde de trekker over. De patroon liep vast in de kamer. Hij greep de grendel en probeerde de patroon uit te werpen, maar zijn gewonde arm miste de kracht om het defect te herstellen.

De bandiet richtte zijn wapen op Khalifs borst. Op dat moment klonk als een donderslag het geluid van de Webley.

De man viel met een verbaasde uitdrukking op zijn gezicht ruggelings tegen een dadelpalm. Hij gleed naar beneden en het wapen viel uit zijn handen in het water.

Jinn stond achter de dode man, met de revolver in zijn trillende handen en zijn ogen vol tranen.

Khalif keek om zich heen of er nog meer vijanden waren, maar zag niets. Het schieten was opgehouden. Hij kon Sabah naar de mannen horen schreeuwen. Het gevecht was voorbij.

'Kom hier, Jinn,' beval hij.

Zijn zoon kwam trillend en bevend naar hem toe. Khalif sloeg zijn ongedeerde arm om hem heen en drukte hem tegen zich aan.

'Kijk me aan.'

De jongen reageerde niet.

'Kijk me aan, Jinn!'

Nu draaide de jongen zich om. Khalif hield hem stevig bij de schouder vast.

'Je bent nog te jong om het te begrijpen, mijn jongen, maar je hebt iets geweldigs gedaan. Je hebt je vader gered. Je hebt je familie gered.'

'Maar mijn broers en mijn moeder zijn dood,' zei Jinn, huilend.

'Nee,' zei Khalif. 'Die zijn in het paradijs en wij zullen doorgaan, tot we ze op een dag terug zullen zien.'

Jinn zei niets en staarde alleen maar snikkend voor zich uit.

Een geluid rechts van hen deed Khalif omdraaien. Een van de bandieten leefde nog en probeerde weg te kruipen. Khalif hief het gekromde mes op, klaar om de man af te maken, maar toen bedacht hij zich. 'Dood hem, Jinn.'

De bevende jongen staarde hem uitdrukkingsloos aan.

Khalif keek hem strak aan en was streng en onverbiddelijk. 'Je broers zijn dood, Jinn. De toekomst van de stam ligt bij jou. Je moet leren sterk te zijn.'

Jinn beefde alleen nog maar meer, maar Khalif was zekerder dan ooit. Vriendelijkheid en edelmoedigheid hadden hen bijna kapotgemaakt. Een dergelijke zwakheid moest bij zijn enige overgebleven zoon uitgebannen worden.

'Je moet nooit medelijden hebben,' zei Khalif. 'Hij is een vijand. Als we niet de kracht hebben om onze vijanden te doden, zullen ze ons het water ontnemen. En zonder het water rest ons alleen een zwervend bestaan en de dood.'

Khalif wist dat hij Jinn kon dwingen om het te doen. Hij wist dat hij het hem zou kunnen bevelen en dat de jongen zijn bevel zou opvolgen. Maar Jinn moest ervoor kiezen zelf te handelen.

'Ben je bang?'

Jinn schudde zijn hoofd. Langzaam draaide hij zich om en hief het pistool.

De bandiet keek hem aan, maar in plaats van onder zijn blik te bezwijken, werd Jinns hand vaster. Hij keek de man recht aan en haalde de trekker over.

De knal van de revolver echode over het water en door de woestijn. Toen het geluid was weggestorven, vloeiden er geen tranen meer uit de ogen van de jongen.

2

Indische Oceaan
Juni 2012

De 90 voets catamaran voer tegen zonsondergang loom over het kalme water van de Indische Oceaan. In de lichte bries maakte ze niet meer dan drie of vier knopen. Boven het brede dek rees een stralend wit zeil op. Er prijkten vier turkooizen letters van anderhalve meter hoog op: NUMA, het National Underwater and Marine Agency.

Kimo A'kona stond op een van de twee boegen van de catamaran. Hij was dertig jaar, had gitzwart haar, een gebeeldhouwd lichaam en de sierlijke lijnen en krullen van een Hawaïaanse tatoeage op zijn arm en schouder. Hij stond op blote voeten op de boeg, balancerend op het uiterste puntje van de steven alsof hij op een surfplank stond en een *hang ten* deed, met tien tenen over de voorkant. Hij had een lange stok in zijn handen waaraan een meetinstrument hing dat hij naar voren en opzij in het water liet zakken. De cijfers op een klein schermpje gaven aan dat het apparaat werkte.

Hij praaide de aflezing uit. 'Zuurstofniveau aan de lage kant, temperatuur 21 graden Celsius, 70,4 Fahrenheit.'

Twee anderen keken toe. Perry Halverson, de teamleider en het oudste bemanningslid, stond aan het roer. Hij droeg kaki shorts, een zwart T-shirt en een *boonie*, een olijfkleurige junglehoed die hij al heel wat jaren had.

Naast hem stond Thalia Quivaros, die door iedereen T werd genoemd, in witte shorts en een rode bikinitop die haar gebruinde lichaam voldoende accentueerde om beide mannen af te leiden.

'Dat is de laagste meting tot nu toe,' merkte Halverson op. 'Drie volle graden kouder dan het om deze tijd van het jaar zou moeten zijn.'

'Dat zullen de mensen van de opwarming van de aarde niet leuk vinden,' zei Kimo.

'Misschien niet,' zei Thalia terwijl ze de getallen op een kleine tabletcomputer intikte. 'Maar er zit beslist een bepaalde lijn in. Negenentwintig van de laatste dertig metingen wijken ten minste twee graden af.'

'Kan hier soms een storm gepasseerd zijn?' vroeg Kimo. 'Zware regen of hagel waar we geen rekening mee houden?'

'In geen weken,' antwoordde Halverson. 'Dit is een anomalie en geen plaatselijke verstoring.'

Thalia knikte. 'Diepwatermetingen van de sensoren die we hebben gedropt, bevestigen het. De temperaturen wijken op elke diepte sterk af van normaal, vanaf het oppervlak tot aan de thermocline. Het is net alsof de zon deze regio op de een of andere manier mist.'

'Ik geloof niet dat de zon het probleem is,' zei Kimo. De zon had de hele dag vanuit een wolkenloze hemel geschenen, waarbij de omgevingstemperatuur een paar uur eerder een maximum van ruim dertig graden had bereikt en zelfs op dat moment, bij zonsondergang, waren de laatste stralen nog krachtig en warm.

Kimo haalde het instrument binnen, controleerde het en zwaaide toen met de stok alsof het een werphengel was. Hij gooide de sensor een meter of twaalf weg en liet hem zinken en terugdrijven. De tweede meting was identiek aan de eerste.

'We hebben in elk geval iets te melden aan de bazen in Washington,' zei Halverson. 'Je weet dat die denken dat het voor ons alleen maar een pleziertochtje is.'

'Volgens mij is het een opwelling,' zei Kimo. 'Net zoiets als het El Niño/La Niña- effect. Alleen zullen ze het hier in de Indische Oceaan waarschijnlijk een Hindi-naam geven.'

'Misschien zouden ze het naar ons kunnen noemen,' opperde Thalia. 'Het Quivaros-A'kona-Halverson-effect. Afgekort QAH.'

'Heb je wel in de gaten dat ze zichzelf als eerste noemt?' zei Kimo tegen Halverson.

'Dames gaan voor,' zei ze met een lach en een knikje.

Halverson grinnikte en zette zijn hoed wat beter op zijn hoofd. 'Terwijl jullie dat samen verder uitvechten, zal ik eens voor het avondeten gaan zorgen. Iemand trek in taco's vliegende vis?'

Thalia keek hem argwanend aan. 'Die hebben we gisteravond ook gehad.'

'Er hangt niets aan de lijnen,' zei Halverson. 'We hebben vandaag niets gevangen.'

Daar dacht Kimo even over na. Hoe verder ze de koude zone binnen waren gevaren, hoe minder leven ze in zee hadden gevonden. Het was alsof de oceaan koud en leeg begon te worden. 'Klinkt beter dan blikvoer,' zei hij.

Thalia knikte en Halverson dook de kajuit in om het eten klaar te maken. Kimo bleef aan dek staan en staarde naar het westen.

De zon was nu dan toch achter de horizon verdwenen en de hemel kreeg een indigo blauwe kleur met een feloranje streep net boven het water. De lucht was zacht en vochtig en de temperatuur zo tegen de dertig graden. Het was een volmaakte avond, een gevoel dat nog versterkt werd door de gedachte dat ze iets unieks hadden ontdekt. Ze hadden geen idee waardoor het werd veroorzaakt, maar de temperatuuranomalie leek het weer in deze regio grondig in de war te sturen. Tot dat moment was er in het zuiden en westen van India heel weinig regen gevallen terwijl om deze tijd van het jaar de moesson al begonnen had moeten zijn.

Het begon zorgelijk te worden, een miljard mensen wachtten op de jaarlijks terugkerende zware regens die de rijst en de tarwe tot leven moesten wekken. Naar hij had gehoord werden de zenuwen zwaar op de proef gesteld. Het voorgaande jaar waren de oogsten klein geweest en er werd al gesproken over hongersnood als er niet snel iets veranderde.

Hoewel Kimo besefte dat hij er weinig aan kon doen, hoopte hij toch dat ze snel zouden kunnen vaststellen wat de oorzaak was. De resultaten van de afgelopen dagen deden vermoeden dat ze op het goede spoor zaten. Over een uur zouden ze opnieuw gaan meten, een paar mijl meer naar het westen. Intussen konden ze even eten.

Kimo haalde de sensor binnen. Terwijl hij hem uit het water viste, dacht hij iets vreemds te zien. Met half toegeknepen ogen tuurde hij over het water. Zo'n honderd meter verderop verspreidde een vreemde zwarte glans zich als een schaduw over het oceaanoppervlak.

'Kom eens kijken,' zei hij tegen Thalia.

'Hou nou eens op met te proberen me vlakbij je te krijgen,' grapte ze.

'Nee, serieus,' zei hij. 'Ik zie daar iets op het water.'

Ze legde de tabletcomputer neer en liep naar hem toe, legde een hand op zijn arm om op de smalle boeg in evenwicht te blijven. Kimo wees naar de schaduw. Die werd werkelijk groter, bewoog zich als algen of een olievlek over het wateroppervlak, hoewel het een vreemde textuur had, heel anders dan algen of olie.

'Zie je dat?'

Ze volgde zijn blik en hield een kijker voor haar ogen. Het duurde even voordat ze zei: 'Het licht speelt je parten, meer niet.'

'Het is het licht niet.'

Ze bleef nog even kijken en gaf hem toen de kijker aan. 'En ik zeg je dat daar helemaal niets bijzonders is.'

Kimo tuurde in de invallende duisternis. Speelden zijn ogen hem inderdaad parten? Hij nam de kijker van haar aan en zocht het water af. Hij liet de kijker zakken, hield hem opnieuw voor zijn ogen en liet hem weer zakken.

Alleen maar water. Geen algen, geen olie, geen vreemde structuur van het zeeoppervlak. Hij zocht in beide richtingen om er zeker van te zijn dat hij niet naar de verkeerde plaats keek, maar de zee zag er weer normaal uit.

'En toch zeg ik je dat daar iets was,' zei hij.

'Leuk geprobeerd,' zei ze. 'Kom, we gaan eten.'

Thalia draaide zich om en zocht haar weg terug naar het hoofddek van de catamaran. Kimo keek nog een laatste keer, zag niets ongewoons, schudde toen zijn hoofd en volgde haar.

Een paar minuten later zaten ze in de kajuit en aten vistaco's à la Halverson, maakten grappen en spraken over de mogelijke oorzaak van de temperatuuranomalie. En terwijl ze zaten te eten, voer de catamaran voor de wind af verder naar het noordwesten. Het gladde glasvezeloppervlak van haar dubbele stevens sneed door de kalme zee en het water gleed geruisloos langs de hydrodynamische vorm.

Maar toen begon er iets te veranderen. De viscositeit van het water leek te veranderen, alsof het dikker werd. De golfjes werden wat groter en de vaart werd een fractie minder. De stralend witte glasvezel van beide rompen begon bij de waterlijn donkerder te worden alsof het door een of andere verfstof werd gekleurd.

Dit ging zo een paar seconden door en toen begon de donkergrijze kleur zich over de zijkant van de romp te verspreiden. Het begon omhoog te klimmen, tegen de zwaartekracht in, alsof het door een of andere kracht omhoog werd getrokken.

De substantie van de vlek leek op grafiet, of een donker, dunner soort kwik. Het duurde niet lang of de voorste rand van de vlek gleed over de boeg van de catamaran en kolkte over de plek waar Kimo had gestaan.

Als iemand dit had gezien en goed had opgelet, zou hij hebben gezien dat er een patroon verscheen. Heel even kreeg de substantie de vorm van voetstappen, maar werd toen weer glad en gleed verder naar achteren, in de richting van de kajuit.

Binnen stond de radio aan, een kortegolfzender die klassieke muziek uitzond. Het was goede tafelmuziek en Kimo genoot minstens zoveel van de avond en het gezelschap als van het eten. Maar terwijl Halverson weigerde het recept van zijn taco's te onthullen, zag Kimo iets vreemds.

Iets was bezig de grote, getinte ramen van de kajuit te bedekken waardoor de donker wordende hemel en de mastverlichting van de boot niet meer te zien waren. De substantie klom tegen het glas omhoog als door de wind opgejaagde sneeuw of zand, maar dan veel en veel sneller.

'Wat is dat in hemelsnaam…?'

Thalia keek naar het raam. Halversons blik ging de andere kant op, naar het achterdek en er verscheen een verschrikte uitdrukking op zijn gezicht.

Kimo draaide zich om. Een of andere grijze substantie stroomde door de open deur naar binnen, over het dek van de boot, maar tegen de helling omhoog.

Thalia zag het ook. Het kwam recht op haar af.

Ze sprong zo haastig overeind dat ze haar bord van de tafel stootte. De laatste happen van haar avondeten belandden vlak voor de aanstromende massa. Toen de grijze brei de restjes bereikte, stroomde het eromheen en eroverheen in een aangroeiende hoop.

'Wat is dat?' vroeg ze.

'Ik weet het niet,' zei Kimo. 'Ik heb nog nooit…' Hij hoefde zijn zin niet af te maken. Geen van hen had ooit zoiets gezien. Behalve… Kimo's ogen vernauwden zich. De vreemde substantie leek op een vloeistof, maar had een korrelige structuur. Het leek eerder een metaalpoeder dat over zichzelf heen gleed, of heel fijn zand dat door de wind werd voortgedreven.

'Dat zag ik op het water,' zei hij, terugdeinzend. 'Ik zei toch dat er iets was.'

'Wat doet het?'

Ze waren nu alle drie gaan staan en liepen langzaam achteruit.

'Het lijkt wel alsof het de vis opeet,' zei Halverson.

Kimo keek ernaar, heen en weer geslingerd tussen angst en verbazing. Hij keek door de open deur naar buiten. Het hele achterdek was bedekt. Toen keek hij om zich heen, op zoek naar een uitweg. Als ze naar voren gingen, kwamen ze alleen maar in de slaapruimten van de catamaran en zaten ze in de val. Maar gingen ze naar achteren, dan zouden ze over de vreemde substantie moeten lopen.

'Kom mee,' zei hij en hij klom op de tafel. 'Wat dat ook voor rommel mag zijn, ik weet vrijwel zeker dat we het beter niet kunnen aanraken.'

Terwijl Thalia naast hem op de tafel klom, maakte hij het schijnlicht open. Hij gaf haar een kontje waarna ze zich omhoog trok door de opening en op het dek boven de kajuit terechtkwam.

Halverson wilde daarna op de tafel klimmen, maar gleed uit. Hij trapte met zijn voet in de metaalachtige stof dat als modder omhoog spatte. Een deel spetterde op zijn kuit. Hij maakte een geluid alsof hij door een insect was gestoken. Hij probeerde het van zijn kuit te vegen, maar de helft van wat hij wegveegde, bleef aan zijn hand kleven. Hij schudde zijn hand snel heen en weer en veegde hem toen aan zijn shorts af.

'Het brandt op mijn huid,' zei hij met een van pijn vertrokken gezicht.

'Kom op, Perry,' riep Kimo.

Met nog steeds wat van het zilverachtige spul op zijn hand en been klom Halverson op de tafel, maar op dat moment bezweek de tafel onder het gewicht van de twee mannen.

Kimo greep zich aan de rand van het schijnlicht vast en bleef overeind, maar Halverson viel. Hij kwam op zijn rug terecht en stootte zijn hoofd. De klap leek hem even te verdoven. Hij kermde en rolde zich op zijn buik, met zijn handen op het dek met de bedoeling zichzelf op te drukken. De grijze substantie kroop over hem heen en bedekte zijn handen, armen en rug. Hij zag nog kans om overeind te komen en steun te zoeken tegen het schot, maar een deel van het spul bereikte zijn gezicht. Halverson zwaaide met zijn handen alsof er bijen om zijn hoofd zwermden. Hij hield zijn ogen stijf dichtgeknepen, maar de vreemde deeltjes drongen onder zijn oogleden door en kropen in zijn neus en oren. Hij deed een stap naar voren en viel op zijn knieën. Hij graaide naar zijn oren en schreeuwde het uit. Slierten van de krioelende substantie kropen over zijn lippen en stroomden zijn keel in waarop zijn geschreeuw overging in het gerochel van iemand die bezig is te stikken. Halverson viel voorover. De zich nog altijd uitbreidende massa deeltjes begon hem te bedekken alsof hij ergens in de jungle door een horde mieren werd opgevreten.

'Kimo!' schreeuwde Thalia.

Door haar stem schrok Kimo op uit zijn verstarring. Hij trok zich omhoog en klom door de opening op het dak. Hij sloot het schijnlicht en draaide de knevels stevig aan. In het licht van de mastlampen zag hij dat de grijze zwerm zich van voor tot achter over het hele dek had verspreid en het kroop nu ook langs de zijkanten van de kajuit omhoog.

Hier en daar leek het zich over bepaalde dingen te verspreiden zoals het dat ook had gedaan bij de etensresten op de vloer en bij Halverson.

'Het komt hier omhoog!' schreeuwde Thalia.

'Niet aanraken!'

Aan de kant waar Kimo zich bevond had de zwerm minder voortgang gemaakt. Hij tastte om zich heen naar iets wat uitkomst zou kunnen brengen. Zijn hand vond de dekwasslang en hij greep het spuitstuk, draaide de kraan open en richtte de krachtige waterstraal op de grijze massa. Het water dreef de deeltjes terug en spoelde ze als modder van de zijkant van de kajuit.

'Aan deze kant!'

Hij stapte naar haar kant en spoot uit alle macht op de troep. 'Kom achter me staan!' schreeuwde hij en richtte de slang op die kant.

De krachtige waterstraal hielp wel even, maar het was een hopeloos gevecht. De zwerm omsloot hen en naderde van alle kanten. Hoe hij zijn best ook deed, Kimo kon het niet bijhouden

'We moeten overboord springen!' riep Thalia.

Kimo keek naar de zee. De zwerm strekte zich vanaf de boot uit over het water waaruit het gekomen was. 'Ik denk het niet,' zei hij en opnieuw zocht hij wanhopig naar iets wat hen zou kunnen helpen. Helemaal achter op de boot stonden twee jerrycans met benzine. Hij richtte de waterstraal op het dek voor hem en baande zich met een heen en weer gaande beweging een pad door de zwerm. Toen liet hij de slang vallen, nam een aanloop en sprong. Hij kwam op het natte dek terecht, gleed verder en smakte tegen de binnenkant van de verhoogde spiegel op het achterschip.

Een brandend gevoel op zijn handen en benen – een gevoel alsof er ontsmettingsalcohol op beschadigde huid was gegoten – maakte hem duidelijk dat de rommel hem nu ook te pakken had. Hij negeerde de pijn, greep de eerste jerrycan en begon benzine over het dek te gieten.

De grijze massa week uiteen voor de vloeistof en trok zich terug, maar zocht ook direct een nieuwe weg.

Op het dak van de kajuit had Thalia de dekwasslang gegrepen en ze spoot in een alsmaar kleiner wordende cirkel om zich heen. Plotseling slaakte ze een kreet en liet de slang vallen alsof ze gestoken was. Ze draaide zich om en begon in de mast te klimmen, maar Kimo kon zien dat de zwerm haar benen begon te bedekken.

Ze gilde en viel. 'Kimo!' schreeuwde ze. 'Help me. Help m...'

Hij goot ook de rest van de benzine over het dek en greep de tweede jerrycan. Die was licht en zo goed als leeg. Kimo was overmand door angst.

Vanaf de plek waar Thalia gevallen was, klonken alleen nog maar rochelende geluiden. Het enige wat hij zag, was haar hand die vanuit de massa omhoog stak en krampachtige bewegingen maakte. Vlak voor hem had diezelfde massa het zoeken naar een weg naar zijn voeten hervat.

Weer keek hij naar de zee. Zover als het licht reikte, werd het oppervlak door de horde bedekt met wat een glanzende laag vloeibaar metaal leek. Kimo zag de afschuwelijke waarheid onder ogen. Er was geen ontsnappen mogelijk. Omdat hij niet zo wilde sterven als Thalia en Halverson, nam hij een pijnlijk besluit.

Hij goot de rest van de benzine over het dek uit waardoor de zwerm opnieuw werd teruggedrongen, tastte naar de aansteker die hij bij zich had en liet zich op een knie vallen. Hij hield de aansteker bij het met benzine doordrenkte dek, dwong zichzelf om te handelen en streek met zijn duim over het geribbelde wieltje. De aansteker vonkte en de dampen vatten vlam. Een vlamoverslag schoot vanaf het achterste gedeelte van de catamaran naar voren. Vlammen raasden helemaal tot aan de kajuit door de naderende zwerm en vervolgens weer terug naar Kimo, kronkelden om hem heen en staken hem in brand. Zelfs voor de weinige seconden die hij nog te leven had, was de pijn ondraaglijk. Hij was volledig in vlammen gehuld en kon niet schreeuwen omdat zijn longen al verbrand waren. Kimo A'kona struikelde achteruit en viel in de wachtende zee.

3

K urt Austin stond in de schemerdonkere werkplaats op de onderste verdieping van zijn botenhuis terwijl de wijzers van de klok juist het middernachtelijk uur passeerden.

Met zijn brede schouders en betrekkelijk knappe uiterlijk, zag Kurt er eerder robuust dan aantrekkelijk uit. Hij had staalgrijs haar, wat niet helemaal leek te passen bij een man die niet ouder dan midden dertig oogde. Hij had een krachtige kaaklijn, een regelmatig maar niet perfect gebit en een gezicht dat gebruind en doorgroefd was door de vele jaren in weer en wind op het water. Robuust en betrouwbaar, met die termen werd hij beschreven. Toch hadden de ogen in dat verweerde gezicht een doordringende blik. Door de directheid waarmee Kurt iemand aankeek en de helderheid van zijn koraalblauwe ogen, zwegen mensen vaak verrast.

Op dit moment keken die ogen naar een met liefde gemaakt werkstuk. Kurt was bezig een wedstrijdskiff te bouwen en zijn gedachten werden volledig in beslag genomen door prestaties. Wrijvingsweerstand en hefboomfactoren en de kracht die door een mens kon worden opgewekt.

Om hem heen rook het naar vernis en de vloer lag bezaaid met houtkrullen en spaanders en allerlei andere rommel van het soort dat zich tijdens een karwei als dit opstapelde en de voortgang aangaf van iemand die bezig was met de hand een boot te bouwen.

Na maanden nu eens wel en dan weer niet te hebben gewerkt, had Kurt het gevoel dat hij iets had gemaakt wat vrijwel perfect was. Twintig voet lang. Smal en gestroomlijnd. De honingblonde kleur van de houten boot scheen vanonder negen lagen schellak met een gloed die de ruimte leek te verlichten.

'Dat is een verdomd mooie boot,' zei Kurt met een bewonderende blik op het voltooide product. Door het glasachtige oppervlak leek het alsof hij meters diep kon kijken en als hij zijn ogen even iets anders instelde, zag hij de hele ruimte om zich heen erin gereflecteerd. In dat spiegelbeeld zag hij aan de ene kant een helderrode kist met nieuw gereedschap dat hij nog met geen vinger had aangeraakt. Aan de andere kant zag hij de werkbank met tegen de wand een gereedschapsbord met daarop een met pijnlijke nauwkeurigheid gerangschikt assortiment oude hamers, zagen en schaven, de houten handvatten gebarsten en verkleurd van ouderdom.

Het nieuwe gereedschap had hij zelf gekocht, het oude bestond uit krijgertjes van zijn grootvader – een geschenk dat tegelijkertijd een boodschap inhield. En precies daartussenin, als een man die gevangen zat tussen twee werelden, zag Kurt zijn eigen spiegelbeeld.

Dat klopte ook wel. Kurt was het grootste deel van zijn tijd met moderne technologie bezig, maar hij was verzot op de oude dingen in deze wereld: oude wapens, victoriaanse huizen en huizen van voor de burgeroorlog en zelfs historische brieven en documenten. Al die dingen interesseerden hem in gelijke mate. Maar de boten die hij bezat, waaronder deze die hij zojuist had voltooid, gaven hem toch het grootste gevoel van vreugde.

De slanke boot lag nu nog op twee klampen, maar morgen zou hij hem ophijsen, de riemen eraan bevestigen en hem te water laten voor de proefvaart. Aangedreven door de aanzienlijke kracht van zijn benen, armen en rug, zou de skiff met een verrassend hoge snelheid over het kalme water van de Potomac glijden.

Maar nu, zo hield hij zichzelf voor, kon hij maar beter ophouden zijn werk te bewonderen of hij zou morgenochtend te moe zijn om te roeien. Hij sloot de grote buitendeur van het botenhuis en liep naar de lichtschakelaar.

Hij wilde net het licht uitdoen, toen hij door een onaangenaam gezoem in zijn overpeinzingen werd gestoord. De boosdoener bleek zijn mobiele telefoon te zijn die op de werkbank lag te trillen. Hij herkende de naam op het scherm en nam op.

Het was Dirk Pitt, directeur van NUMA, Kurts baas en goede vriend.

Voordat hij directeur was geworden, had Pitt enige tientallen jaren zijn lijf en leven gewaagd bij speciale projecten van de organisatie. Zo nu en dan deed hij dat ook nu nog.

'Sorry, dat ik je zo laat nog stoor,' zei Pitt. 'Ik hoop niet dat je gezelschap hebt.'

'Eerlijk gezegd,' zei Kurt, terwijl hij zich naar zijn boot omdraaide, 'ben ik in gezelschap van een beeldschone blondine. Ze is sierlijk en zacht als zijde. Ik denk dat ik veel tijd met haar ga doorbrengen.'

'Ik vrees dat dat allemaal even zal moeten wachten en dat je afscheid van haar moet nemen,' zei Pitt. De ernstige toon waarop Pitt dit zei, kwam luid en duidelijk door.

'Wat is er gebeurd?'

"Ken je Kimo A'kona?' vroeg Pitt.

'Ik heb met hem samengewerkt bij het Ecologische Project op Hawaï,' antwoordde Kurt, die wist dat Pitt een gesprek niet op deze manier zou beginnen tenzij er iets ernstigs zou volgen. 'Goeie vent. Hoezo?'

'Hij was in de Indische Oceaan bezig met een karwei voor ons,' begon Pitt. 'Samen met Perry Halverson en Thalia Quivaros. Twee dagen geleden zijn we het contact met ze kwijtgeraakt.'

Dat beviel Kurt niet, maar radio's konden defect raken en soms lieten hele elektrische systemen het afweten. De vermisten doken gewoonlijk gezond en wel weer op.

'Wat is er gebeurd?'

'Dat weten we niet, maar vanmorgen is de catamaran gezien. Stuurloos drijvend op ongeveer vijftig mijl van de plaats waar hij geacht werd te zijn. Vanmorgen is een vliegtuig van de Malediven er laag overheen gevlogen. Op de foto's was te zien dat de romp ernstige brandschade had. Geen tekenen van de bemanning.'

'Waar waren ze mee bezig?'

Alleen maar meten en analyseren van watertemperaturen, zout- en zuurstofgehalte,' zei Pitt. 'Niks gevaarlijks. Dat soort klussen bewaar ik voor jou en Joe.'

Kurt kon geen enkele reden bedenken waarom iemand aanstoot zou nemen aan een dergelijke studie. 'Maar desondanks denk je dat er sprake is van een misdrijf?'

'We weten niet wat het geweest is, maar er klopt iets niet,' zei Dirk resoluut. 'Op de foto's zijn de containers van de reddingsvlotten duidelijk te zien. Die zijn aan de buitenkant verbrand, maar verder niet aangeraakt. Halverson had tien jaar ervaring bij ons en voordat hij bij ons kwam, voer hij acht jaar bij de koopvaardij. Kimo en Thalia waren jonger, maar ze waren goed getraind. We kunnen sowieso geen oorzaak bedenken van een grote brand aan boord van een zeilboot. En zelfs als dat zo zou zijn, dan mag iemand mij vertellen hoe het mogelijk is dat drie goed getrainde zeelieden onder dergelijke omstandigheden geen reddingsvlot overboord zetten en geen noodsein uitzenden.'

Kurt zweeg. Hij kon ook geen reden bedenken, tenzij ze op de een of andere manier uitgeschakeld waren.

'Het komt er dus kort en goed op neer dat ze vermist worden,' zei Dirk. 'Misschien vinden we ze. Maar jij en ik lopen lang genoeg mee om te weten dat dit er niet goed uitziet.'

Kurt begreep het helemaal. Drie leden van NUMA werden vermist en waren vermoedelijk omgekomen. Dat was iets wat zowel Dirk Pitt als Kurt Austin zeer persoonlijk opnam.

'Wat wil je dat ik doe?'

'Op dit moment wordt er op de Malediven een bergingsoperatie voorbereid,' zei Pitt. 'Ik wil dat jij en Joe zo spoedig mogelijk ter plaatse zijn. Dat wil zeggen dat je over vier uur in een vliegtuig moet zitten.'

'Geen probleem,' zei Kurt. 'Wordt er op dit moment nog naar ze gezocht?'

'Search-and-rescuevliegtuigen van de Malediven, een paar P-3's van de Marine en een eskader langeafstandsvliegtuigen vanuit Zuid-India zoeken vanaf het moment dat de boot werd gezien het zeegebied systematisch af. Tot dusver niets.'

'Dit is dus geen reddingsoperatie.'

'Was het maar waar,' zei Pitt. 'Tenzij we alsnog goed nieuws krijgen, wat ik niet verwacht, is het jouw taak om uit te zoeken wat er is gebeurd en waarom.'

In het donker en voor Pitt niet zichtbaar, knikte Kurt. 'Begrepen.'

'Jij mag meneer Zavala wakker maken,' zei Pitt. 'Hou me op de hoogte.'

Kurt zei dat hij dat zou doen en Dirk Pitt verbrak de verbinding.

Kurt legde zijn telefoon neer en dacht aan de missie die hun te wachten stond. Tegen beter weten in hoopte hij dat de drie NUMA-medewerkers tegen de tijd dat hij de Atlantische Oceaan overstak drijvend op hun zwemvesten gevonden zouden zijn, maar gezien de beschrijving van de catamaran en de tijd die er inmiddels verstreken was, betwijfelde hij het.

Hij stak het mobieltje in zijn zak en keek nog eens goed naar de glanzende boot die hij had gebouwd.

Zonder nog een seconde te aarzelen, knipte hij het licht uit en liep de deur uit.

Zijn afspraak voor de volgende morgen met deze mooie dame zou tot een later tijdstip moeten wachten.

4

Centraal-Jemen

Een in een wit gewaad gehulde gestalte stond op een rotsachtige uit-stulping die boven het zand van Jemens uitgestrekte woestijn uit-stak. Zijn kaftan wapperde in de lichte bries en maakte een zacht klapperend geluid.

Op de klif achter hem stond een glanzend witte helikopter. De zijkant werd versierd door een groen logo dat twee dadelpalmen voorstelde die hun schaduw over een oase wierpen. Drie verdiepingen lager lag de ingang van een brede grot.

In vroeger tijden zou de grot bewaakt zijn door een paar bedoeïenen die ergens op het klif tussen de rotsen verborgen zaten, maar nu waren er een stuk of tien mannen met automatische wapens open en bloot te zien, terwijl er nog eens een stuk of twintig op verschillende plaatsen verborgen zaten.

Jinn al-Khalif hield een kijker voor zijn ogen en keek naar de drie Humvees die door de woestijn naderden. Ze rezen en daalden over de heuvels als kleine boten op golven van de zee. In een pijlformatie kwamen ze in zijn richting.

'Ze volgen het oude spoor,' zei hij tegen een gestalte die schuin achter hem stond. 'In mijn vaders tijd zou het een karavaan met specerijen zijn geweest, Sabah. Kooplieden. Nu komen alleen de bankiers ons opzoeken.' Hij liet de kijker zakken en keek de bebaarde, oudere man naast hem aan. Sabah was zijn vaders trouwste medewerker geweest. Hij droeg een donker gewaad en had een radio bij zich.

'Het getuigt van wijsheid dat je hun motieven begrijpt,' zei Sabah. 'Ze geven helemaal niets om ons of om onze strijd. Ze komen alleen omdat je ze rijkdom belooft. Die belofte moet je eerst nakomen voordat we kunnen doen wat we willen.'

'Is Xhou er ook bij?'

Sabah knikte. 'Ja. Zodra hij hier is, zijn alle leden van het consortium aanwezig. We moeten ze niet laten wachten.'

'En hoe zit het met generaal Aziz, de Egyptenaar?' vroeg Jinn. 'Houdt die het geld dat hij heeft beloofd nog steeds vast?'

'Hij wil over drie dagen met ons praten,' zei Sabah. 'Dat was een beter moment voor hem.'

Jinn al-Khalif haalde een keer diep adem en snoof de zuivere woestijnlucht op. Aziz had het consortium uit naam van een groep Egyptische zakenlieden en militairen vele miljoenen toegezegd, maar tot dusver nog geen cent betaald.

'Aziz drijft de spot met ons,' zei Jinn.

'We gaan met hem praten en ervoor zorgen dat hij zich gedraagt,' zei Sabah.

'Nee,' zei Jinn. 'Dan gaat hij gewoon door met ons te tarten, alleen maar omdat hij dat kan doen. Omdat hij denkt dat we hem toch niets kunnen maken.'

Sabah keek Jinn vragend aan.

'Het is het antwoord op het raadsel van het leven,' zei Jinn. 'Het gaat niet om geld of hebzucht en zelfs niet om liefde. Geen van die dingen was voldoende om mijn familie te redden toen die bandieten ons kamp overvielen. Er is maar één ding wat telt, destijds en ook nu nog: macht. Pure, overweldigende macht. Degene die dat bezit, maakt de dienst uit. Wie geen macht heeft, kan alleen maar bedelen. Aziz laat ons bedelen, maar binnenkort draai ik de rollen om. Het duurt niet lang meer en dan heb ik een macht zoals nog nooit eerder iemand heeft gehad.'

Sabah knikte langzaam en glimlachte onder zijn baard. 'Je hebt veel geleerd, Jinn. Nog meer dan ik had gehoopt. Werkelijk, je overtreft je leermeester.'

Beneden hen stopten de Humvees voor de grot.

'Jij bent de poolster geweest die me heeft geleid,' zei Jinn. 'Daarom had mijn vader me aan jouw zorgen toevertrouwd.

Sabah maakte een lichte buiging. 'Ik aanvaard je vriendelijke woorden. Kom, laten we onze gasten gaan begroeten.'

Een paar minuten later waren ze in de diepe grot, vier verdiepingen lager. Binnen was het zevenentwintig graden, een scherp contrast met buiten, waar een wind was opgestoken die lucht met een temperatuur van veertig graden met zich meevoerde.

Ondanks de primitieve setting zat het gezelschap in comfortabele bureaustoelen aan een zwarte conferentietafel. De kamer waarin ze zaten was voordien een onregelmatig gevormde ruimte geweest, maar nu verder uitgehouwen en uitgebouwd tot een grote zaal met een moderne inrichting. In de tafel voor hen waren kleine beeldschermen ingebouwd en langs de wanden stonden computers. Achter deze zaal lagen verborgen wapenkamers en ruimtes waarin mensen konden verblijven.

Jinn had veel geld gespendeerd om deze oude ontmoetingsplaats van de bedoeïenen om te vormen tot een modern hoofdkwartier. Het was een lang en ingewikkeld proces geweest, in veel opzichten te vergelijken met de evolutie van zijn familie van een herdersvolk dat in kamelen en traditionele goederen handelde, tot een moderne onderneming die zich met technologie, olie en scheepvaart bezighield.

De kamelen en de oase die zijn familie eeuwenlang in bezit had gehad, waren allang verdwenen, verkocht en omgezet in kleine belangen in moderne bedrijven. Het enige wat ervan was overgebleven, waren zijn vaders woorden: Je moet nooit medelijden hebben... En zonder het water rest ons alleen een zwervend bestaan en de dood.

Dat gebod was Jinn nooit vergeten en de noodzaak om dat met volkomen meedogenloosheid toe te passen evenmin. Met hulp van Sabah en het geld van de mensen die in de grot bijeen waren gekomen, was het nog maar een kleine stap om zich ervan te verzekeren dat hij het water van de halve wereld in zijn macht zou hebben, zoals zijn vader de macht over de oase had gehad.

Xhou kwam binnen, vergezeld van zijn secondanten. Sabah begroette hem en bracht hem naar zijn stoel. Er waren nu negen belangrijke mannen aanwezig. Xhou uit China. Mustafa uit Pakistan. Sjeik Abin da-Alhrama uit Saudi-Arabië. Suthar was uit Iran gekomen, Attakari uit Turkije en een aantal minder belangrijke gasten uit Noord-Afrika, de voormalige Sovjetrepublieken en andere Arabische landen.

Ze waren geen regeringsvertegenwoordigers, maar zakenlieden, mannen die geïnteresseerd waren in Jinns plan.

'Bij de genade van Allah zijn we weer bijeen,' begon Jinn.

'Bespaar ons de religieuze inleiding en vertel ons hoe ver u bent,' zei Xhou. 'U hebt ons hierheen gehaald omdat u meer geld wilt hebben, maar wij hebben nog niets gezien van de effecten die u ons al had beloofd.'

Xhou's lompheid stoorde Jinn, maar hij was de grootste investeerder. Hij had Jinn fondsen ter beschikking gesteld, vooruitlopend op de resultaten die Jinn had beloofd. Dat maakte Xhou ongeduldig en dat was van het begin af aan al zo geweest. Hij leek erop gebrand te zijn de investeringsfase verder te vergeten en direct over te gaan op geld verdienen. En nu Aziz hen liet zitten, had Jinn Xhou's steun meer dan ooit nodig.

'Zoals u weet is generaal Aziz niet in staat gebleken de activa vrij te maken die hij had beloofd.'

'Misschien is dat wel verstandig van hem,' zei Xhou. 'Tot nu toe hebben we miljarden geïnvesteerd zonder dat we daar iets voor terug hebben gekregen. Ik zit met bijna een miljoen hectare waardeloze woestijngrond in Mongolië in mijn maag. Als uw sterke verhalen niet snel bewaarheid worden, raakt mijn geduld op.'

'Ik kan u verzekeren,' antwoordde Jinn, 'dat de voortgang spoedig duidelijk zal worden.' Hij drukte op een afstandsbediening waarop de kleine beeldschermen die iedere gast voor zich had tot leven kwamen. Een groter scherm aan de wand toonde hetzelfde beeld, een veelkleurige kaart van de Arabische Zee en de Indische Oceaan. Rode, oranje en gele sectoren gaven temperatuurgradiënten aan. Pijlen toonden richting en snelheid van de zeestromen.

'Dit is het standaardpatroon van de stromingen in de Indische Oceaan gebaseerd op de gemiddelden van de afgelopen dertig jaar,' zei Jinn. 'In de winter en het voorjaar loopt de stroom door de invloed van de koude, droge wind die voortkomt uit het hogedrukgebied boven India en China, van oost naar west, tegen de wijzers van de klok in. In de zomer verandert dat patroon. Het continent warmt sneller op dan de zee. De warme lucht stijgt op en trekt de wind naar het land. De stroming verandert in een beweging met de wijzers van de klok mee en dat brengt de moesson in India.'

Jinn drukte op de afstandsbediening om het veranderde patroon te tonen.

'Zoals u weet wordt de wind veroorzaakt door temperatuur- en drukgradiënten. De wind drijft de zeestromingen en samen veroorzaken ze ofwel droge lucht of de moessonregens. In dit geval veroorzaakt de aanvoer van vochtige lucht de moessonregens boven India en Zuidoost-Azië, regenval die deze landen drenkt en in staat stelt de massale bevolking te voeden.'

Op het scherm verscheen een nieuwe animatie die wolken liet zien die over India dreven en verder naar Bangladesh, Vietnam, Cambodja en Thailand.

'Dat weten we allemaal al,' zei Mustafa uit Pakistan kortaf. 'Deze presentatie hebben we al eerder gezien. Onze landerijen blijven droog, terwijl zij rijke oogsten hebben. Jullie zand verschroeit. We zijn hier gekomen om te zien of je erin slaagt om daar verandering in te brengen omdat we intussen een fortuin in dat plan van je geïnvesteerd hebben.'

'Ja, inderdaad,' zei een andere afgevaardigde.

'Zou ik u allemaal hierheen hebben laten komen als ik geen bewijs had?'

'Als je dat hebt, laat het dan zien,' drong Xhou aan.

Jinn drukte op de afstandsbediening en opnieuw veranderde het beeld.

'Drie jaar geleden zijn we begonnen met het uitstrooien van de horde in het oostelijk kwadrant van de Indische Oceaan.'

Op het scherm verscheen een kleine, onregelmatig gevormde driehoek nabij de evenaar.

'Ieder jaar hebben we, met uw fondsen, verdere secties ingezaaid. Ieder jaar is de horde, zoals beloofd, op eigen kracht verder uitgegroeid. Twee jaar geleden bedekte het tien procent van het doelgebied.'

De onregelmatige driehoek werd langer en strekte zich in de stroomrichting uit. Vanuit het westen strekte een tweede, boogvormige sectie zich in de richting van de driehoek uit.

'Een jaar geleden bedroeg de verzadiging dertig procent.'

Opnieuw een druk op de knop en een nieuwe kaart. De twee donkere vlekken kwamen bij elkaar en verspreidden zich over de zuidelijke lus van de stroom in de Indische Oceaan.

'We weten al dat de regens in India minder overvloedig zijn geworden. De oogst van vorig jaar was de kleinste sinds tientallen jaren. Dit jaar wachten ze op wolken die niet zullen komen.'

Hij drukte opnieuw op de afstandsbediening. De verspreide zwarte stroken waren dunner geworden, maar in het centrale deel van de Indische Oceaan was een veel dikker en donkerder patroon ontstaan. Door de natuurlijke beweging van de zeestromingen en Jinns manipulaties was de horde sterk geconcentreerd in een gebied dat in de oceanografie bekend stond als een gyre, het centrum van de Grote Draaikolk. Door deze sterke concentratie, zou het een veel groter effect hebben op de watertemperatuur en het weer dat daaruit voortkwam.

'De watertemperatuur daalt, maar de luchttemperatuur boven zee neemt toe en fluctueert meer zoals we dat aan land gewend zijn,' zei Jinn. 'De weerpatronen veranderen van koers. Het regent nu al meer dan ooit in de hooggelegen gebieden van Ethiopië en Soedan. Na jaren van droogte dreigt het Nassermeer de maximumcapaciteit te overstijgen.'

Iedereen leek onder de indruk, behalve Xhou.

'Niemand van ons heeft iets aan hongersnood in India,' zei hij. 'Behalve Mustafa misschien, die India als een oude vijand beschouwt. Het is de bedoeling dat wij ze graan verkopen als hun eigen schuren leeg zijn. Maar dat kan alleen als er tegelijkertijd een verandering komt in de regenval in onze eigen landen.'

'Uiteraard,' zei Jinn, instemmend. 'Maar je krijgt het tweede effect pas als het eerste voltooid is. U krijgt regen. Uw waardeloze land zal tot leven worden gewekt, de oogsten zullen overvloedig zijn en door rijst en graan te verkopen aan meer dan een miljard hongerende mensen, zult u nog grotere rijkdommen vergaren dan u nu al hebt.'

Xhou gromde iets, leunde achterover in zijn stoel en sloeg zijn armen over elkaar. Hij leek nog altijd niet overtuigd.

'De wetenschap achter dit alles is simpel,' zei Jinn. 'Zesduizend jaar geleden waren het Midden-Oosten, het Arabisch Schiereiland en Noord-Afrika niet droog zoals nu. Toen was het vruchtbaar land. Toen was het een en al grasland, savannes en met bomen begroeide vlaktes. Tot het weerpatroon veranderde en het allemaal woestijn werd. Dat was een gevolg van een verandering in de zeestromen en de temperatuurgradiënten van die stromingen. Vrijwel iedere wetenschapper zal dat desgevraagd bevestigen. Wij zijn bezig dat weer terug te draaien. Vorig jaar zagen we de eerste tekenen van vooruitgang. Dit jaar zal de verandering onmiskenbaar zijn.'

Sjeik Alhrama van Saudi-Arabië was de volgende die het woord nam.

'Hoe kan het dat niemand uw horde heeft gezien? Iets van een dergelijke omvang moet immers door satellieten worden waargenomen?'

'De zwerm blijft overdag onder het wateroppervlak. Hij absorbeert de zonnewarmte die daardoor niet tot de diepere lagen van de oceaan kan doordringen. Als het eenmaal donker is, komt de zwerm aan de oppervlakte en straalt de warmte terug naar de hemel. Er is niets te zien. Een gewoon satellietbeeld zal alleen maar water tonen. Een infraroodbeeld zal een afwijkende straling tonen.'

'En hoe zit het met watermonsters?' vroeg Xhou.

'Tenzij de horde op de sterkste agressiviteit is afgesteld, zal een watermonster voor het blote oog alleen wat troebel lijken, een tikje vervuild, meer niet. De afzonderlijke microbots van de horde zijn alleen waarneembaar onder een zeer sterke microscoop. Er is dus niets wat ons zou kunnen verraden. Niettemin houden we de onderzoeksschepen scherp in het oog, alleen maar voor het geval dat. De horde zorgt ervoor daar goed vrij van te blijven.'

'Niet altijd.'

Dat overviel Jinn. Hij meende te weten wat Xhou nu ging zeggen, maar het verraste hem dat hij dergelijke informatie had. Anderzijds kwam iemand als Xhou natuurlijk niet aan de top als hij niet wist hoe hij informatie moest vergaren.

'Wat bedoelt hij?' vroeg Mustafa.

'We zijn verrast door een klein onderzoeksvaartuig,' zei Jinn. 'Amerikanen. Dat is allemaal geregeld.'

Xhou schudde zijn hoofd. 'De Amerikanen waar je over spreekt, zijn van een organisatie die bekend staat als NUMA. Het National Underwater and Marine Agency.'

In de groep ging een gemompel op en Jinn was zich ervan bewust dat hij de situatie snel onder controle moest zien te krijgen. Hij had de volgende tranche van de totale investering nodig, anders zou de hele operatie spaak lopen.

'Dat was niet te voorzien,' zei hij. 'We hadden geen enkele reden om verdenking te koesteren tegen een zeilboot met drie mensen aan boord. Ze hadden geen vergunningen aangevraagd en niets aangekondigd. Toen we in de gaten kregen waar ze mee bezig waren, scheelde het nog maar een haar of ze zouden de horde hebben gevonden. Ze hadden de gegevens over de temperatuurgradiënt al doorgegeven aan hun hoofdkwartier.'

'Wat is er gebeurd?' vroeg de Sjeik.

'Ze zijn door de horde opgegeten.'

'Opgegeten?'

Jinn knikte. 'De bots kunnen zo worden ingesteld dat ze alles verslinden wat op hun pad komt. Dat is een onderdeel van hun programma en noodzakelijk voor voortplanting en zelfbescherming. In dit geval hebben we dat van hieruit geactiveerd.'

Dat leek Xhou nog veel kwader te maken. 'Je bent een dwaas, Jinn. Elke actie veroorzaakt een reactie. In dit geval gaat NUMA een onderzoek instellen. Die zijn kwaad over het verlies van hun crew en daardoor sterk gemotiveerd om haarfijn uit te zoeken wat er gebeurd is. Ze staan erom bekend dat ze zeer vasthoudend zijn. Ik vrees dat je alleen maar slapende honden wakker hebt gemaakt.'

Jinn was woedend; hij had er een gruwelijke hekel aan om op deze manier behandeld te worden. 'We hadden weinig keus. Nu de horde microbots zo geconcentreerd is, is die des te kwetsbaarder. Als de Amerikanen ze hadden gevonden, was het mogelijk – hoe onwaarschijnlijk dat dan ook zou zijn – dat ze actie zouden hebben ondernomen voordat wij, hier en nu, het laatste deel van ons plan in werking zouden kunnen stellen en dat in dit cruciale groeiseizoen. Als we dat hadden laten gebeuren, zouden al onze inspanningen voor niets zijn geweest.'

'Hoe denk je dat in de toekomst te voorkomen?'

Jinn zette een hoge borst op. 'Als de loop van het weerpatroon eenmaal veranderd is, kan de horde opnieuw worden verspreid. Door natuurlijke voortplanting zal de horde zo groot worden en zich zo verspreiden dat zelfs een gezamenlijke poging van alle landen op deze wereld onvoldoende zal zijn om hem te vernietigen.'

'Waar gaat hij heen?' vroeg Mustafa.

'Overal,' zei Jinn. 'Uiteindelijk zullen ze zich over alle oceanen van de wereld verspreiden. Dat zal ons in staat stellen om niet alleen het weer over onze continenten te beïnvloeden, maar over alle vastelanden van de wereld. De rijke landen zullen ons betalen om ze datgene te geven wat ze voordien gratis kregen.'

'En als ze de horde aanvallen?' vroeg Xhou.

'Om de horde schade van enig belang toe te brengen, zouden ze het hele oppervlak van de oceaan in brand moeten steken. En zelfs als ze dat zouden doen, zullen de overlevenden zich weer gaan voortplanten en zal de horde weer tot leven komen, precies zoals dat na een bosbrand ook gebeurt.'

De leden van het consortium keken elkaar aan en knikten. Ze schenen nu pas goed te beseffen wat een machtig wapen Jinn in handen had. Een wapen waar zij een aandeel in hadden.

'Jinn heeft juist gehandeld,' viel de sjeik zijn Arabische broeder bij.

'Daar ben ik het mee eens,' zei Mustafa.

Xhou was nog steeds niet tevreden gesteld. 'We zullen zien.' zei hij. 'Ik heb begrepen dat specialisten van NUMA onderweg zijn naar Malé om een onderzoek te beginnen. Als de horde door de grote concentratie nog steeds kwetsbaar is, stel ik voor dat we die verspreiden.'

'Daar is het nu het juiste moment niet voor,' zei Jinn. 'Maar maakt u zich geen zorgen. We weten wie er aan boord van de catamaran waren en we weten wie ze sturen om de zaak te onderzoeken. Ik heb maatregelen genomen om daar iets tegen te doen.'

5

Het eiland Malé is het meest dichtbevolkte van de zesentwintig atollen die bekend staan als de Malediven. Eeuwen geleden was Malé het privé-eiland van de koning en woonden de burgers op de andere eilanden, verspreid over achthonderd kilometer oceaan. Nu is Malé de hoofdstad van het land en wonen er ruim honderdduizend mensen, samengepakt op minder dan acht vierkante kilometer.

In tegenstelling tot vulkanische eilanden zoals Hawaï of Tahiti, hebben de Malediven geen bergtoppen of rotsachtige hoogten. Het is zelfs zo dat het hoogste natuurlijke punt van Malé maar twee meter veertig boven zeeniveau ligt, terwijl desondanks overal, tot aan de rand van het water, appartementencomplexen en andere gebouwen van meerdere verdiepingen oprijzen.

De vliegreis van Washington DC naar de Malediven nam een volle dag in beslag. Eerst veertien uur naar Doha, Qatar, dan drie uur wachttijd – wat vergeleken bij het eerste gedeelte maar kort leek – en dan nog eens een vlucht van vijf uur. Na zo veel uren te hebben gevlogen, was er werkelijk wilskracht voor nodig om ook in dat laatste vliegtuig te stappen. Maar uiteindelijk arriveerden de reizigers dan toch op hun bestemming. Dat wil zeggen: bijna.

Malé was zo klein en het cirkelvormige eiland was zo volgebouwd dat er geen plaats meer overbleef voor een luchthaven. Die was aangelegd op het naburige eiland Hulhulé dat de vorm van een vliegdekschip had en vrijwel volledig door de start- en landingsbaan van het vliegveld werd bedekt. Aan boord van een viermotorige A380 zag Kurt hoe andere passagiers de armleuningen zo stevig vastgrepen dat hun knokkels helemaal wit werden terwijl het toestel steeds meer hoogte verloor en alsmaar dichter bij het water kwam. Net op het moment toen het leek alsof de wielen de golven zouden raken, kwam er vaste grond in zicht en zette de grote airbus zich met een doffe dreun op de betonnen baan neer.

'Hola,' zei een stem naast hem.

Kurt keek opzij. Joe Zavala was door de landing wakker geschrokken. Zijn korte zwarte haar zat een beetje in de war en zijn donkere, bruine ogen waren wijd opengesperd alsof hij een stoot met een veeprikker had gehad. Tot op het moment dat de wielen de grond raakten, was hij diep in slaap geweest.

'Kan je de volgende keer niet even waarschuwen?'

Kurt glimlachte. 'En de verrassing verpesten? Niks beters dan de dag te beginnen met een stevige stoot adrenaline.'

Joe keek Kurt argwanend aan. 'Help me onthouden dat ik jou niet mijn ringtones of het geluid van de wekker moet laten instellen. Dan neem je waarschijnlijk een luchthoorn of zoiets.'

Kurt lachte. Joe en hij hadden in de afgelopen tien jaar samen heel wat avonturen beleefd. Ze hadden veel netelige situaties en gevechten meegemaakt en tientallen momenten waarop het leek alsof het echt afgelopen was, tot ze op de een of andere manier toch weer kans zagen om het tij te keren, gewoonlijk in de laatste seconde.

Kurt had vaak zijn leven gewaagd om Joe te redden en Joe had hetzelfde voor hem gedaan. Voor hun gevoel gaf hen dat het recht om elkaar in rustiger tijden een beetje te pesten.

'Ik weet het niet, hoor,' zei Kurt, 'maar gezien de manier waarop jij snurkt, geloof ik nooit dat jij wakker wordt van een luchthoorn.'

Een halfuur later zaten ze, na een snelle afhandeling van de bagage en de douane, in een open boot, een watertaxi die de smalle zeestraat tussen Hulhulé en Malé overstak.

Kurt keek naar het wijde water. Joe was verdiept in een kruiswoordpuzzel waarmee hij bijna de hele vlucht bezig was geweest.

'Een Afrikaanse kat van zes letters?' vroeg Joe.

Kurt aarzelde. 'Ik zou niet voor tijger gaan,' antwoordde hij.

'Denk je?' zei Joe. 'Zeker weten?'

'Zo goed als,' zei Kurt. 'Hoe komt het dat je er zo moe uitziet?'

Joe kon gewoonlijk goed tegen reizen. Zelfs zo goed dat Kurt zich vaak afvroeg of hij een of ander geheim had, mogelijk geërfd van generaties ontdekkingsreizigers in zijn familie, waardoor hij zonder merkbare nadelige gevolgen tien tijdzones achter elkaar kon passeren. Maar op dit moment had hij donkere kringen onder zijn ogen en zag hij er ondanks zijn magere, atletische bouw uitgeput uit.

'Jij was in DC toen je werd gebeld,' zei Joe. 'Tien minuten van het vliegveld. Ik zat in West-Virginia met vijftien jongens van het jeugdprogramma. We waren het hele weekend bezig met veldlopen en *confidence*-training.'

In zijn vrije tijd hield Joe zich bezig met een programma voor kinderen uit achterstandswijken. Kurt hielp hem vaak met de buitenactiviteiten, maar deze keer was hij er niet bij geweest.

'Jij probeert je te meten met tieners, hè?'

'Dat houdt me jong,' beweerde Joe.

Kurt knikte. Beiden deden ze veel aan sport. Dat moest ook wel, wilden ze de eisen die NUMA's Special Projects aan ze stelde het hoofd kunnen bieden. Ze wisten nooit wat hen te wachten stond, maar de kans was groot dat het inspannend en vermoeiend zou zijn en alle mentale en fysieke energie zou eisen die een man of vrouw in zich had. Om dat te kunnen overleven, zorgden ze dat ze in topconditie bleven. Kurt was lang en mager en ook lenig. Hij roeide op de Potomac en ging vrijwel elke dag hardlopen. Hij deed aan gewichtheffen en taekwondo. Dit laatste niet alleen voor de lenigheid, de balans en de discipline maar ook voor de waarde die het tijdens een gevecht kon hebben.

Joe was kleiner, had brede schouders en de bouw van een bokser. Hij speelde amateurvoetbal en hield bij hoog en bij laag vol dat hij, als hij een beetje sneller was geweest, prof had kunnen worden. Op dit moment leek hij echter alles op alles te zetten om zijn kruiswoordpuzzel op te lossen.

Kurt griste hem de krant uit handen en gooide die in een afvalbak. 'Gun je ogen een beetje rust,' zei hij. 'Die heb je straks nodig.'

Even staarde Joe afwezig naar de opgevouwen krant, haalde toen zijn schouders op en legde zijn hoofd tegen de hoofdsteun. Hij sloot zijn ogen en baadde zijn gezicht tijdens de rest van de tien minuten durende overtocht in de warme zon.

'Komt u hier vakantie houden?' vroeg de schipper van de watertaxi in een poging een praatje te maken.

Met zijn witkatoenen overhemd met opgerolde mouwen en zijn ogen achter een zonnebril verborgen, zag Kurt er helemaal uit als de toerist die verlangend uitkeek naar zijn vakantiebestemming. De taxibestuurder wist uiteraard niet beter.

'We zijn hier voor zaken,' zei hij.

'Dat is mooi,' antwoordde de man. 'Op Malé is business genoeg. Wat voor zaken doet u?'

Kurt dacht even na. Het was vrijwel onmogelijk uit te leggen wat NUMA's Special Projects Team precies deed omdat ze in feite een beetje van alles deden. Opeens wist hij het.

'Wij lossen problemen op,' zei hij.

'Dan bent u hier aan het verkeerde adres,' zei de schipper. 'De Malediven zijn een paradijs. Hier hebben we geen problemen.'

Kurt glimlachte en wenste dat de man gelijk had.

Rustig en kalm vervolgden ze de overtocht tot de gebouwen van Malé voor hen opdoemden. De watertaxi voer tussen de pieren door en minderde vaart. Hier werd het ondieper en de donkerblauwe kleur van het water lichter tot het uiteindelijk glashelder was met niet meer dan een vleugje blauw erin.

De boot schoot langs de kade, de schipper trok het gashendel terug en gooide een man aan de wal de vanglijn toe.

Kurt stond op uit zijn stoel, gaf de taxibestuurder een fooi en stapte vanuit de kleine boot aan wal. Verderop slenterden toeristen in de zon en langs de winkels aan de waterkant. Een groepje mannen in fel-gekleurde reflecterende vesten was bezig een deel van het betonnen wegdek te repareren, maar hielden abrupt op en namen, geleund op hun gereedschap, alle tijd om naar een zeer aantrekkelijke Poly-nesische vrouw te kijken die langs kwam lopen.

Kurt kon ze het werkelijk niet kwalijk nemen. Haar weelderige zwarte haar stroomde als inkt over een mouwloos wit topje. Haar ge-bruinde gezicht, hoge jukbeenderen en volle lippen glansden in de zon en hoewel haar benen verborgen gingen onder een eenvoudige grijs-flanellen broek, twijfelde Kurt er niet aan dat die net zo gebruind en getint waren als de rest van haar lichaam.

Ze dook een juwelierswinkel binnen waarop zowel Kurt als de weg-werkers zich weer aan hun taken wijdden.

'Ben je er klaar voor?' vroeg Kurt.

'Helemaal,' antwoordde Joe.

Kurt hing zijn rugzak om en de twee mannen liepen de kade af. Aan het eind ervan stonden twee mensen op ze te wachten: een enorme man van minstens twee meter, met doordringende ogen en een streng uiterlijk, en een vrouw met een vriendelijke, maar toch wat ondeugende uitdrukking op haar gezicht, blauwgroene ogen en licht krullend haar dat de kleur van rode wijn had. Ze was zeker een meter tachtig, maar naast die man leek ze klein.

'Zo te zien zijn de Trouts ons een slag voor geweest,' zei Kurt, en hij wees. Paul en Gamay Trout waren twee van hun beste vrienden en hooggewaardeerde leden van het Special Projects team. Haar onbedwingbare enthousiasme en ondeugende karakter waren de yin voor zijn ernstige, bezonnen yang.

'Welkom in het paradijs,' zei Gamay. Ze kwam oorspronkelijk uit Wisconsin en dat was nog altijd hoorbaar aan haar accent.

'Je bent al de tweede die dat zegt,' zei Kurt.

'Het staat in de folder.'

Kurt omhelsde haar en schudde Paul de hand. Joe deed hetzelfde.

'Hoe zijn jullie in hemelsnaam zo snel hier gekomen?'

Gamay glimlachte. 'We hadden een voorsprong. We waren in Thailand en hebben daar zo heerlijk gegeten.'

'Mazzelaars,' zei Kurt.

'Wil je eerst naar het hotel om in te checken?' vroeg Paul.

Kurt schudde zijn hoofd. 'Ik wil de catamaran zien. Is die al geborgen?'

'Een reddingsboot van de Maledivische National Defense Force heeft hem een uur geleden binnengesleept. Op ons verzoek hebben ze hem in quarantaine gehouden.'

Dat was goed nieuws. 'Laten we dan maar eens gaan kijken wat we kunnen vinden.'

Na een wandeling van zeven minuten langs de haven kwamen ze bij een steiger die door een aantal marinemensen werd bemand. Even verderop lagen twee snelle patrouilleboten en het uitgebrande wrak van de NUMA catamaran lag aan de steiger afgemeerd.

Aan de balie in een klein wachthokje vulde Kurt een formulier in en toonde zijn legitimatie en paspoort. Terwijl ze op het benodigde stempel stonden te wachten, keek Kurt rond en zag iets merkwaardigs. Hij zweeg tot hij zijn papieren terug had gekregen en sprak toen de man in uniform aan.

'Spreekt u Engels?'

'Als de beste,' zei de jongeman trots.

'Vertel me dan eens,' vervolgde Kurt, '– maar kijk vooral onopvallend – of er misschien een heel mooie brunette in een witte blouse vanaf de promenade naar ons staat te kijken.'

De wacht wilde zich omdraaien om beter te kunnen kijken.

'Onopvallend,' herhaalde Kurt.

Deze keer was hij voorzichtiger. 'Ja, ik zie haar. Is ze een probleem?'

'Niet als je er geen bezwaar tegen hebt om door mooie vrouwen gevolgd te worden. Wil je haar voor ons in de gaten houden?'

De man glimlachte. 'Met alle plezier,' zei hij, en nog voor Kurt iets kon zeggen, voegde hij eraan toe: 'Onopvallend.'

'Precies.'

Kurt verliet het wachthokje en ging samen met Joe en het echtpaar Trout aan boord van de catamaran.

'Wat een puinhoop,' zei Gamay, met haar handen op haar heupen.

Dat was het inderdaad. De boot was door de brand voor meer dan de helft geblakerd en beroet en achterop, waar de brand het felst moest zijn geweest, was de glasvezel gesmolten. Overal lagen gereedschap en uitrustingsstukken.

'Waar zoeken we naar?' vroeg Paul.

'Alles, wat dan ook, waaruit we zouden kunnen opmaken wat er gebeurd kan zijn,' antwoordde Kurt. 'Was het een ongeluk of is er sprake van opzet? Hadden ze al langer problemen of ging er plotseling iets mis?'

'Ik ga het logboek van de gps zoeken,' zei Paul.

'Ik ga in de hutten kijken,' zei Gamay.

Joe liep naar de stuurstoel en het bedieningspaneel en haalde een paar schakelaars over. Er gebeurde niets. 'Geen stroom.'

Kurt keek eens rond. De catamaran had twee zonnepanelen op het dak van de kajuit en die leken nog intact te zijn. Daarnaast zat er boven in de mast een kleine windmolen die vrolijk draaide. Het systeem zou spanning gehad moeten hebben, ook al was er dan niemand die er gebruik van maakte.

'Controleer de kabels eens,' zei hij.

Joe klom op het kajuitsdak en had het probleem al snel gevonden.

'Hier is de kabel doorgebrand,' zei hij. 'Ik denk dat ik dat wel kan fiksen.'

Terwijl Joe de kabel repareerde, ging Kurt bij de reddingsvlotten kijken. Die zaten in containers en waren niet alleen niet gebruikt, maar zelfs de banden van de containers waren niet losgemaakt.

'Is er beneden iets van water te zien?' riep hij, waarbij hij rekening hield met de mogelijkheid dat ze getroffen waren door een *freak wave*, een plotselinge, uit het niets oprijzende monstergolf, waardoor ze overboord waren geslagen, hoewel dat de brand niet zou verklaren.

'Nee,' riep Gamay terug. 'Hier beneden is het kurkdroog.'

Kurt ging op zijn hurken zitten om de brandsporen beter te kunnen bekijken. Het was geen gewoon roet, maar dikker, en leek meer op olieresten, op sludge.

De boot had een hulpmotor die in geval van nood of tijdens windstilte gebruikt kon worden; die was achterin geplaatst, onderdeks.

Kurt deed het luik open en keek naar de toestand van de motor. 'Geen spoor van brand in de motorruimte,' zei hij, terwijl hij het luik rechtop hield en over de rand tuurde.

De Polynesische brunette was dichterbij gekomen en stond nu op het voetpad langs de haven, naast een kleine boom. Ze had een mobiele telefoon in haar hand en leek foto's van de catamaran te nemen.

Was ze soms een verslaggeefster? Kurt kon zich nauwelijks voorstellen dat deze puinhoop nieuwswaarde had, tenzij de vrouw iets wist wat hem op dit moment nog niet bekend was.

Gamay kwam weer boven.

'Iets gevonden?' vroeg Kurt.

Ze hield een aantal zaken omhoog. 'Thalia's journaal,' zei ze. 'Een aantal aantekeningen van Halverson. Een laptop.'

'Iets opvallends gezien?'

'Niets bijzonders, alleen is de tafel in de kajuit kapot. En er liggen gebroken borden en tafelgerei op de vloer. Maar alle kastjes zijn dicht, dus ik neem aan dat het gebroken serviesgoed op dat moment gebruikt werd. Verder is het grootste deel van de voorraad proviand uit de pantry verdwenen, alles behalve de blikconserven.'

Heel even gaven Gamays woorden Kurt een sprankje hoop. Als de bemanning van de catamaran in een situatie verzeild was geraakt waarin ze moesten proberen te overleven, zou voedsel de hoogste prioriteit hebben gehad, maar in dat geval zouden ze de blikconserven niet hebben achtergelaten. Dat zou eerder het enige zijn geweest wat ze hadden meegenomen.

Paul kwam terug van het voorschip. Hij had de gps en de meetapparatuur bij zich. 'Voorop is niets bijzonders te zien, behalve dat de kraan van de dekwas open staat.'

'Misschien hebben ze de dekwas gebruikt om de brand te bestrijden,' zei Gamay.

Dat betwijfelde Kurt. De twee blusapparaten, een aan elke kant van de boot, zaten onaangeraakt in hun klemmen. 'Waarom hebben ze die dan niet gebruikt?'

Veel vragen, maar geen antwoorden en zelfs geen vermoedens. Kurt keek Gamay aan. 'Ik heb van Dirk begrepen dat jij colleges forensische wetenschappen hebt gevolgd.'

Ze knikte. 'Toen ik vorig jaar bij dr. Smith werkte, merkte ik dat kleine dingen ons veel duidelijk kunnen maken. Vooral als er verder weinig is waar je wijzer van wordt.'

'Ik kan hier absoluut geen wijs uit,' zei Kurt. 'Dat er een paar dozen proviand verdwenen zijn, wil niet zeggen dat ze door piraten zijn overvallen, vooral niet omdat de computers en andere zaken van waarde niet zijn meegenomen. Gebroken borden en een kapotte tafel zou op een worsteling kunnen wijzen, maar ook dat is niet voldoende om te veronderstellen dat ze misschien gek zijn geworden en elkaar hebben vermoord. De brand is dus de enige bedreiging die ik kan ontdekken, maar als ze die met de dekwasslang hebben bestreden, waren ze blijkbaar vergeten dat ze brandblussers aan boord hadden.'

'Misschien zijn ze door de brand gedesoriënteerd geraakt,' opperde Paul. 'Misschien is het 's nachts gebeurd? Of er zijn door de brand giftige dampen vrijgekomen waardoor ze geen andere keus hadden dan overboord te springen.'

Daar zat mogelijk iets in, dacht Kurt. Het was nogal vergezocht, maar op zijn minst mogelijk. Misschien verklaarde dat die vreemde aanslag. Misschien was dat een brandversneller of een soort gel. Maar als dat zo was, waar was die dan vandaan gekomen?

'Laten we daar beginnen,' zei hij. 'De brand is niet in de motorruimte ontstaan, dus moet er een andere oorzaak zijn geweest. We nemen monsters van die aanslag en alle andere dingen die ongewoon lijken.'

'Dat zal ik doen,' zei Gamay.

'Dan ga ik Joe helpen om weer stroom te krijgen,' zei Paul.

'Mooi zo,' zei Kurt met een glimlach. 'Dan blijft er voor mij niets anders over dan kennis te gaan maken met een aantrekkelijke jonge vrouw.'

6

Gamay keek hem aan alsof hij een grapje maakte. 'Natuurlijk ga je dat doen,' zei ze. 'Je bent Kurt Austin, dus wat zou je ook anders gaan doen?'

Ondanks haar spottende opmerking en de achterdochtige blikken van de anderen, zei Kurt verder niets. Hij liep de loopplank af en de steiger op, maar hield zijn ogen op het wachthokje gericht alsof hij van plan was daar naar binnen te gaan. Op het laatste moment draaide hij zich om, keek de vrouw bij de boom recht in de ogen en begaf zich in haar richting.

Hij liep snel, met grote passen. Ze keek hem misschien een seconde aan en liep toen weg. Kurt liep door.

De vrouw versnelde haar pas en liep in de richting van de straat. Op hetzelfde moment kwam er een bestelwagen aanrijden. Een kompaan die haar snel kwam oppikken, veronderstelde Kurt.

Maar de vrouw bleef met een ruk staan en oogde verward. Ze keek naar de naderende bestelwagen, toen naar Kurt en toen weer naar de bestelwagen die vlakbij haar met piepende banden stopte.

De deur vloog open en er sprongen twee mannen uit. Ze probeerde weg te rennen, maar ze grepen haar vast.

Kurt had geen flauw idee wat er gaande was, maar veel goeds kon het niet zijn. Hij begon te rennen en schreeuwde tegen de mannen. 'Hé!'

De vrouw gilde terwijl ze haar achteruit meesleurden. Ze verzette zich, maar ze gooiden haar de zijdeur binnen en sprongen toen zelf ook in de auto. Toen Kurt de straat bereikte, gingen zij er al met grote snelheid vandoor. De wacht uit het hokje dook achter hem op en blies op een fluitje.

Maar een fluitje haalde hier weinig uit.

'Hebt u een auto?'

'Alleen maar een scooter,' zei de wacht, en hij haalde een sleutel uit zijn zak en wees naar een kleine, oranje Vespa.

Kurt griste de sleutel uit zijn vingers en rende naar de scooter. Daar zou hij het mee moeten doen.

Hij zwaaide zijn been over het zadel, stak de sleutel in het contact en draaide hem om. Het 50cc motortje kwam tot leven met de kracht van een badkamerventilator.

'Wie heeft er nou geen auto?' riep hij, terwijl hij de standaard wegschopte en het gas opendraaide.

'Het hele eiland is maar drie kilometer lang,' riep de wacht terug. 'Wie heeft er nou een auto nodig?'

Daar kon Kurt weinig tegenin brengen en zelfs als hij dat kon, had hij daar nu geen tijd voor. Hij draaide het gas helemaal open en gierend als een grasmaaier ging de Vespa achter de bestelwagen aan.

Nauwelijks een minuut eerder had hij zich afgevraagd of de vrouw soms een verslaggeefster was, vervolgens was het bij hem opgekomen dat ze mogelijk gevaarlijk kon zijn en nu probeerde hij haar uit handen van een stel ontvoerders te redden. Het beloofde een heel interessante ochtend te worden.

Tweehonderd meter voor hem rammelde de bestelwagen door de straat. De remlichten gloeiden en hij sloeg links af, landinwaarts.

Kurt deed hetzelfde en reed bijna een fietser en een visventer van de sokken. Hij kon nog net uitwijken, maar reed wel het trottoir op waarbij het weinig scheelde of hij was onderuit gegaan. Even later was hij terug op de weg.

Intussen had de bestelwagen zijn voorsprong aanzienlijk vergroot en Kurt vreesde dat hij hem met het weinige vermogen dat hij had nooit zou kunnen inhalen.

'Geweldig,' mompelde hij, terwijl er allerlei insecten in zijn gezicht vlogen. 'Jarenlang moet ik al die verhalen van Pitt aanhoren over de Duesenbergs en Packards die hij had geleend, en ik zit op een dertig pk scooter.'

Hij boog zich voorover om zo min mogelijk wind te vangen en vond dat hij eigenlijk nog bofte dat er geen kwastjes aan de handvatten zaten en geen mandje voor de hond voorop.

Verderop stak een groepje voetgangers een zebrapad over. Kurts duim vond de claxon.

Tuut-tuut.

De irritante hoge toon was net genoeg om een opening in de rij mensen te maken. Kurt schoot er als een dolleman tussendoor en concentreerde zich weer op de bestelwagen.

Ze raasden verder landinwaarts, over een weg met zo'n rare lange naam dat Kurt niet eens moeite deed om die te lezen of te onthouden. Het was nu alleen maar zaak om het busje niet uit het oog te verliezen.

Hij wist niet hoe hard andere scooters reden, maar deze kleine Vespa had een topsnelheid van ongeveer vijfenzestig kilometer per uur. Net toen hij begon te vrezen dat hij aan een onmogelijke taak was begonnen, keerden zijn kansen.

Ondanks de retorische vraag van de wacht over wie er nu eigenlijk een auto nodig had, leken er toch vrij veel mensen te zijn die er eentje bezaten. In de smalle straten was het een en al auto's – niet te vergelijken met het spitsuur in een grote stad, maar toch voldoende om de weg in een hindernisbaan te veranderen.

Terwijl Kurt eerst een auto links inhaalde en vervolgens tussen twee andere die naast elkaar reden doorschoot, merkte hij dat hij op de bestelwagen begon in te lopen. Hij zag hoe die verderop probeerde zich brutaal een weg te banen naar een druk kruispunt.

Terwijl hij opnieuw een langzame auto inhaalde, hoorde hij het busje hard toeteren. Die was intussen bij de hoek en sloeg rechts af.

Kurt nam de bocht met gemak en sneed tussen twee stilstaande auto's door in de hoop dat niemand plotseling zijn portier open zou doen.

Ze reden nu in westelijke richting en de afstand tot de bestelwagen werd steeds kleiner. Opeens was hij helemaal opgetogen over zijn kleine oranje ros. In de verte zag hij water. Op de een of andere manier waren ze al aan het andere eind van het eiland gekomen.

De bestelwagen verliet de straat en scheurde langs de containers en de kranen van de handelshaven. Hij kwam slippend tot stilstand bij een wachtende speedboot en de zijdeur ging open.

De twee mannen die de geheimzinnige vrouw in de auto hadden gegooid, sleepten haar er nu weer uit en het busje scheurde weer weg.

Daar lette Kurt verder niet op en hij reed recht op de Polynesische vrouw en haar twee ontvoerders af. Net voor hij ze bereikte, sprong hij van de scooter.

Zonder berijder viel de Vespa om en gleed verder over het beton. Kurt vloog door de lucht en tackelde de twee mannen en de vrouw allemaal tegelijk.

Met zijn vieren rolden ze over het asfalt. Kurt voelde zijn knie en heup over de straat schuren en de bekende pijn van een val met een motor schoot door hem heen. Maar hij sprong overeind en ging de twee ontvoerders te lijf.

Een van de twee rende naar de boot. De andere bleef staan en trok een mes. Hij keek Kurt even aan, deed toen een paar stappen achteruit en gooide het mes.

Kurt ontweek het, maar die beweging gaf de man precies de paar seconden die hij nodig had. Hij ging achter zijn maat aan en sprong in de boot. De buitenboordmotor begon te brullen en de speedboot voer met grote snelheid weg. Kurt kon nergens een naam of een registratienummer ontdekken.

Hij schudde zijn hoofd. De wedstrijd was in een gelijkspel geëindigd. De ontvoering was mislukt, maar de boeven hadden kans gezien om te ontkomen.

Hij richtte zijn aandacht op de vrouw, die ineengedoken op de grond zat en haar bebloede elleboog vasthield. Ze zag eruit alsof ze veel pijn had.

Hij liep op haar toe. 'Gaat het een beetje?' vroeg hij nors.

Ze keek op, haar gezicht was betraand en haar mascara doorgelopen. Ze knikte, maar bleef haar arm vasthouden. 'Ik denk dat mijn arm gebroken is,' zei ze, in het Engels.

Kurts aangeboren instinct om anderen te beschermen kreeg onmiddellijk de overhand, maar hij was niet vergeten dat de vrouw nog maar even eerder bezig was geweest hem en zijn vrienden te bespioneren en foto's van de catamaran had genomen. Hij vond dat ze hem een uitleg verschuldigd was.

'Ik zal je naar een ziekenhuis brengen,' zei hij, terwijl hij haar overeind hielp. 'Maar eerst wil ik weten wie je bent, waarom je me volgt en wat je zo interessant vindt aan een verlaten catamaran.'

'Jij bent Kurt Austin,' zei ze op zelfverzekerde toon. 'Je werkt voor NUMA.'

'Dat klopt,' zei hij. 'En hoe weet je dat?'

'Ik ben Leilani Tanner,' zei ze.

De naam kwam hem bekend voor, maar voordat hij er verder over na kon denken, vertelde ze wie ze was.

'Kimo A'kona was mijn broer. Mijn halfbroer. Hij was aan boord van die boot.'

7

Vele duizenden kilometers van Malé verwijderd, in de provincie Sjanghai, reden meneer Xhou uit China en meneer Mustafa uit Pakistan in een privérijtuig van een ultrasnelle trein naar Peking. Xhou droeg een kostuum, Mustafa was gekleed in het traditionele gewaad van de Pathanen. De zes anderen die met hen meereisden konden gemakkelijk worden geïdentificeerd als behorend tot de ene of de andere partij.

De snelheid en de rust waarmee de rit verliep, waren zonder meer indrukwekkend, evenals het decor. Het interieur van het rijtuig, uitgevoerd in een mengeling van wit en lavendel, baadde in een zacht schijnsel van indirecte verlichting. Comfortabele leren stoelen ondersteunden de botten van de reizigers terwijl de luchtzuiveringsinstallatie en airconditioning het compartiment fris en op een ideale temperatuur van drieëntwintig graden hielden.

Er stonden schalen met Chinese en Pakistaanse lekkernijen die aangevuld en verzorgd werden door twee koks. Uit respect voor Mustafa's geloof, was er geen alcohol, maar verschillende soorten kruidenthee lesten de dorst en verfristen de smaak.

Ondanks deze overdaad, was dit een zakelijke bespreking.

'U moet begrijpen in welke positie we verkeren,' zei Xhou.

'De positie waarin ú verkeert,' verbeterde Mustafa.

'Nee,' zei Xhou met nadruk. 'Wij allemaal. We hebben de grootst mogelijke vergissing gemaakt waarvan de werkelijke omvang nu pas voor ons allen duidelijk wordt. De technologie waarover Jinn beschikt zal een van de machtigste zijn die ooit is ontwikkeld. Het zal de wereld herscheppen, maar ons aandeel daarin is beperkt. We hebben in een eindresultaat geïnvesteerd zonder dat we ook maar enige zeggenschap hebben over de machine die dit eindresultaat zal produceren. Wij zijn niet meer dan de eindgebruikers van datgene wat Jinn verkoopt. Wij zijn net als mensen die stroom afnemen van een energieleverancier in plaats van zelf een centrale te bouwen.'

Mustafa schudde zijn hoofd. 'In mijn land is niemand in staat de technologie te gebruiken. Het enige wat wij willen, is dat Jinn zijn beloften nakomt en dat hij de moesson van India naar Pakistan verlegt. Dat hij het weer in ons voordeel verandert. Het weer kan een wereldrijk opbouwen of verwoesten. Mijn volk hoopt dat het beide zal doen.'

Even verscheen er een laatdunkende uitdrukking op Xhou's gezicht. Hij kende Mustafa als een sluwe, maar eenvoudige man, met simpele verlangens zoals wraak op een vijand. Simpele gedachten die niet verder gingen dan profijt op korte termijn.

'Ja,' zei hij. 'Maar u moet begrijpen dat die weersverandering niet voor eens en altijd is. Die is niet blijvend. In deze vorm is het een geschenk van Jinn. Hij kan het op elk moment ongedaan maken, als hij dat wil. Als het in onze landen eenmaal begint te regenen, worden we er net zo afhankelijk van als de mensen in India die nu wanhopig naar de hemel zitten te kijken. Als Jinn van gedachten verandert en de regens weer de andere kant op stuurt, kunnen we daar weinig tegen doen.' Xhou zweeg even om zijn woorden goed te laten doordringen en vervolgde toen: 'Als Jinn daar zin in heeft, wordt Jinn de regenmaker die de regens elk jaar opnieuw aan de hoogste bieder verkoopt.'

Mustafa pakte zijn kopje op, maar nam geen slokje. Opeens drong de waarheid in volle omvang tot hem door en hij zette het kopje terug op het schoteltje.

'India is rijker dan mijn land,' zei hij.

Xhou knikte. 'Daar kunt u nooit tegen opbieden.'

Mustafa leek diep na te denken. 'Jinn is een Arabier, hij is een moslim, hij zou de sikhs en hindoes van India nooit boven ons verkiezen.'

'Bent u daar wel zo zeker van?' vroeg Xhou. 'U vertelde me dat Jinns familie lang bekend heeft gestaan als de vossen van de woestijn. Hoe is hun rijkdom anders te verklaren? Jinn zal datgene doen wat van belang is voor zijn clan.'

Mustafa leek nog steeds na te denken over het punt dat Xhou had gemaakt. Hij zette zijn kop en schotel terug op tafel, liet zijn blik even over de gerechten gaan, maar keerde zich met walging af. Hij scheen zijn eetlust volledig te hebben verloren.

'Ik vrees dat u wel eens gelijk kon hebben,' zei hij. 'Sterker nog: ik vermoed dat Jinn dat veel eerder doorhad dan wij. Waarom zou hij er anders op hebben gestaan dat de productiefaciliteiten in zijn kleine land moesten blijven?'

'We zijn het dus eens,' zei Xhou. 'Met alleen Jinns beloften en geen enkele manier om het nakomen daarvan af te dwingen, zitten we allemaal in een precaire situatie.'

'Maar geen van allen zo precair als de mijne,' zei Mustafa. 'Ik heb de weelde niet die u hier geniet. In mijn land hebben we geen hogesnelheidstreinen, geen nieuwe steden met schitterende gebouwen en nieuwe wegen. We hebben maar heel weinig buitenlandse reserves om de klap op te vangen als die mocht komen.'

'Maar u hebt iets wat wij niet hebben,' zei Xhou. 'U hebt mensen met een geheugen dat heel ver teruggaat, mensen die van oudsher weten hoe met mensen als Jinn om te gaan. Hij zal u veel eerder vertrouwen dan een afgezant van mij.'

'Jinn laat ons nooit zelfs maar in de buurt van zijn technologie komen,' zei Mustafa.

Xhou grijnsde. 'Die hebben we ook niet direct nodig.'

'Dat begrijp ik niet,' zei Mustafa. 'Ik dacht...'

'We moeten Jinns vermogen om daar richting aan te geven, elimineren. Of nog veel beter: hem elimineren en zelf de leiding in handen nemen. Als Jinn niet meer in staat is de bestaande bevelen in te trekken, zal de horde datgene doen wat hij al heeft beloofd. Dan komen de regens voorgoed onze kant op.'

Mustafa's snor krulde heel langzaam omhoog in een sinister glimlachje. Hij leek te begrijpen wat Xhou bedoelde. 'Wat zijn uw voorwaarden?' vroeg hij. 'Maar let wel: ik kan geen succes beloven. Alleen een poging.'

Xhou knikte. Een garantie om datgene te volbrengen wat werd gevraagd, kon niemand geven. 'Twintig miljoen dollar zodra Jinns dood wordt bevestigd en nog eens tachtig miljoen als u de commandocodes kunt leveren.'

Mustafa begon bijna te kwijlen, maar toen leek hij getroffen te worden door een verkillende gedachte, kil genoeg om het vuur van zijn hebzucht te temperen.

'Jinn is geen man om mee te spotten,' zei hij. 'De woestijn ligt bezaaid met de verbleekte botten van degenen die hem de voet dwars probeerden te zetten.'

Xhou leunde achterover. Hij had Mustafa te pakken, dat wist hij. Nog even een beroep doen op zijn trots en dan was de zaak beklonken. 'Geen enkele beloning is zonder risico, Mustafa. Als je meer wilt zijn dan een marionet van Jinn, moet je dat begrijpen.'

Mustafa haalde een keer diep adem en vermande zich tegen het lot. 'Zodra we een voorschot van tien miljoen dollar hebben ontvangen, zullen we tot actie overgaan,' zei hij.

Xhou knikte en wenkte een van zijn mensen. Er werd een koffer op de grond gezet. Mustafa stak zijn hand uit. Toen hij het handvat aanraakte, sprak Xhou opnieuw. 'Een ding moet je goed onthouden, Mustafa. Ook in mijn land zijn plaatsen die met botten bezaaid zijn. Bedrieg me en het zal niemand iets kunnen schelen als er ook nog een aantal Pakistaanse karkassen aan de hoop worden toegevoegd.'

8

Na een kort bezoek aan de Maledivische politie, bracht Kurt Leilani naar het ziekenhuis van het eiland, een modern gebouw dat opgedragen was aan Indira Gandhi. Terwijl ze zaten te wachten tot de röntgenfoto's klaar waren, stuurde hij een sms naar Joe om zijn collega's te laten weten waar hij was en hoe de achtervolging was afgelopen. Toen richtte hij zijn aandacht weer op Leilani.

'Ik wil niet vervelend zijn, maar wat doe je hier in hemelsnaam?'

Haar arm zat in een doek. Een snee boven haar oog was gehecht en met jodium ontsmet. 'Ik ben hierheen gekomen om uit te vinden wat er met mijn broer is gebeurd.'

Dat was begrijpelijk, dacht Kurt, maar hij wist zeker dat Dirk Pitt nog geen familieleden op de hoogte had gesteld. 'Hoe wist je dat er iets niet in orde was?'

'Mijn broer bestudeerde zeestromen,' zei ze, terwijl ze hem verdrietig aankeek. 'Ik bestudeer de dingen die erin rondzwemmen. We spraken of mailden elkaar elke dag. In zijn laatste e-mails vertelde hij dat ze een aantal heel vreemde temperaturen en zuurstofwaarden hadden gevonden. Hij wilde weten wat dat mogelijk voor effect kon hebben op het zeeleven ter plaatse. Hij zei dat ze aanzienlijk minder krill en plankton vonden en nog veel minder vis. Hij zei dat het leek alsof de zee koud en leeg begon te worden.'

Uit Halversons laatste rapport wist Kurt dat dit inderdaad waar was.

'Toen hij geen e-mails meer stuurde, begon ik me zorgen te maken,' ging ze verder. 'Toen hij ook de satelliettelefoon niet opnam, heb ik NUMA gebeld. En toen niemand me daar wilde vertellen wat er aan de hand was, ben ik hierheen gevlogen en ben ik naar de havenmeester gegaan. Hij vertelde me over de bergingsoperatie. Hij zei dat er mensen van NUMA onderweg waren om de zaak te onderzoeken. Ik dacht dat jullie misschien waren gekomen om een zoekactie op touw te zetten, maar toen zag ik de boot en...'

Ze zweeg en keek naar de grond. Kurt verwachtte tranen en die leken ook te komen, maar ze wist zich te beheersen.

'Wat is er met mijn broer gebeurd?' vroeg ze uiteindelijk.

Kurt zweeg.

'Onze ouders zijn overleden, meneer Austin. Hij is alles wat ik heb... wat ik had.'

Kurt begreep het. 'Ik weet het niet,' zei hij. 'Daar proberen we achter te komen. Enig idee wie die mannen waren?'

'Nee,' zei ze. 'U wel?'

'Nee,' moest Kurt toegeven, hoewel ook de laatste twijfels die hij nog had over de problemen waarin de catamaran was geraakt en dat die mogelijk aan een ongeluk te wijten waren, snel aan het verdwijnen waren. 'Wanneer heb je voor het laatst iets van Kimo gehoord?'

Ze keek weer naar de vloer. 'Drie dagen geleden, 's morgens.'

'Bevatte dat bericht iets ongewoons?'

'Nee,' zei ze. 'Alleen wat ik u zojuist al heb verteld. Hoezo?'

Kurt keek de kleine ruimte rond die hier voor spoedeisende hulp was gereserveerd: verpleegkundigen waren druk in de weer, er zat een aantal patiënten te wachten en zo nu en dan klonk er ergens een zoemer of een bel. Rustig, stil, ordelijk. Desondanks had Kurt het gevoel dat er ergens gevaar dreigde.

'Omdat ik probeer te bedenken wat die mannen te winnen hadden met jou te ontvoeren. Om te beginnen hadden we tot nu toe alleen maar een vermoeden dat er mogelijk sprake was van opzet. Nu kunnen we dat vrijwel als een zekerheid beschouwen. En als jij niet meer weet dan wij...'

'Het enige wat Kimo me stuurde, waren de basisgegevens. Die hebt u vast ook. En zelfs als dat niet zo was, zouden die door mij te ontvoeren toch niet verborgen zijn gebleven.'

Dat was waar. Maar dat betekende dat er zelfs nog minder aanleiding was om een dergelijke aanval op touw te zetten.

'Gaat u naar ze op zoek?'

'Dat doet de politie,' zei Kurt. 'Ik ben er overigens van overtuigd dat ze allang verdwenen zijn. Mijn taak is uit te vinden wat er met de catamaran en de bemanning is gebeurd. Ik vermoed dat ze iets hadden ontdekt wat verborgen had moeten blijven. Dat moet meer zijn dan alleen maar afwijkende temperaturen. Als dat ons naar de mannen brengt die jou probeerden te ontvoeren, zien we dat wel.'

'Ik wil meehelpen,' zei ze.

Hij had wel verwacht dat ze dat zou zeggen. Hij schudde zijn hoofd. 'Het is geen wetenschappelijk project. En voor het geval je dat nog niet had gemerkt, het is waarschijnlijk gevaarlijk.'

Ze tuitte haar lippen alsof die opmerking haar kwetste, maar in plaats van fel te reageren, zei ze kalm: 'Mijn broer is dood, meneer Austin. Dat weten we allebei. Als je in Hawaï bent opgegroeid, dan ken je de kracht van de zee. De zee is mooi. De zee is gevaarlijk. We hebben eerder vrienden verloren door surfen, zeilen en duiken. Als de zee Kimo in zijn armen heeft genomen, is dat één ding. Als een stelletje kerels daar schuldig aan is, enkel en alleen om wat hij had ontdekt, dan vind ik dat veel en veel erger. En ik ben niet iemand die dat er dan zomaar bij laat zitten.'

'Dit is heel erg voor je,' zei hij. 'En waarschijnlijk wordt het nog erger voordat het beter wordt.'

'Daarom moet ik iets doen,' zei ze. 'Om mijn zinnen te verzetten.'

Kurt had geen andere keus dan precies te zeggen waar het op stond. 'Ik weet uit ervaring dat je labiel zult zijn, ongeacht of je nu wel of niet iets te doen hebt. Dat kan gevolgen hebben voor het hele team. Het spijt me, maar zo iemand kan ik op dit moment niet gebruiken.'

'Prima,' zei ze. 'Maar hou er rekening mee dat jullie me toch wel zullen zien omdat ik echt niet ga zitten treuren.'

'Hoe bedoel je dat precies?'

Deze keer was zij degene die geen blad voor de mond nam. 'Als ik jullie niet mag helpen, ga ik in mijn eentje op onderzoek uit. Als mijn zoektocht die van jullie in de war schopt, is dat jammer.'

Kurt slaakte een zucht. Je kon moeilijk kwaad worden op iemand die een familielid had verloren, maar ze dreef hem er wel naartoe. Hij had de indruk dat ze elk woord van wat ze had gezegd meende. Het probleem was dat ze geen flauw idee had waar ze aan begon.

De dokter kwam binnen met de foto's. 'Het komt weer helemaal goed, mevrouw Tanner. De arm is niet gebroken, alleen gekneusd.'

'Zie je nu wel?' zei ze tegen Kurt. 'Ik ben een taaie.'

'En je hebt geluk gehad.'

'Met een beetje geluk hebben, is niks mis.'

De dokter trok een neutraal gezicht, omdat hij niet begreep waar het gesprek precies over ging. 'Ik vind geluk ook niet echt slecht.'

'Aan u heb ik ook niks,' mompelde Kurt.

Hij zat klem. Na wat er zojuist was gebeurd, kon hij haar moeilijk in haar eentje achterlaten. Hij kon haar ook niet voor haar eigen bestwil laten opsluiten of naar Hawaï laten deporteren, waar ze mogelijk veilig zou zijn. Hij had geen keus.

'Goed dan,' zei hij.

'Ik zal het jullie niet lastig maken,' zei ze.

Hij glimlachte met opeengeklemde kaken. 'Dat doe je al,' zei hij.

Twintig minuten later hielp hij haar, tot schrik van de medische staf, achter op de beschadigde Vespa. Een stuk voorzichtiger dan op de heenweg, reed hij met haar terug naar de andere kant van het eiland.

Ze kwamen er heelhuids. Kurt beloofde de ontstelde wacht dat zijn scooter gerepareerd zou worden of zo nodig door NUMA vervangen en bood hem zijn horloge als onderpand aan.

De man bekeek het argwanend en Kurt vroeg zich af of hij wel besefte dat het horloge twee keer zoveel waard was als een nieuwe scooter.

Samen met Leilani ging hij terug aan boord van de catamaran en stelde haar aan Paul en Gamay voor.

'En dit is Joe Zavala,' zei hij, toen Joe van beneden aan dek kwam. 'Hij is je nieuwe beste vriend en chaperon.'

Ze schudden elkaar de hand.

'Ik klaag niet,' zei Joe, 'maar waarom ben ik haar nieuwe beste vriend?'

'Jij moet ervoor zorgen dat haar niets overkomt,' zei Kurt. 'En, wat nog veel belangrijker is, jij zorgt dat ze ons geen problemen bezorgt.'

'Ik ben nooit eerder chaperon geweest,' zei Joe.

'Er is een eerste keer voor alles,' zei Kurt. 'En, hoe staan de zaken?'

'We hebben weer stroom,' zei Joe. 'De accu's zijn bijna leeg, maar de zonnepanelen en de windturbine trekken het wel.'

'Hebben jullie iets gevonden?'

Paul was de eerste die sprak. 'Zodra Joe ervoor had gezorgd dat we weer stroom hadden, heb ik op de gps gekeken welke track ze hadden gevolgd. Op de laatste avond dat ze zich hebben gemeld, hebben ze tot even na achten een westelijke koers aangehouden. Daarna worden koers en vaart onregelmatig.'

'Enig idee hoe dat kwam?'

'We denken dat dit het moment moet zijn geweest waarop het incident zich voordeed,' zei Paul. 'Door de brand is een deel van het zeil verloren gegaan. Door die vormverandering zijn het profiel en de snelheid van de boot veranderd. Het ziet ernaar uit dat hij toen stuurloos is geraakt.'

'Waar zaten ze toen dat gebeurde?'

'Ongeveer vierhonderd mijl westzuidwest van de Malediven.'

'En verder?'

'In het scheepsjournaal worden geen bijzondere gebeurtenissen vermeld en ook niet in hun persoonlijke aantekeningen of computerbestanden,' zei Paul. 'Maar zoals gewoonlijk heeft Gamay iets gevonden.'

Kurt draaide zich naar haar om.

Ze hield een glazen beker omhoog met een paar centimeter antracietkleurig water erin. 'Dit is de aanslag die de brand heeft achtergelaten. Die heb ik vermengd met gedistilleerd water. In de meeste gevallen bestaat roet voornamelijk uit koolstof. Dat is ook in deze sludge in ruime mate aanwezig, maar bovendien bevat het een vreemd mengsel van metalen: tin, ijzer, zilver en zelfs sporen van goud. En vreemde spikkels die heel moeilijk te zien zijn.'

Kurt bekeek het water in de beker nauwkeurig; er zat een eigenaardige, bijna regenboogkleurige schittering in. 'Waar wordt dat door veroorzaakt?'

Gamay schudde haar hoofd. 'Dat kan ik, met de spullen die ik hier tot mijn beschikking heb, niet zeggen. Maar ze hadden een microscoop aan boord. Toen Joe de stroomvoorziening had hersteld, hebben we de monsters gefotografeerd. Wat het is, weet ik nog niet, maar het beweegt.'

'Beweegt?' herhaalde Kurt. 'Hoe bedoel je, bewegen?'

'Het is niet inert,' zei ze. 'De koolstof en het residu zijn stil, maar iets in of op het residu is nog steeds actief. Wat het ook mag zijn, het is zo klein dat we het zelfs onder de microscoop niet kunnen zien.'

Het nieuws leek Leilani onaangenaam te treffen en even overwoog Kurt om de discussie later voort te zetten, maar dit was nu eenmaal de deal: het zou onaangenaam kunnen worden en als ze daar niet tegen kon, was dit het moment om dat te beseffen.

'Hebben we het hier over een bacterie of een ander soort micro-organisme?' vroeg Kurt.

'Dat zou kunnen,' zei Gamay. 'Maar tot we het beter kunnen bekijken, blijft het gissen.'

Kurt dacht even na. Het was vreemd, maar eigenlijk werden ze hier niets wijzer van. Voor zover zij konden nagaan, was datgene wat ze in die aanslag hadden gevonden pas na de brand op de boot terechtgekomen.

'Kan deze vreemde ontdekking, wat het dan ook mag zijn, de brand hebben veroorzaakt?' vroeg hij.

'Ik heb geprobeerd het te verbranden,' zei Gamay. 'Het residu is niet brandbaar. Het bestaat uit geoxideerde koolstof en metalen.'

'Als dat de oorzaak niet was, wat dan wél?'

Gamay keek Paul aan en die keek naar Joe. Ze hadden alle drie moeite om het slechte nieuws vertellen.

Uiteindelijk was het Joe die zijn mond opendeed. 'Benzinebrand,' zei hij somber. 'En we kunnen geen van de twee twintigliterjerrycans vinden die ze volgens het manifest aan boord hadden.'

Kurt trok een snelle conclusie. 'De bemanning moet de brand aangestoken hebben.'

Joe knikte. 'Dat is ook ons vermoeden.'

Gamay draaide zich om naar Leilani om zich ervan te overtuigen dat het haar niet te veel werd. 'Het spijt me verschrikkelijk,' zei ze.

'Het geeft niet,' antwoordde Leilani. 'Het gaat wel.'

'Waarom veroorzaakt iemand brand op zijn eigen boot?' vroeg Kurt.

'Wij kunnen maar twee redenen bedenken,' zei Gamay. 'Het was of een ongeluk, of er was iets op de boot wat gevaarlijker leek dan de boel in brand steken.'

'Dat residu,' opperde Kurt, 'en datgene wat erin zit. Denken jullie dat ze dat probeerden te bestrijden?'

'Ik weet niet wat ik ervan moet denken,' zei Gamay. 'Ik zie werkelijk niet hoe dat zo'n groot gevaar kan zijn geweest, maar Paul en ik hebben over een uur een afspraak met een professor van de universiteit hier om dat wat er in dat monster zit beter te bekijken. Misschien komen we dan meer aan de weet.'

'Goed,' zei Kurt. Hij keek naar zijn pols om te zien hoe laat het was en herinnerde zich toen pas dat hij zijn horloge had verpand.

'Hoe laat is het nu?'

'Halfvijf,' zei Gamay.

'Oké,' zei hij. 'Joe en ik brengen Leilani terug naar het hotel. We bellen Dirk en wachten op jullie. Ga naar die professor van je, maar wees voorzichtig.'

9

Paul en Gamay namen de bus naar de Maldives National University. Toen die bij het Billabong Station stopte, stapten de twee Amerikanen samen met een groep studenten uit, alsof ze naar de avondschool gingen.

'Zou je terug willen naar de universiteit?' vroeg Gamay.

'Alleen als jij meegaat en ik je boeken mag dragen,' antwoordde hij.

Ze glimlachte. 'Ik zal er eens over nadenken.'

Ze gingen naar binnen. De Nationale Universiteit bestreek het hele gamma van studierichtingen, van de traditionele sharia-wetgeving tot werktuigkunde, bouwkunde en gezondheidszorg. De school stond bekend om de kwaliteit van de faculteit Maritieme Wetenschappen en Waterbouwkunde, wat mogelijk kwam omdat het zo laaggelegen land het hoofd graag boven water wilde houden.

Paul en Gamay werden ontvangen door een collega van de maritieme opleiding die bekend was met het werk van NUMA. Hij stelde ze voor aan een vrouwelijk faculteitslid in een donkerrode sari, dr. Alyiha Ibrahim.

'Fijn dat u ons kon ontvangen,' zei Gamay.

De vrouw nam Gamays hand in haar beide handen. 'Net als in de woestijn worden ook op de oceaan reizigers in nood nooit geweigerd,' zei ze. 'En als dat wat u gevonden hebt een gevaar voor Malé kan betekenen, zou het niet alleen erg zelfzuchtig zijn als ik u niet hielp, maar bovendien erg dom.'

'We weten niet of het gevaarlijk is,' zei Gamay, 'alleen dat er iets mis is gegaan en dat dit ons mogelijk kan helpen de oorzaak daarvan te vinden.'

Dr. Ibrahim glimlachte, waarbij de kleur van haar sari haar glanzende groene ogen accentueerde. 'Laten we dan verder geen tijd verknoeien.'

Ze nam hen mee naar een laboratorium. De laserscanmicroscoop stond klaar en was gereed voor gebruik. Op een bedieningspaneel was te zien dat alles werkte.

'Mag ik?' vroeg dr. Ibrahim.

Gamay gaf haar het flesje en met een pipet nam ze een monster. Dat deed ze met grote nauwkeurigheid op een speciaal schaaltje en schoof het in het instrument.

Na een paar minuten verschenen de eerste foto's op het scherm. Het beeld dat daar te zien was, was zo vreemd dat aanvankelijk niemand iets zei. Gamay keek met samengeknepen ogen naar het scherm en Pauls mond stond een eindje open, terwijl dr. Ibrahim haar bril wat beter op haar neus zette en zich dichter naar het scherm boog.

'Wat is dat?' vroeg Paul, starend naar de monitor.

'Ze lijken op stofmijten,' zei Gamay.

'Ik weet niet wat het zijn,' zei dr. Ibrahim. 'Ik zal proberen of ik de vergroting kan verhogen.'

De grote elektronenmicroscoop zoemde en deed een nieuwe scan. Het beeld dat even later op het scherm verscheen, maakte hun verrassing alleen nog maar groter.

Dr. Ibrahim keek Paul en Gamay aan. 'Ik weet niet wat ik jullie moet vertellen,' zei ze. 'Ik heb nog nooit van mijn leven zoiets gezien.'

Terwijl Paul en Gamay op de universiteit waren en Joe een oogje op Leilani hield, doorzocht Kurt de persoonlijke zaken van de vermiste bemanningsleden. Op de een of andere manier voelde dat niet goed, bijna alsof hij bezig was te kijken of er bij de doden nog iets te halen was, maar het moest gebeuren, al was het alleen maar vanwege de kans dat er ergens een aanwijzing verborgen zat.

Na een uur met deze onaangename taak bezig te zijn geweest, had hij er schoon genoeg van. Hij had niets gevonden wat hem verder kon helpen, maar toch in elk geval iets waar Leilani mogelijk iets aan had: een uitgeprinte foto van de bemanning, met haar broer in het midden vooraan, vrolijk lachend, alsof het leven voor hem niet meer stuk kon.

Hij borg de rest van de persoonlijke zaken weer weg en liep met de foto in de hand de gang op. Een deur verder lag de suite die hij voor Joe en Leilani had geboekt. Die bestond uit twee aangrenzende kamers, maar om in de tweede te komen, moest je door de eerste.

Hij klopte, hoorde niets en klopte nog een keer.

Even later bewoog de deurknop. Leilani's gezicht verscheen in de deuropening en nu pas viel het hem op hoe mooi ze eigenlijk was.

'Waar is je bodyguard?'

Ze deed de deur verder open. Joe lag op bed, diep in slaap en zachtjes snurkend, met zijn kleren en zelfs zijn schoenen nog aan.

'Eersteklas beveiliging,' zei ze. 'Daar komt niemand langs.'

Kurt deed zijn best om niet te lachen. Joe was intussen dertig uur in touw geweest. Zijn dierlijk instinct had dan misschien geen aan- en uitknop, de rest van Joe had dat klaarblijkelijk wel.

Kurt glipte stilletjes naar binnen. Leilani sloot de deur zachtjes achter hem en liep op haar blote voeten en gekleed in een zwarte yogabroek en een groen T-shirt geruisloos over de vloerbedekking. Kurt volgde haar naar de aangrenzende kamer waar de overgordijnen gesloten waren en alleen een paar schemerlampen brandden.

'Ik was aan het mediteren,' zei ze. 'Ik mis op dit moment alle balans. Het ene moment ben ik boos en even later wil ik huilen. Je had gelijk, ik ben labiel.'

Het grappige was dat ze op hem juist de indruk maakte in orde te zijn. 'Ik weet het niet, hoor, maar volgens mij sla je je er goed doorheen.'

'Omdat ik nu iets heb om me in vast te bijten,' zei ze. 'Uitzoeken wat er gebeurd is. Daar moet ik jou voor bedanken, met hoeveel tegenzin je er ook in toestemde. Al iets gevonden?'

'Nog niet,' zei hij. 'Tot dusver hebben we alleen maar ongerijmdheden gevonden.'

'Wat voor ongerijmdheden?'

'Kimo en de anderen waren op zoek naar anomalieën in de zeewatertemperatuur,' zei hij. 'Die hebben ze gevonden, maar niet op de manier die ze hadden verwacht. Over de hele wereld stijgen de temperaturen van het zeewater, maar zij vonden verminderde temperaturen in een tropisch gebied. Dat is het eerste vreemde gegeven.'

'Wat nog meer?'

'Merkwaardig genoeg zijn lagere temperaturen normaal gesproken gunstig. Kouder water betekent een hoger zuurstofgehalte en daardoor meer leven. Dat is de reden waarom warme, ondiepe zeeën zoals de Caraïbische Zee betrekkelijk leeg zijn, terwijl de donkere, koude gedeelten van de Noord-Atlantische Oceaan de plaatsen zijn waar de vissersvloten zich verzamelen.'

Ze knikte en Kurt besefte dat hij bezig was basisgegevens op te sommen die ze zelf ook gemakkelijk had kunnen verzamelen, maar ze wisten zo weinig dat het hem beter leek om helemaal niets weg te laten. Ze leek verbijsterd. 'Maar Kimo vertelde me dat ze juist lagere hoeveelheden opgeloste zuurstof vonden, minder krill, minder plankton en minder vis terwijl de temperatuur daalde.'

'Exact,' zei Kurt. 'Het is precies andersom. Tenzij er iets was wat niet alleen de warmte absorbeerde maar bovendien zuurstof verbruikte.'

'Wat zou dat kunnen zijn?' vroeg ze. 'Giftig afval? Een of ander anaeroob mengsel?'

Vanaf het moment dat hij de cijfers onder ogen had gekregen en ze gecontroleerd en nog eens gecontroleerd had, had Kurt zich het hoofd gebroken over de vraag wat de mogelijke oorzaak kon zijn. Vulkanische activiteit, rode getijden, een uitbarsting van algenbloei – allemaal verschijnselen die dode zones en zuurstofarm water tot gevolg konden hebben, maar geen enkele daarvan verklaarde de temperatuurdaling. Opwellend koud water zou een verklaring zijn, maar dat had gewoonlijk een overvloed aan voedsel tot gevolg en een toename van het zuurstofgehalte, wat in die omgeving dan weer een ware explosie van het zeeleven tot gevolg had. Het was een probleem en mogelijk zelfs een zodanig probleem dat de ontdekking door Kimo en de anderen reden was geweest om hen te vermoorden. Maar daarmee wisten ze nog steeds niets.

'Ik weet het niet,' zei hij. 'We hebben alles bekeken dat ze ons hebben gestuurd, met inbegrip van Kimo's e-mails aan jou, alleen maar om na te gaan of we soms iets over het hoofd hadden gezien. Tot dusver heeft dat helemaal niets opgeleverd.'

Even verscheen er een bezorgde uitdrukking op haar gezicht. 'Heb je zijn e-mails aan mij gelezen?'

'Dat moest wel,' zei Kurt. 'Voor het geval hij je zonder het zelf te weten een belangrijk gegeven had gestuurd.'

'Heb je iets gevonden?'

'Nee,' zei hij. 'Dat had ik ook niet echt verwacht. Maar we moeten werkelijk elke steen omdraaien.'

Ze slaakte een zucht en liet haar schouders hangen. 'Misschien is dit wel te groot voor ons. Misschien kunnen we zo'n onderzoek beter aan een internationale organisatie overlaten.'

'Waar is die vastbeslotenheid van een paar uur geleden opeens gebleven?'

'Ik was kwaad. Ik zat barstensvol adrenaline. Ik probeer nu wat meer rationeel te denken. Misschien kunnen de Verenigde Naties of het ministerie van Defensie van de Malediven een onderzoek instellen. Misschien kunnen wij maar beter gewoon naar huis gaan. Nu ik jou en je vrienden heb leren kennen, moet ik er niet aan denken dat er misschien nog meer slachtoffers zouden kunnen vallen.'

'Vergeet dat maar gerust,' zei Kurt. 'We laten dit echt niet over aan een of andere instantie die er zelf geen directe belangen bij heeft.'

Ze knikte instemmend en op dat moment ging Kurts telefoon.

Hij haalde hem uit zijn zak en nam op.

Het was Gamay.

'Iets opgeschoten?' vroeg hij.

'Een beetje,' zei ze.

'Wat heb je gevonden?'

'Ik heb je een foto gestuurd,' zei ze. 'Een beeld van de microscóop. Kijk eens even, wil je?'

Kurt klikte naar de map met berichten en opende Gamays foto. Het was een haarscherpe zwart-witfoto van iets wat op een insect leek, maar er tegelijkertijd vreemd mechanisch uitzag. De randen van het object waren scherp en de hoeken perfect.

Kurt bestudeerde de foto kritisch. Het leek op een spin met zes lange, naar voren gestrekte armen en aan de achterkant twee poten die uitliepen in platte vinnen in de vorm van een walvisstaart. De armen waren twee aan twee voorzien van verschillende soorten klauwen en over het midden van de rug van het ding liep een soort kam met verschillende uitsteeksels die niet zozeer op wervels of weerhaken leken, maar veel meer op de gedrukte bedrading van een microchip.

Al met al zag het hele ding er zonder meer mechanisch uit.

'Wat is dat?'

'Het is een microbot,' zei Gamay.

'Een wat?'

'Dat ding waar je naar zit te kijken, is zo groot als een stofmijt,' zei ze. 'Maar het is niet organisch, het is een machine. Een micromachine.

En als we het monster dat ik heb genomen als een indicatie mogen beschouwen, dan zitten de verschroeide resten van deze zelfde machines in zeer grote aantallen in de sludge die na de brand is overgebleven.'

Terwijl hij de telefoon zo hield dat Leilani de foto ook kon zien, keek hij naar de foto en liet tot zich doordringen wat Gamay hem zojuist had verteld. Hij dacht aan het gesprek dat ze eerder hadden gevoerd en de theorie dat de bemanning de boot in brand had gestoken in een poging zich te ontdoen van iets wat nog gevaarlijker was.

'Dus deze dingen zijn op de boot gekomen en de bemanning heeft geprobeerd ze weg te branden,' zei hij, hardop denkend. 'Maar hoe zijn ze dan om te beginnen aan boord gekomen?'

'Geen idee,' zei Gamay.

'Waar dienen ze voor?' vroeg hij. 'Wat doen ze?'

'Daar heb ik ook geen idee van,' herhaalde ze.

'Maar als het machines zijn, dan heeft iemand die gemaakt.'

'Precies wat wij dachten,' zei Gamay. 'En we menen te weten wie dat zou kunnen zijn.'

Kurts telefoon maakte weer een geluidje en er verscheen een nieuwe foto. Deze keer was het een pagina van een krantenartikel. Een foto in de hoek toonde een zakenman die uit een opzichtige oranje Rolls-Royce stapte. Zijn kastanjebruine haar was achterover samengebonden in een lange paardenstaart en zijn gezicht ging bijna helemaal schuil achter een warrige baard. Zo te zien droeg hij een marineblauw Armani-kostuum of een pak van een andere Italiaanse ontwerper.

'Wie is dat?' vroeg Kurt.

'Elwood Marchetti,' zei Gamay. 'Miljardair en elektronicagenie. Hij was degene die jaren geleden een procedé ontwierp om schakelingen op microchips te drukken dat tegenwoordig door iedereen wordt gebruikt. Hij is ook een groot voorvechter van nanotechnologie. Hij heeft een keer beweerd dat in de toekomst alles door nanobots zal worden gedaan, van cholesterolophopingen uit onze aderen verwijderen tot de winning van goud uit zeewater.'

'En dat zijn deze dingen: nanobots?' vroeg Kurt.

'Deze zijn groter,' zei ze. 'Als je probeert om je een nanobot voor te stellen als een Tonka truck, dan zijn deze dingen grondverzetmachines. Een soortgelijk concept, maar ongeveer duizend keer groter.'

Leilani bekeek de foto. 'Dus die Marchetti is het probleem,' zei ze vastberaden.

Kurt schortte zijn oordeel nog even op. 'Hoe brengen we deze microbots met hem in verband?'

Deze keer was het Paul die antwoord gaf. 'Volgens een internationaal patent dat op internet te vinden is, komt dit vrijwel overeen met een van zijn ontwerpen.'

Ook Kurt begon nu een gerechtvaardigde woede te voelen en hij zag dat Leilani er handenwringend bij stond. 'Gebruikt hij ze ergens voor?' vroeg Kurt. 'Experimenteert hij ermee?'

'Niet dat wij weten.'

'Maar hoe komen ze dan in zee terecht?' vroeg hij. 'En, nog veel belangrijker: hoe zijn ze op de catamaran terechtgekomen?'

Paul moest gissen. 'Ze zijn of uit het laboratorium ontsnapt, net als die *killer bees* veertig jaar geleden, of Marchetti gebruikt ze ergens voor zonder dat de rest van de wereld dat mag weten.'

Kurt klemde zijn kaken op elkaar. 'We moeten nodig een bezoek aan die jongen brengen.'

'Ik ben bang dat hij op een privé-eiland woont,' antwoordde Paul.

'Dat zal mij er echt niet van weerhouden om op zijn deur te kloppen. Waar kan ik dat eiland vinden?'

'Dat is een goeie vraag,' zei Gamay.

Er lag een vreemde ondertoon in Gamays stem en Kurt begreep niet goed wat ze bedoelde. 'Wil je zeggen dat niemand weet op welk eiland hij woont?'

'Nee, dat niet,' zei ze. 'Alleen weet niemand precies waar het op dit moment is.'

Kurt kreeg het gevoel dat zij en hij over twee verschillende dingen spraken. 'Waar hebben jullie het over?'

'Marchetti is bezig een kunstmatig eiland te bouwen,' legde Paul uit. 'Hij noemt het Aqua-Terra. De kern ervan is vorig jaar te water gelaten en sindsdien is hij bezig met de uitrusting. Maar omdat het mobiel is en omdat hij er de voorkeur aan geeft om in internationale wateren te blijven, weet niemand ooit zeker waar hij op een bepaald moment is.'

Nu herinnerde Kurt zich plotseling dat hij daar iets over had gehoord. 'Ik dacht dat dat alleen maar een publiciteitsstunt was.'

Nu deed Leilani haar mond open. 'Nee,' zei ze, 'dat is echt waar. Ik heb er iets over gelezen. Zes maanden geleden lag het hier buiten Malé ten anker. Kimo zei dat hij het graag wilde zien als hij daar de gelegenheid voor had.'

'Oké,' zei Kurt. 'Jullie proberen alles over die microbots aan de weet te komen. Ik ga Dirk bellen. Zodra we weten waar Marchetti is, ga ik bij hem op bezoek. Zo moeilijk kan het nu ook weer niet zijn om een drijvend eiland te vinden.'

10

Jinn al-Khalif liep met Sabah onder een maanverlichte hemel door de woestijn. De zandvlakte die hij van jongs af aan kende, glinsterde als zilver onder zijn voeten. Het deed hem terugdenken aan die avond, ruim veertig jaar eerder, toen zijn familie in de oase werd aangevallen. De avond waarop een stel rovers als vrienden vermomd uit de woestijn de oase binnen was komen sluipen en zijn moeder en broers had vermoord. Dat was een les in misleiding geweest die hij nooit was vergeten. En eentje die zich leek te herhalen.

'Geen bericht van Aziz?' vroeg hij, doelend op de Egyptische generaal die steun voor zijn plan had beloofd.

Sabah's stem klonk kalm en afgemeten in de koele nachtlucht. 'Zoals je al had vermoed, heeft Aziz zijn beloften verbroken. Hij is niet langer geïnteresseerd in steun aan ons.'

In de verte weerlichtte het. Aan de horizon, vlak bij de kust, begon zich een onweersfront te vormen. De regens waren nog niet tot het land doorgedrongen maar het zou niet lang meer duren of de woestijn zou de lafenis van de onverwachte regenbuien beginnen te voelen; het uiteindelijke bewijs van zijn genialiteit. En desondanks dreigde alles juist nu, op het toppunt van de triomf, ineen te storten.

'Aziz is een verrader,' zei Jinn met een uitdrukkingsloos gezicht.

'Hij is een man met zijn eigen belangen,' zei Sabah sussend. 'Zoals alle mensen volgt hij degenen die hem voordeel brengen. Je zou er wijs aan doen om het niet persoonlijk op te vatten.'

'Zij die hun beloftes breken, beledigen me persoonlijk,' zei Jinn. 'Wat voert hij als excuus aan?'

'De Egyptische politiek,' zei Sabah. 'Het leger heeft daar vijftig jaar lang de macht in handen gehad, met inbegrip van de controle over de meest winstgevende ondernemingen. Maar er heerst nog steeds grote verwarring. De moslimbroederschap is bezig haar macht te consolideren en daardoor is het voor de militairen op dit moment gevaarlijk om iets seculiers te steunen, vooral als het om een buitenstaander gaat.'

'Maar ons programma kan ze alleen maar helpen,' hield Jinn aan. 'Het zal ook bij hen de woestijn tot leven brengen, net als bij ons.'

'Ja,' zei Sabah. 'Maar zij hebben de Aswandam en al dat water van het Nassermeer erachter. Zij hebben datgene wat wij te bieden hebben niet zo hard nodig als de anderen. Bovendien is Aziz niet dom. Hij kent de waarheid. Jij kunt de regen brengen, of je kunt ze de regen onthouden. Maar als je de anderen die wel betalen regen geeft, valt die toch ook in zijn land.'

Jinn dacht hier even over na. Dat was onvermijdelijk. 'Ik ben tot meer in staat dan hij denkt,' hield hij vol. 'Ik zal hem dwingen over de brug te komen.'

'Ik waarschuw je, Jinn, hij draait niet bij.'

'Dan neem ik wraak.'

Dat leek Sabah niet te bevallen. 'Misschien is dit geen goed moment om nieuwe vijanden te maken. Laten we in elk geval wachten tot we met die Amerikanen hebben afgerekend. Je weet dat ze aan boord van die beschadigde zeilboot bewijzen van de horde hebben gevonden.'

'Ja,' zei Jinn, die erg onaangenaam getroffen was door dat nieuws. 'Ze gaan achter Marchetti aan. Dat is hun hoofdverdachte.'

'Ze zullen weinig moeite hebben om hem te vinden,' zei Sabah. 'Die mensen van NUMA zijn vastberaden. Die zullen niet aarzelen om hem aan te pakken.'

'Wat hebben wij daarmee te maken?' zei Jinn. Zijn woorden dropen van arrogantie en eigenwaan.

Sabah leek niet tevreden. 'Onderschat ze niet.'

Jinn probeerde hem gerust te stellen. 'Mijn goede, trouwe dienaar, ik beloof je dat er geen verdenking op ons zal vallen. Als ze Marchetti vinden, betekent dat voor hen het einde en wat er daarna nog komt voor ongelovigen als zij. Maar kom, we hebben andere zaken af te handelen.'

Verderop hield een aantal van Jinns mannen de wacht bij twee van hun eigen mensen. Het tweetal zat op de grond, geboeid en met de ruggen tegen elkaar vastgebonden, aan de rand van een oude, niet meer gebruikte waterput. Rondom de donkere, gapende opening stond een lemen muurtje van nauwelijks vijfentwintig centimeter hoog, met daarop twee roestige ijzeren constructies waarop vroeger een dwarsbalk gelegen had van waar een emmer aan een touw naar beneden kon worden gelaten.

Ze keken naar Jinn en in hun ogen was alleen maar angst te lezen. En terecht.

'Hebben ze toegegeven dat ze hebben gefaald?'

De kapitein van de wacht schudde zijn hoofd. 'Ze houden vol dat ze alleen maar hebben gedaan wat ze was opgedragen.'

'U had gezegd dat we de vrouw moesten aanvallen,' zei een van de mannen. 'We hebben gedaan wat u had bevolen.'

'Jullie werden geacht haar alleen maar aan te vallen als afleidingsmanoeuvre om de man weg te lokken. Hij was het doelwit en jullie moesten hem zo mogelijk meenemen en niet als een stelletje lafaards ervandoor gaan toen hij jullie achterna kwam. Nu is jullie signalement verspreid en is er zelfs een foto van jullie van een van de bewakingscamera's aan de haven. Daarom heb ik verder niets meer aan jullie.'

'Het eiland is zo klein dat we ons nergens konden verbergen. We moesten proberen te ontkomen.'

'Je geeft het dus toe,' zei Jinn. 'Jullie waren laf en hebben de gemakkelijkste weg gekozen.'

'Nee,' antwoordde de man. 'Ik zweer dat dat niet zo is. De val heeft niet gewerkt. De man heeft ons overweldigd. We hadden geen pistolen.'

'Hij ook niet.'

Jinn wendde zich naar Sabah. 'Wat stel je voor?'

Sabah keek naar de twee mannen, toen naar de kleine groep van Jinns andere getrouwen die zich hadden verzameld. 'Ze moeten gegeseld worden,' zei Sabah. 'Daarna met honing ingesmeerd en op de grond vastgepind. Als ze dat tot het middaguur overleven, moet ze vergiffenis worden geschonken.'

Jinn dacht even na. Hij zou er de andere mannen een genoegen mee doen, maar het zou ook een verkeerde indruk wekken en als een teken van zwakheid kunnen worden opgevat. 'Nee,' zei hij. 'We mogen geen medelijden hebben. Ze hebben ons in de steek gelaten door een gebrek aan wilskracht. Dergelijke gedachten mogen zich niet verder verspreiden.'

Hij liep dichter naar de mannen toe. 'Ik zal voor jullie gezinnen zorgen. Mogen zij zich nobeler tonen dan jullie.' Toen deed hij een stap achteruit en gaf de eerste man een harde schop. Die viel opzij en over de rand van de droge put. Daar bleef hij eerst hangen, zwevend boven het gat en vastgehouden door het gewicht van de andere gevangene aan wie hij vastgebonden zat.'

'Nee, Jinn!' schreeuwde de tweede man. 'Alsjeblieft! Heb genade!'

Jinn gaf de tweede gevangene een nog veel hardere schop dan de eerste. Tanden, bloed en speeksel vlogen in het rond. Hij tuimelde achterover en beide mannen vielen in de put. Terwijl ze vielen echoden hun kreten vanuit de donkere opening. Twee seconden later klonk er een misselijkmakend plof, gevolgd door alleen maar stilte.

Jinn draaide zich om naar de andere mannen. Zijn gezicht was vertrokken van woede. 'Ze hebben me hiertoe gedwongen!' schreeuwde hij. 'Laat dit een les zijn voor jullie allemaal. Schiet niet tekort bij het uitvoeren van je taken. De volgende die me teleurstelt zal veel langzamer en pijnlijker sterven, dat kan ik jullie verzekeren.'

De mannen deinsden achteruit, opnieuw herinnerd aan zijn toorn en macht.

Hij keek ze nog een keer strak aan en liep toen weg. Sabah volgde hem en kwam naast hem lopen.

'Ik weet niet of dat nu wel…'

'Trek mijn beslissingen niet in twijfel, Sabah!'

'Ik geef je alleen maar adviezen,' zei Sabah kalm. 'En in dit geval zou mijn advies zijn: wees genadig voor je eigen mensen en spaar je toorn voor je vijanden.'

Jinn was woedend. 'Zij die me in de steek laten, zijn mijn vijanden. Net zoals zij die me bedriegen en hun beloften niet nakomen zoals Aziz. Doordat hij niet met de beloofde fondsen over de brug komt, staan wij op de rand van de afgrond. Nu moeten wij bij de Chinezen en de Saudi's smeken om meer. Dat moet veranderen. Ik wil Aziz voor ons zien kruipen en smeken om hulp.'

'En hoe dacht je dat te bereiken?'

'De Aswandam geeft hem macht,' zei Jinn. 'Zonder die dam zou Egypte zichzelf niet kunnen voeden en zou Aziz ons nog harder nodig hebben dan alle anderen. Bedenk een manier om de dam te slopen.'

Sabah zei eerst niets en Jinn vermoedde dat hij bezig was de mogelijkheden te onderzoeken. Hij trok zijn wenkbrauwen op. 'Er is mogelijk een manier.'

'Regel het,' zei Jinn. 'Ik wil die dam kapot hebben. Terwijl hij sprak, rolde het geluid van de donder over de woestijn naar ze toe. In de verte werd de hemel door bliksemflitsen verlicht. Het kwam Jinn voor als een teken van boven.

Sabah zag het ook, maar zijn blik drukte alleen bezorgdheid uit.

'Er zullen velen sterven,' zei hij. 'Misschien honderdduizenden. Het grootste deel van de Egyptische bevolking woont langs de oevers van de Nijl.'

'Dat is het loon van Aziz' verraad,' zei Jinn. 'Hun bloed kleeft aan zijn handen.'

Sabah knikte. 'Zoals je wilt.'

11

'Wordt er tijdens deze vlucht ook een maaltijd geserveerd?' vroeg
Joe Zavala.

Kurt grinnikte om het geklaag van Joe. Ze zaten samen met Leilani
in de passagiersruimte van een Bell JetRanger. Vijfduizend voet beneden
hen lag het glinsterende oppervlak van de Indische Oceaan. Ze konden
de golfpatronen zien, maar die leken niet te bewegen. Het was alsof je
naar een schitterende foto keek.

'Ik meen het,' zei Joe. 'Ik verga van de honger.'

De piloot, een Brit die Nigel heette, keek Joe over zijn schouder aan.
'Wat denk je dat dit is, maat, British Airways?'

Joe draaide zich om naar Kurt. 'Ik wil een klacht indienen bij de leider
van deze expeditie.'

'Dan had je maar op tijd moeten zijn voor het ontbijt,' antwoordde
Kurt.

'Niemand heeft me wakker gemaakt.'

'Dat hebben we echt geprobeerd,' zei Kurt. 'Misschien had je je wekker
in de stoomfluitstand moeten zetten. Of een echte mee moeten nemen.'

Joe leunde weer achterover. 'Dit is echt verschrikkelijk. Eerst word
ik van mijn slaap beroofd en nu krijg ik geen eten. Wat volgt hierna?
De Chinese watermarteling?'

Kurt wist dat dit gezeur van Joe zijn manier was om de tijd door te
komen, maar in al die jaren dat ze samen reisden, had hij ook geleerd
dat Joe kon eten als een bootwerker zonder ooit een pond aan te
komen. Met een dergelijke stofwisseling was het zeer wel mogelijk dat
hij volledig zou wegkwijnen als hij een dag geen eten kreeg.

Hij richtte zijn aandacht op wat voor ze lag. 'Nou, doe je ogen daar dan maar te goed aan,' zei hij. 'Aqua-Terra op twee uur.'

Op vijf mijl afstand was het eiland als een reusachtig olieplatform duidelijk te zien. Toen ze dichterbij kwamen, werd het duidelijk dat Marchetti's ontwerp inderdaad geniaal was. Met een breedte van honderdvijftig meter en ruim zeshonderd meter lang was Aqua-Terra zonder meer een lust voor het oog. In tegenstelling tot wat veel futuristische architecten bij het ontwerpen van een drijvende stad voor ogen stond, was het eiland niet rond, maar druppelvormig, aan de ene kant in een punt uitlopend en aan de andere kant een grote boog.

'Ongelooflijk,' mompelde Leilani.

'Verdomd groot,' zei de piloot.

'Ik hoop maar dat ze daar beneden een food court hebben,' zei Joe.

Kurt lachte en wierp een zijdelingse blik in Leilani's richting. 'Gaat het een beetje?'

Ze leek in gedachten verzonken, maar zag er ook vastberaden uit, alsof ze op het punt stond een gevecht aan te gaan. Ze knikte, maar toch leek het alsof ze liever ergens anders had willen zijn. Hij besloot te proberen haar af te leiden door over het eiland te praten.

'Zie je die ring rondom de buitenkant van het eiland?' vroeg hij.

'Ja,' zei ze.

'Dat is een golfbreker die opgebouwd is uit barrières van staal en beton. Die staan op grote hydraulische zuigers, en ik heb me laten vertellen dat als ze door een grote golf geraakt worden, ze worden teruggedreven, waardoor ze als schokbrekers de grootste klap opvangen. Als de golf zich terugtrekt, springen ze weer in hun oorspronkelijke stand terug.

'Wat is dat daar allemaal, helemaal aan de andere kant?' vroeg ze, wijzend.

Kurt keek in de richting die ze aangaf. In de romp was een halfcirkelvormige uitsparing aangebracht waaraan een kunstmatig strand was aangelegd. Bij dat gedeelte zaten de golfbrekers niet op één lijn, maar overlapten ze elkaar. Langs een steiger lag een aantal kleine boten en ook een tweemotorig watervliegtuig.

'Zo te zien is dat een baai,' zei hij.

'Elk eiland moet een haven hebben,' vulde Joe aan. 'Misschien hebben ze een paar leuke restaurantjes aan de waterkant.'

'Niemand zal jou er ooit van kunnen beschuldigen dat je je van de wijs laat brengen,' zei Kurt.

De helikopter maakte een draai en begon te dalen. Kurt hoorde Nigel over de radio met een luchtverkeersleider praten. Hij keek weer naar het eiland.

Er werd nog steeds aan de voltooiing gewerkt, wat duidelijk bleek uit de steigers en het vele blanke ijzer. Andere delen waren vrijwel klaar en het achterste deel van het eiland was zo te zien helemaal voltooid, met inbegrip van twee piramidevormige gebouwen van tien verdiepingen hoog waartussen als een soort brug een heliplatform was opgehangen.

'Kan iemand die zoiets heeft gebouwd werkelijk betrokken zijn bij wat er met mijn broer is gebeurd?'

'De aanwijzingen voeren hierheen,' zei Kurt.

'Maar die Marchetti hééft alles,' zei ze. 'Waarom zou die zoiets afschuwelijks doen?'

'We zullen ons best doen om daarachter te komen.'

Ze knikte en Kurt keek weer uit het raam. Terwijl de helikopter een wijde bocht begon te draaien, richtte hij zijn aandacht op een rij hoog oprijzende witte bouwsels aan weerszijden van het druppelvormige eiland. Bij de grond waren ze het breedst en ze liepen naarmate ze hoger werden met een kleine helling smal toe. Ze deden hem denken aan extra grote staarten van 747's. Hij had al snel in de gaten hoe dat kwam. Het waren aerodynamische vlakken, mechanische zeilen, bedoeld om wind te vangen. Hij zag hoe ze de invalshoek een beetje veranderden, allemaal tegelijk.

In het midden van het eiland zag hij een rechthoekige groenstrook, met bomen, gras en heuvels. Het deed hem aan Central Park in New York denken. Aan weerszijden lagen brede stroken grond die erg vruchtbaar leken te zijn.

Aan de voorkant weerkaatste het zonlicht in rijen zonnepanelen terwijl een aantal grote windmolens sierlijk draaiden.

Nigel draaide zich naar Kurt. 'Ze geven ons geen toestemming om te landen.'

Daar had Kurt op gerekend. Hij stak zijn arm uit en haalde een schakelaar over waarop een bus die hij aan het staartstuk had bevestigd zwarte rook begon af te geven. Hij betwijfelde of iemand er in zou trappen, maar het kon nooit kwaad.

'Zo te zien is het een noodsituatie,' zei hij. 'Zeg tegen ze dat we geen andere keus hebben dan veilig landen of crashen.'

Terwijl de piloot het bericht doorgaf, grijnsde Kurt naar Leilani. 'Nu moeten ze ons laten landen.'

'Ben je altijd zo inventief?' vroeg ze.

Joe was degene die voor hem antwoordde. 'Naar ik heb gehoord, was Kurt het soort jongen dat spijbelde en zijn eigen briefjes tekende terwijl zijn leraren en leraressen niet wisten hoe ze hem in de watten moesten leggen als hij na zijn "ziekte" weer op school kwam.'

Leilani glimlachte. 'Ik noem dat vindingrijk.'

Met een sliert zwarte rook achter zich aan vloog de JetRanger op het heliplatform af dat de opening tussen de twee piramidevormige gebouwen overbrugde. De nadering was vloeiend, bijna te vloeiend.

'Laat het een beetje echt lijken,' zei Kurt.

De piloot knikte en bewoog de stuurknuppel heen en weer waardoor het toestel begon te waggelen alsof het problemen had, maar naarmate ze dichterbij kwamen, stabiliseerde dat en even later landden ze veilig op de grote gele H.

Kurt deed zijn headset af, maakte de deur open en stapte uit. Hij strekte zijn benen en keek om zich heen. Het was alsof hij in een van die restaurants op het dak van een gebouw zat, met het mooiste uitzicht.

De zeilen die hij eerder had gezien, waren minstens dertig meter hoog, allemaal met een helderblauwe streep en de naam Aqua-Terra erop. Er hing een bepaalde geur in de lucht, maar die was hier zo ongebruikelijk dat het even duurde voordat Kurt het herkende: de geur van vers gemaaid gras. En ook kwam er iets zijn richting uit dat in deze omgeving net zo uit de toon leek te vallen. Een man in een oranje broek en een grijs overhemd met daaroverheen een loshangend purperen gewaad versierd met groen met blauwe paisley, een man die veel op Elwood Marchetti leek, maar ook een beetje op een pauw. Een dikke, bruine baard en een rode ronde zonnebril completeerden zijn duizelig makend ensemble.

Vlak achter hem liep een magere man met stroblond haar. Hij droeg een zakenkostuum en leek zeer verstoord te zijn.

'Meneer Marchetti, u moet deze mensen niet verwelkomen,' zei hij. 'Ze hebben het recht niet om hier te landen.'

Kurt keek langs Marchetti naar het pak. 'We hadden een motorstoring.'

'Daar was het dan wel een geschikt moment voor.'

Kurt glimlachte. 'Zegt u dat wel. Wat een geluk dat uw eiland hier toevallig was.'

'Hij liegt,' zei de man. 'Ze komen duidelijk spioneren of ze proberen een audit te doen.'

Marchetti schudde hem de hand en draaide zich toen om naar zijn medewerker. Hij legde zijn handen op de armen van de man en pakte hem vast zoals een ouderwetse opwekkingsprediker dat zou doen die bij iemand uit het publiek een healing uitvoert.

'Het doet me werkelijk verdriet,' begon Marchetti, 'het doet me oprecht verdriet, te bedenken dat ik je zo paranoïde heb gemaakt en geen kans heb gezien je de wijsheid bij te brengen die je nodig hebt om de zaken helder te zien, Blake Matson,' zei hij, en hij vestigde de aandacht van zijn assistent weer op Kurt. 'Dit is dé man niet. Deze knaap lijkt zelfs niet op dé man. De mán komt met boten en schepen, met wapens en advocaten en accountants. Hij draagt geen zware schoenen en brengt geen mooie jonge vrouwen mee.' Terwijl hij dat zei, keek Marchetti naar Leilani.

'Neemt u me niet kwalijk,' zei Kurt. 'Maar waar hebt u het in godsnaam over?'

'Over de belastinginspecteur, beste kerel,' zei Marchetti. 'De Amerikaanse belastingdienst, beter bekend als de IRS, de Internal Revenue Service, de verschillende Europese equivalenten daarvan en vertegenwoordigers van een buitengewoon irritant Zuid-Amerikaans land dat van mening schijnt te zijn dat ik ze iets schuldig ben.'

'De Internal Revenue Service?' zei Kurt. 'Waarom zou u zich daar zorgen over maken?'

'Omdat ze maar niet schijnen te begrijpen dat ik voor hun wereld niet langer internal ben, maar external ben geworden en daarom geen bijdrage lever aan hun revenuen of ook maar op enigerlei wijze of in welke vorm dan ook geïnteresseerd ben in hun zogenaamde service.'

Marchetti legde zijn hand op Kurts schouder en leidde hem naar voren.

'Dit is mijn domein. Daar heb ik tot dusver een miljard dollar ingestoken. Mijn eigen terrafirma. Alleen is het niet firma,' hij struikelde over zijn woorden. 'Het is aqua. Terra-Aqua. Of eigenlijk Aqua-Terra, maar je begrijpt wat ik bedoel.'

'Niet echt,' zei Kurt met een onbewogen gezicht.

'De belastingdienst noemt het een schip. Ze zeggen dat ik heffingen en registratierechten en verzekeringen moet betalen. Dat ik moet voldoen aan de veiligheids- en gezondheidsvoorschriften en inspecties moet toelaten. Ze zeggen dat dat de boeg is. Ik zeg tegen ze dat het een eiland is en dat dat het uiterste puntje van het eiland is.'

Kurt keek Marchetti aan. 'U kunt voor mijn part verkondigen dat dit de planeet Mars is. Ik ben niet van de belastingdienst en van geen enkele andere dienst of land dat belasting van u wil heffen of uw soevereiniteit in twijfel wil trekken, nou ja, uw verstandelijke vermogens, misschien. Maar ik heb wel een probleem en ik heb een goede reden om aan te nemen dat u daar de oorzaak van bent.'

Marchetti keek hem verbijsterd aan. 'Ik? Probleem? Die twee woorden gaan zelden samen.'

Kurt bleef Marchetti strak aankijken tot die ophield met zijn nerveuze gedoe.

'Wat voor probleem?' vroeg de miljardair.

Kurt haalde een afgesloten laboratoriumflesje uit zijn borstzak. Daar zat het brijachtige mengsel in van roet, water en microbots dat Gamay hem had gegeven.

'Heel kleine machientjes,' zei hij. 'Door u ontworpen voor God mag weten wat en gevonden op een uitgebrande boot waarvan de drie bemanningsleden worden vermist.'

Marchetti nam het flesje van hem aan en zette de rode zonnebril af. 'Machientjes?'

'Microbots,' antwoordde Kurt.

'In dit flesje?'

Kurt knikte. 'Uw ontwerp. Tenzij iemand onder uw naam patenten heeft aangevraagd.'

'Maar dat kan niet.'

Marchetti leek werkelijk verbijsterd. Kurt besefte dat hij het zou moeten bewijzen.

'Hebt u instrumenten aan boord waarmee we dit kunnen bekijken?'

Marchetti knikte.

'Laten we dan een realitycheck doen en alle twijfel wegnemen.'

Vijf minuten later gingen Kurt, Joe en Leilani met een lift naar beneden naar het hoofddek, wat Marchetti 'dek nul' noemde omdat de dekken daaronder negatieve nummers hadden en die erboven positieve. Ze liepen naar een rij geparkeerde golfbuggy's, klommen in een verlengde zeszitter en reden weg in de richting van de voorste punt van het eiland. Matson werd achtergelaten en Nigel bleef op het heliplatform, zogenaamd om aan de helikopter te werken.

De reis voerde over de hele lengte van het eiland dat vrijwel verlaten leek.

'Hoeveel mensen hebt u aan boord?' vroeg Kurt.

'Gewoonlijk vijftig, maar deze maand zijn het er maar tien.'

'Vijftig?' Kurt had verwacht dat het er iets van duizend waren geweest. Hij keek rond. Van verschillende kanten klonken geluiden die erop duidden dat er gewerkt werd, maar Kurt zag geen enkele arbeider en hoorde zelfs geen stemmen.

'Wie doet al het werk dan?'

'Dat is volledig geautomatiseerd,' zei Marchetti.

Hij stopte naast een inspringend gedeelte en wees.

Kurt zag vonken op een plaats waar gelast werd, hoorde het geluid van klinkhamers en mechanische schroevendraaiers, maar zag niemand. Nadat de vonkenregen nog een paar keer was herhaald, bewoog er iets. Een voorwerp ter grootte van een stofzuiger, met drie armen en een elektrisch lasapparaat op een vierde aanhangsel, dribbelde naar een ladder.

De machine maakte dezelfde onverwachte, onbeholpen bewegingen als de robots aan een lopende band, schokkerig, maar heel precies. Robots mochten dan precies zijn, dacht Kurt, gevoel voor stijl hadden ze nog altijd niet.

Toen de machine de lassen klaar had, trok hij twee armen in en bevestigde zichzelf aan een stijl van de ladder. Hij greep die met een gemotoriseerde klamp vast en begon omhoog te gaan. Toen hij ongeveer een meter van Kurt verwijderd het dek bereikte, liet hij de ladder los en scharrelde verder over de weg.

Een kleinere machine volgde.

'Mijn arbeidskrachten,' zei Marchetti. 'Ik heb zeventienhonderd robots van verschillend formaat en ontwerp die het grootste deel van de bouw doen.'

'Scharrelrobots,' merkte Kurt op.

'O, ja, ze mogen het hele eiland over,' pochte Marchetti.

Halverwege het pad sloten enkele andere robots zich bij het tweetal aan en gingen als een klein konvooi ergens heen.

'Het is zeker schafttijd,' zei Joe, grinnikend.

'Inderdaad,' zei Marchetti. 'Wel iets anders dan bij mensen. Ze zijn
geprogrammeerd om op hun eigen batterijniveau te letten. Als dat te
laag wordt, gaan ze terug naar een laadpunt en sluiten zichzelf aan.
Zodra ze geladen zijn, gaan ze weer aan het werk. Het gaat vrijwel
vierentwintig uur per dag door.'

'Wat nu als ze een ongeluk krijgen?' vroeg Joe.

'Als ze defect raken, zenden ze een noodsein uit en dan worden ze
door andere robots opgehaald. Die brengen ze naar de werkplaats waar
ze worden gerepareerd en vervolgens worden ze weer aan het werk
gezet.'

'Wie vertelt ze wat ze moeten doen?' vroeg Kurt.

'Ze worden allemaal bestuurd door een hoofdprogramma. Hun op-
drachten worden via een wifi-verbinding gedownload. Ze rapporteren
de voortgang van het werk aan de centrale computer waarin alle teke-
ningen en specificaties van Aqua-Terra zijn opgeslagen. Die houdt de
voortgang van het totale project in de gaten en past het programma
waar nodig aan. Een tweede set kleinere robots controleert de kwaliteit
van het werk.'

'Opzichters,' zei Kurt, die moeite had om niet in lachen uit te barsten.

'Ja,' zei Marchetti, 'in zekere zin, maar dan zonder al het geharrewar
tussen management en ondergeschikten.'

Hij startte het golfkarretje weer en even later liepen ze drie dekken
lager verder naar zijn laboratorium. De enorme ruimte was een mengeling van luxueuze banken, de meeste met leer en in vrolijke kleuren bekleed, stalen wanden waarop een beetje condensatie te zien was en
blinkende computers en beeldschermen. Overal beeldschermen.

De ruimte baadde in een zacht blauw licht dat door een reusachtig
rond raam naar binnen viel. Aan de andere kant van het glas zwommen
vissen en schitterde het licht.

'We zitten beneden de waterlijn,' merkte Kurt op, met een blik naar
het enorme aquariumachtige raam.

'Zes meter,' zei Marchetti. 'Ik vind het licht kalmerend en erg bevorderlijk voor het denkproces.'

'Maar duidelijk niet bevorderlijk voor de netheid,' constateerde Kurt.

Werkelijk overal lag rommel. Er lagen kleren en er stonden dienbladen met etensresten en vuil serviesgoed. Op een tafel lagen tientallen boeken, sommige open, andere dicht en opgestapeld als de toren van Pisa die elk moment kon omvallen. In een hoek stonden drie lasrobots in ruste.

'Een opgeruimd bureau duidt op een ongezonde geest,' zei Marchetti terwijl hij heel voorzichtig een druppel water uit het laboratoriumflesje haalde en op een preparaatglaasje deed dat hij meenam naar een groot, vierkant apparaat dat het glaasje opslokte en begon te zoemen.

'Dan moet u wel erg gezond zijn,' mompelde Kurt, terwijl hij een stapel papieren van een stoel haalde en ging zitten.

Marchetti negeerde zijn opmerking en richtte zijn aandacht op de machine. Even later verscheen er een beeld van de waterdruppel op een flatscreen boven Marchetti's bureau.

'Versterk vergroting,' zei Marchetti, klaarblijkelijk tegen het apparaat.

Het beeld veranderde een aantal keren tot het op een satellietbeeld van een eilandengroep leek.

'Nog een keer,' zei Marchetti tegen de computer. 'Focus op sectie 142. Vergroting elfhonderd.' De machine zoemde en er verscheen een nieuw beeld, deze keer van vier kleine, spinachtige dingetjes die ergens omheen zaten.

Marchetti's mond viel open.

'Zoom nog eens wat verder in,' zei Kurt.

Met een bezorgde uitdrukking op zijn gezicht ging Marchetti zitten en zoomde met behulp van de muis en het toetsenbord verder in. Een van de spinnen leek te bewegen.

'Dit kan helemaal niet,' mompelde Marchetti.

'Komt u dit bekend voor?'

'Als lang verloren gewaande kinderen,' zei Marchetti. 'Identiek aan mijn ontwerp, alleen…'

'Alleen wat?'

'Alleen kunnen ze niet van mij zijn.'

'Nou, daar gaan we dan,' zei Kurt, die niet anders had verwacht dan allerlei ontkenningen en een hoop praatjes over alle voorzorgsmaatregelen die voldoende hadden moeten zijn. 'Hoezo niet? Waarom kunnen die niet van u zijn?'

'Omdat ik er nooit ook maar eentje heb gemaakt.'

Dat antwoord had Kurt niet verwacht.

'Ze bewegen,' zei Leilani, op het scherm wijzend.

Marchetti draaide zich om en versterkte de vergroting nog verder. 'Ze voeden zich.'

'Hoe bedoelt u, voeden? Waar voeden ze zich dan mee?'

Marchetti krabde zich op het hoofd en zoomde nog verder in. 'Kleine organische proteïnen,' zei hij.

'Waarom zou een uiterst kleine robot een organische molecule op willen eten?'

'Omdat hij honger heeft,' zei Marchetti. Hij draaide zich van het apparaat af.

'Neem me niet kwalijk dat ik het vraag, maar waarom zou een robot honger hebben?' voegde Kurt er nog aan toe.

'Hier, op mijn eiland,' legde Marchetti uit, 'sluiten de grote robots zich zelf aan. Maar als je exemplaren gaat maken die helemaal onafhankelijk moeten zijn, dan moeten ze zich op een of andere manier kunnen opladen. Deze kleine kereltjes hebben verschillende opties. Die strepen op hun rug die eruitzien als microchips, zijn in werkelijkheid zonnecellen. Maar omdat onafhankelijke bots andere behoeftes hebben, moeten ze in staat zijn voedsel uit het omringende milieu te halen. Als deze microbots volgens mijn ontwerp functioneren, moeten ze in staat zijn organisch voedsel uit het zeewater te halen en af te breken. Verder zouden ze in staat moeten zijn opgeloste metalen en plastic te verwerken en andere dingen die in zee gevonden worden, niet alleen om zichzelf te voeden, maar ook om zich voort te planten.'

'Dit wordt steeds gekker,' zei Kurt. 'Leg eens uit hoe ze zich voortplanten. En ik heb geen lesje nodig over de bloemetjes en de bijtjes. Ik heb er alleen nooit iets over gehoord met betrekking tot machines.'

'Als je wilt dat een bot nuttig werk verricht, is voorplanting van fundamenteel belang.'

Kurt zuchtte. Ze kregen in elk geval antwoorden, maar de details stonden hem helemaal niet aan. 'En voor welk nuttig doel had u deze dingen dan wel ontworpen?'

'Oorspronkelijk was het mijn bedoeling om ze te gebruiken als wapen tegen de vervuiling van de zee,' begon Marchetti.

'Ze eten afval,' gokte Kurt.

'Ze eten het niet alleen,' zei Marchetti, 'ze gebruiken het als hulpbron. Je moet het zo bekijken. De vervuiling is zo enorm dat de zee er letterlijk in stikt. Het probleem is dat zelfs op plaatsen als de grote afvalhoop in de Stille Oceaan, de rommel te veel verspreid ligt om het op een economisch verantwoorde manier op te ruimen. Tenzij het instrument dat de rommel opruimt tegelijkertijd gevoed wordt door diezelfde rommel. Als het afval tevens als krachtbron voor het schoonmaken dient.'

Hij gebaarde naar het scherm. 'Om dat te bereiken, ontwierp ik een zelfvoorzienende, zichzelf voortplantende microbot die in zeewater zou kunnen leven, daarin ronddrijven tot hij iets van plastic of ander materiaal zou vinden en dat vervolgens opeten. Zodra deze dingen een voedselbron vinden, gebruiken ze de bijproducten en de metalen in het zeewater om zichzelf te kopiëren. Voilà! Reproductie, maar dan zonder alle leuke dingen.'

Kurt was altijd verbijsterd geweest over de collectieve onwil van de wereld om iets te doen aan de vervuiling, aan de enorme hoeveelheden afval die in het zeemilieu werden gestort. De wereldzeeën produceerden driekwart van de zuurstof die de wereld nodig had en een derde van het voedsel. Toch deden de vervuilers alsof dat helemaal niets om het lijf had. Het viel te betwijfelen of iemand, tot het moment dat er geen vis meer over was en niemand meer kon ademhalen, bereid zou zijn daar iets aan te doen, omdat het simpelweg niet winstgevend was.

De oplossing die Marchetti had bedacht, was van een zekere elegantie, zij het op een bizarre manier. Aangezien niemand er iets aan wilde doen, had hij een manier voorgesteld om het probleem op te lossen zonder dat iemand daar een vinger voor hoefde uit te steken.

Joe leek het daar mee eens te zijn. 'Dat getuigt van een bepaalde genialiteit.'

'Maar ook van een zekere waanzin,' zei Kurt.

'Het zou u misschien verbazen als u wist hoe vaak die twee eigenschappen samengaan,' zei Marchetti. 'Maar de wérkelijke waanzin is helemaal niets doen. Of miljarden tonnen afval dumpen in het milieu dat de halve wereld voedt. Kunt u zich de collectieve woede voorstellen, het verschrikkelijke gejammer als de goudgele golven van de graanvelden bedolven zouden worden onder weggooiaanstekers, plastic flessen, polypropyleen en kapot kinderspeelgoed? Dat is wat we doen met de oceanen. En het wordt alleen maar erger.'

'Dat kan ik niet tegenspreken,' zei Kurt. 'Maar om een of andere zichzelf voortplantende machine in zee los te laten en dan maar te hopen dat het allemaal goed komt, is nu ook niet direct een rationele reactie.'

Marchetti ging weer zitten en leek het daarmee eens te zijn. 'Zo dacht iedereen erover. Dus zoals ik zei: we hebben ze nooit gemaakt.'

'Maar hoe zijn die dingen dan toch op de boot van mijn broer terechtgekomen?' vroeg Leilani botweg.

Kurt keek naar Marchetti en wachtte wat die daarop zou zeggen, maar hij zweeg. Hij keek Leilani alleen maar strak aan. Met angst in zijn ogen. Kurt draaide zich om en zag hoe dat kwam.

Leilani had een klein automatisch pistool in haar hand. De loop was op het midden van Marchetti's borst gericht.

12

'Ik zweer het,' zei Marchetti, terwijl hij instinctief zijn handen omhoog stak. 'Ik weet niet hoe ze op uw broers boot terecht zijn gekomen.'

Kurt ging tussen Leilani en de miljardair in staan. 'Leg dat pistool neer.'

'Waarom?' vroeg ze.

'Omdat hij onze enige link naar de waarheid is,' zei Kurt. 'Als je hem doodschiet, zul je nooit weten wat er is gebeurd. En hoe treurig het ook mag klinken, in dat geval zal ik zorgen dat je in de gevangenis terechtkomt.'

'Maar hij heeft die dingen gemaakt,' zei ze. 'Dat heeft hij toegegeven. We hoeven niet verder te gaan.'

Kurt keek haar recht in de ogen. Hij hoopte angst te zien, twijfel, spanning, maar het enige wat hij zag, was kille woede.

'Ga opzij, Kurt.'

'Je bent moe en labiel,' zei hij. Dat had ze die avond in het hotel zelf gezegd. 'Als je die trekker overhaalt, zul je eenzamer zijn dan je je ooit zal kunnen voorstellen.'

'Hij heeft mijn broer vermoord en als hij ons niet vertelt waarom, zal ik de rekening vereffenen,' zei ze. 'Dus, ga nu alsjeblieft opzij.'

Kurt gaf geen krimp.

'Luister,' zei Marchetti nerveus. 'Ik heb helemaal niets te maken gehad met de dood van uw broer, maar misschien kan ik helpen om uit te vinden wie er wel bij betrokken was.'

'Hoe dan?' vroeg Kurt.

'Door degenen op te sporen met voldoende kennis, die het proces begrijpen,' bood Marchetti aan. 'Het zal duidelijk zijn dat je die dingen niet zomaar even met een schroevendraaier en een soldeerbout in elkaar zet. Het is een uiterst gecompliceerd proces. Daar moet iemand bij betrokken zijn geweest die op de hoogte was van het oorspronkelijk ontwerp.'

Terwijl Marchetti praatte, begon Joe zo stil als een kat een omtrekkende beweging te maken die hem achter Leilani zou brengen. 'Ga verder, Marchetti,' zei Kurt.

'Er zijn misschien negen mensen die belangrijke onderdelen van het systeem kennen,' stamelde hij, 'maar er is maar één man die net zoveel weet als ik. Otero, en hij is hier op het eiland.'

'Hij liegt!' riep Leilani. 'Hij probeert alleen maar iemand anders de schuld te geven.'

Terwijl Leilani tekeerging, greep Joe zijn kans. Hij sloeg het pistool uit haar hand, greep haar arm vast en draaide die op haar rug.

Er klonk een harde knal en even dacht Kurt dat het pistool was afgegaan. 'Iedereen oké?'

Marchetti en Joe knikten en Leilani leek geschrokken, maar ongedeerd.

'Wat was dat voor geluid?' vroeg Kurt.

Dat wist niemand, maar toen er opnieuw een metaalachtig geluid klonk, zag Kurt achter in het halfduistere lab iets bewegen. De scherpe geur van elektrische ontladingen dreef in hun richting. De lasrobots waren tot leven gekomen. Ze stonden op hun benen, gooiden dingen opzij en spoten blauwe plasmavlammen uit hun appendages.

Kurt draaide zich om naar Marchetti. 'Ik begrijp het al,' zei hij. 'Otero is je hoofdprogrammeur.'

Marchetti knikte.

'Ik heb het gevoel dat hij daarnet heeft meegekeken.'

De lasrobots kwamen in beweging, in de richting van de mensen. Twee ervan bewogen zich als tanks voort op kleine rupsbanden. De derde had klauwachtige poten die over de stalen vloer krasten.

Joe liet Leilani los. Ze wendde zich verontschuldigend tot Kurt.

'Het spijt me, ik wilde alleen…'

'Laat maar,' zei Kurt, zijn ogen op de dreigende machines gericht.

Marchetti rende naar de deur. Hij draaide aan de kruk en trok, maar de deur ging niet open.

'Kijk uit!' riep Joe.

Een van de machines ging recht op Marchetti af. Op zijn rupsbanden ging hij tot de aanval over, de ene arm naar Marchetti uitgestrekt en in de tweede een plasma snijbrander waaruit een helwitte vlam spoot.

Marchetti dook opzij en wilde zich uit de voeten maken. De machine draaide zich om en bewoog zich weer in zijn richting.

Kurt zocht met zijn ogen het pistool en zag het aan de andere kant van de kamer liggen, maar voordat hij iets kon ondernemen, kwam er een vierde machine tot leven die hem de weg versperde. Hij liep achteruit en schoof een leren bank tussen hem en de lopende machine. Joe en Leilani trokken zich ook terug.

'Hoe werken die dingen?' riep Kurt terwijl een van de robots de tafel bereikte en die en passant met een cirkelzaag in tweeën sneed.

'Helemaal zelfstandig of op afstand bestuurd,' zei Marchetti. 'In plaats van ogen hebben ze gaatjescamera's.'

Als slaperige dieren sjokten de machines op ze toe. Telkens als ze een vast voorwerp tegenkwamen, begonnen hun actuators te draaien en strekten ze hun klauwen uit. Een stoel werd achteloos opzij gegooid en een bank werd met de lasbranders in brand gestoken.

Het viel Kurt op dat hun bewegingen vreemd waren en dat telkens maar een van de machines iets ongewoons deed. 'Is het mogelijk dat Otero ze op afstand bedient?'

Marchetti knikte.

Kurt keek naar Joe. 'Dit lijkt me een goed moment om met een voorstel te komen.'

'De stekker eruit trekken, zou ik zeggen,' antwoordde Joe, 'maar ik neem aan dat ze op batterijen lopen.' Dat gezegd hebbende, greep hij een stoel en smeet die naar de robot die het dichtst bij was. Hij stuiterde tegen de langzaam voortsjokkende machine waardoor die even wat achterover wiebelde, maar verder scheen het geen effect te hebben.

Intussen was Kurt dichter naar de plaats gedwongen waar Marchetti stond. Joe en Leilani stonden een stukje verder, maar de machines, of Otero, leken erop gebrand ze allemaal bij elkaar te drijven.

Kurt probeerde naar rechts uit te breken, maar werd door een vuurstraal van een lasbrander tegengehouden. Vertrouwend op zijn snelheid, probeerde hij het aan de andere kant.

De machine maakte een snelle draai en schoot weer een verblindende plasmastraal af, maar toen was Kurt al binnen het bereik van de machine. Hij voelde de hitte op zijn rug, maar de vlam raakte hem niet direct. Hij greep het eerste vast wat hij te pakken kon krijgen en rukte eraan tot het afbrak. Hij vond nog een uitsteeksel dat een camera leek te zijn en sloeg dat opzij.

Opnieuw schoot er een vlam van de lasbrander over zijn schouder en een volgende arm begon te bewegen.

'Hebben die dingen een schakelaar waarmee je ze uit kunt zetten?' schreeuwde hij.

'Nee,' zei Marchetti. 'Ik kon me niet voorstellen dat ik ze ooit met de hand uit zou willen zetten.'

'Ik durf te wedden dat je je dat nu wel kunt voorstellen.'

Kurt stak zijn hand uit naar wat een drietal hydraulische leidingen leek, maar kreeg een klap tegen zijn borst die hem achterover deed slaan. Er was een soort hamer om klinken in te slaan tevoorschijn gekomen die hem een opdoffer in zijn ribben had verkocht.

Hij kwam op zijn rug terecht en zag tegelijkertijd een zaag van een andere machine naar beneden komen. Hij rolde opzij en kwam tegen het reusachtige ronde raam terecht waarachter het turkooizen schijnsel van de zee opdoemde.

Daar was Marchetti ook en ook Joe en Leilani waren met succes in die richting gedreven.

'Ik heb een idee,' zei Kurt. Hij sprong op de machine af waarmee hij het even eerder ook aan de stok had gehad, maar zorgde ervoor dat hij uit de buurt van de appendages bleef. Weer vlamde de lasbrander die hem bijna verblindde. De hydraulische hamer kwam ook weer tevoorschijn, maar Kurt draaide zijn lichaam om de klap te ontwijken.

De machine kwam verder naar voren terwijl Kurt zich er nog steeds aan vastklampte. Het ding duwde hem achteruit en smeet hem tegen het raam zoals de aanvoerder van een voetbalelftal een vervelende speler in de kleedkamer tegen de kastjes zou drukken. Weer flitste de lasvlam en maakte een diepe gleuf in het dikke kunststof raam. Een tweede haal deed hetzelfde.

Kurt probeerde de machine terug te duwen, maar die drukte hem tegen het raam. Hij kreeg het gevoel dat zijn ribben elk moment konden breken.

'Ik hoop maar… dat die dingen… niet waterproof zijn,' wist hij nog uit te brengen.

Weer deed hij een greep naar de hydraulische leidingen. Exact volgens plan schoot de zware hamer weer uit, net als de eerste keer. Maar Kurts lichaam was nog steeds opzij gedraaid en in plaats van tegen zijn borst, klapte hij nu tegen het reusachtige ronde raam.

Het angstaanjagende geluid van scheurend acrylaat ontging niemand. Ze draaiden zich allemaal om, net op het moment dat het convexe raam, dat helemaal ontworpen was om druk van buiten te weerstaan, aan de binnenkant bezweek.

Als een brekende golf tijdens stormweer donderde het water naar binnen en trof alles en iedereen tegelijkertijd. Het sleurde de mensen, de meubels en de machines mee door de kamer en kwakte ze tegen de tegenoverliggende wand.

Kurt werd tegen van alles en nog wat aangesmeten en worstelde om zich los te maken van de lasmachine. Maar zelfs toen hij zich had bevrijd, bleef het kolkende water hem tegen de wand drukken en hield hem vast zoals een gemene golf een surfer gevangen kan houden. Hij zette zich met een voet van de vloer af en kwam aan de oppervlakte.`

Er ontstond een grote werveling van schuim en allerlei rommel. Kurt voelde hoe hij door het stijgende water omhoog werd gevoerd. Naarmate hij dichter bij het plafond kwam, ging het wel langzamer doordat de lucht daar werd samengeperst, maar ergens moest het toch lekken want de ruimte werd steeds kleiner.

Kurt keek om zich heen en zag Joe die zich met een hand aan de wand vasthield terwijl hij met zijn andere hand Marchetti vasthad.

Leilani kwam boven water en greep zich vast aan een buis die langs het plafond liep en nu binnen handbereik was.

'Ziet iemand nog robots?'

'Zwemmen heb ik ze nooit geleerd,' zei Marchetti.

'Dat is dan het eerste wat je goed hebt gedaan,' zei Kurt. 'Hoe diep zitten we?'

'Zes meter.'

'We moeten naar buiten zwemmen.'

Marchetti kon nauwelijks een woord uitbrengen en hoestte alsof hij twee liter water had ingeslikt.

'Leilani?'

'Ja hoor,' zei ze.

'Goed dan. Schoenen uittrekken,' zei hij, draaide zich toen naar

Marchetti en voegde er nog aan toe: 'En trek die idiote toga uit. Daar verdrink je niet alleen door, maar dat ding bezorgt me al hoofdpijn vanaf het moment dat ik hier aangekomen ben.'

Ze maakten hun veters los en trokken hun schoenen uit, Marchetti trok zijn natte gewaad uit en ze zwommen naar het gapende gat waar het venster had gezeten.

Voordat ze onder water doken om naar buiten te zwemmen, keek Kurt Marchetti recht in de ogen. 'Waar kan ik die Otero vinden?'

'In het controlecentrum, in het hoofdgebouw, achter, bij het heli-platform.'

'Kun jij de besturing van het systeem handmatig van hem overnemen zodat ik onderweg niet gelast of geklonken of op een andere manier door die robots van je genaaid word?'

Marchetti tikte tegen zijn slaap als om aan te geven dat hij dat een uitstekend idee vond. 'Dat is het eerste wat ik zal doen.'

'Mooi zo,' zei Kurt. Hij keek Joe met een vastberaden blik aan, gesterkt door de golf van energie die hij altijd voelde als hij tot de aanval overging.

'Ik hoop dat je intussen uitgerust bent,' zei hij, 'want nu is het onze beurt.'

13

In een verduisterde controlekamer bijna op de top van het hoogste voltooide gebouw van Aqua-Terra keek Martin Otero van het ene scherm naar het andere. Vlak voor hem stonden drie grote monitors. Twee waren er op zwart gegaan, op de derde bewoog iets, maar het beeld pixelde uit en even later was ook daarop niets meer te zien.

'Wat is er gebeurd?'

Otero negeerde de vraag. Blake Matson, Marchetti's advocaat, boog zich dichter naar de schermen toe. 'Wat is er gebeurd? Is de baas er nou geweest of niet?'

Otero gebaarde naar de lege schermen. 'Zeg jij het maar. Ik zie hetzelfde als jij, dus hoe kan ik dat nou weten?'

Terwijl Matson naar de monitors bleef kijken, startte Otero het rebootprogramma, in de hoop een signaal van de constructierobots te krijgen. Tegelijkertijd begon er op de grote schematische voorstelling van het eiland een waarschuwingslampje te knipperen.

'Water in het voorste lab,' zei Otero. Plotseling begreep hij wat er was gebeurd. 'Het compartiment is onder water gelopen. Het grote raam moet gebroken zijn.'

'Wat betekent dat voor ons?'

Otero draaide zijn stoel om. Opeens voelde hij zich een stuk beter, vol zelfvertrouwen. 'Het betekent dat we mazzel hebben. Ze zijn vrijwel zeker dood. En nu ziet het eruit als een arbeidsongeval.'

'Aan vrijwel zeker dood hebben we niks,' zei Matson. 'Alleen aan helemaal zeker. We moeten lijken hebben.'

'Ze zitten zes meter onder water,' hield Otero vol. 'Het geweld van het binnenstromende water zal ze waarschijnlijk verpletteren en als dat niet zo is, dan verdrinken ze terwijl ze proberen ertegen te vechten.'

'Nu moet je eens goed luisteren,' zei Matson. 'Jij en ik hebben miljoenen verdiend door Marchetti's ontwerp in handen van Jinn en zijn maten te spelen. Maar als we niet heel zeker weten dat die bemoeials uit de weg geruimd zijn, leven we niet lang genoeg om het uit te geven. Stuur dus een stelletje robots die kant op, zorg dat je hun lichamen vindt en haal ze als dooie vissen omhoog.'

Otero draaide zich weer om naar zijn toetsenbord. Hij bracht een lijst van actieve robots op het scherm en scrolde omlaag tot hij aan het gedeelte met de kop 'Hydro' kwam. Hij ging nog een klein stukje verder naar beneden en vond twee onderwaterrobots die op dat moment in de buurt van Marchetti's lab aan het werk waren.

'Wat zijn dat?'

'Schoonmakers,' zei Otero. 'Ze houden de romp vrij van algen en eendenmosselen.'

'Zijn ze dodelijk?'

'Alleen als je een eendenmossel bent,' antwoordde Otero. 'Maar ze kunnen ons een beeld van de situatie geven.'

Otero zette de schoonmaakrobot op handbediening en dirigeerde hem naar sectie 107A: Marchetti's laboratorium. De machine was niet op snelheid gebouwd, maar hij hoefde ook niet ver te gaan.

'Dat is het observatiedek,' zei Otero terwijl de robot een lang, rechthoekig venster passeerde. 'Marchetti's lab is even verderop.'

Even later verscheen de buitenkant van het laboratorium in beeld.

De schade was duidelijk te zien. Wat eenmaal een majestueus, stralend verlicht portaal was geweest, zag er nu uit als een duistere grot. Het ronde raam was verbrijzeld. In de sponning staken hier en daar nog dikke stukken acrylaat als afgebroken tanden in een reusachtige mond. Nergens was licht te zien.

'Breng hem naar binnen,' beval Matson.

Dat was Otero al van plan geweest, maar toen werd zijn blik getroffen door een beweging rechts van het raam. Hij draaide de tweede schoonmaakrobot in die richting. Diens camera ving het beeld op van een groepje dat op weg was naar de oppervlakte te zwemmen.

'Grijp ze!'

Otero strekte de grijparmen van de robot uit en stuurde hem met verhoogde snelheid in de richting van het laatste paar blote voeten. Het was een vrouw.

De schoonmaker greep de voeten van de vrouw. Er volgde een worsteling. De camera schudde en luchtbellen stegen omhoog toen het meisje had uitgeademd. Otero duwde de joystick op zijn bedieningspaneel naar voren om de schoonmaakrobot te laten duiken.

De neus van de machine ging naar beneden, maar verder gebeurde er niets. Plotseling verscheen het gezicht van een man met zilvergrijs haar in beeld. De machine bewoog zijwaarts. In de koptelefoon klonk het geluid van een afbrekende actuator.

Het scherm werd helder. De vrouw worstelde zich los en het gezicht van de man verscheen weer. Hij hield de schoonmaakrobot vast en keek in de camera. Otero kon de kracht van die blik dwars door het water en in de controlekamer voelen. De man wees met zijn vinger recht in de camera, recht op Otero en gaf zichzelf vervolgens een haal met die vinger over zijn keel voordat hij de camera kapot sloeg en de robot verder onbruikbaar maakte.

De boodschap was duidelijk. De mannen van NUMA kwamen eraan en dat zou heel onaangenaam worden.

Otero tikte iets in en drukte op de entertoets – een laatste truc om zijn aftocht te dekken – stond toen op en greep een klein koffertje vol met geld. Zijn laatste betaling.

'Wat doe je?' vroeg Matson.

'Ik ga ervandoor,' zei Otero. 'Jij mag gerust blijven als je dat liever doet.' Hij pakte een revolver uit zijn bureaula en haastte zich de deur uit, de gang op. Even later hoorde hij Matsons haastige voetstappen achter zich.

Aan stuurboordzijde van Aqua-Terra vond Kurt een ladder die langs de romp omhoog voerde. Hij en Joe klauterden als eersten omhoog en zochten dekking achter een kleine eikenboom op een berg houtspaanders. Hij keek over het graanveld terwijl Leilani zichzelf langs de ladder omhoog hees en uitgeput naast hen neerviel.

'En nu?' vroeg Joe.

'We moeten een manier zien te vinden om in dat controlecentrum te komen,' zei Kurt en hij bedacht dat het wel handig zou zijn om daarbij hulp te krijgen van de man die het eiland ontworpen had.

Hij wierp een blik over zijn schouder. Marchetti klom tergend traag omhoog. Een sport, even rusten, weer een sport en weer even rusten. Hij hoestte en spuugde water uit.

'Kom op, Marchetti,' fluisterde Kurt nors. 'We hebben niet de hele dag.'

'Ik vrees dat ik niet verder kan,' zei de miljardair. 'Hier eindigt het, hier, op deze ladder. Jullie zullen zonder mij verder moeten.'

'Dat zou ik graag doen,' mompelde Kurt, 'maar ik heb je nodig om die machines af te zetten.'

'Juist,' zei Marchetti, alsof dat hem even ontschoten was. 'Ik kom eraan.'

Marchetti begon weer te klimmen. Intussen zag Kurt twee figuren uit een deur op de tweede verdieping van de stuurboordpiramide komen en haastig een trap afdalen. Hij meende in de ene Marchetti's arrogante assistent te herkennen. De andere was onbekend.

'Hoe ziet Otero eruit?' vroeg hij.

Marchetti's hoofd verscheen boven aan de ladder. 'Man van gemiddelde lengte,' zei hij. 'Donker uiterlijk, gemillimeterd haar op een heel klein, rond hoofd.'

De twee gestalten waren voor Kurt te ver weg om helemaal zeker te kunnen zijn, maar die beschrijving leek wel overeen te komen met de man die hij zag. Even later ging het tweetal op een drafje verder over een van de wegen van Aqua-Terra. De manier waarop ze telkens weer achterom keken, was voor Kurt voldoende om te begrijpen dat ze op de vlucht waren.

'Hoe kom je van dit schip, eh... ik bedoel eiland, af?' zei Kurt.

'Met een helikopter,' zei Marchetti. 'Of via de jachthaven, met een boot of met een watervliegtuig.'

De jachthaven. Daar gingen ze naartoe, dacht Kurt.

'Ik denk dat Otero en die advocaat van je daarheen gaan,' zei hij. 'Leilani, help jij Marchetti om een computerterminal te vinden en probeer hem intussen niet te vermoorden. Hij is misschien vervelend, maar ik geloof dat het intussen wel duidelijk is dat hij hoogstens schuldig is aan een modemisdrijf.'

'Het spijt me echt,' zei ze. 'Ik beloof het.'

Kurt keek Joe aan. 'Klaar?'

Joe knikte en direct daarop gingen ze ervandoor, het korenveld in, dwars door de bijna manshoge tarwehalmen. Ze bereikten de overzijde en begonnen door het park te rennen. Ze waren ongeveer halverwege, toen Kurt een motor hoorde starten.

'Klinkt dat als een boot?'

'Eerder als een luchtgekoelde Lycoming,' zei Joe. 'Ze nemen het watervliegtuig.'

'Dan kunnen we maar beter voortmaken.'

Terwijl Kurt en Joe zich naar de andere kant van het kunstmatige eiland haastten, gingen Marchetti en Leilani op een drafje naar een onderhoudsgebouw. De aanblik van vijftig machines die zichzelf aan het opladen waren, bezorgde haar kippenvel, maar ze bewogen geen van allen.

Marchetti vond de programmeerterminal en logde snel in.

'Het spijt me dat ik u bang heb gemaakt,' zei Leilani, en ze hoopte dat het misschien een gunstig effect op Marchetti's oordeel over haar zou hebben.

'Mij ook,' zei Marchetti, terwijl hij ondertussen driftig van alles in-toetste. 'Maar ik kan je niet kwalijk nemen dat je boos was.'

Ze knikte.

'Ik zit in het systeem,' zei Marchetti. Even leek hij opgetogen, maar toen zweeg hij en zijn mond stond een beetje open alsof hij verbaasd was over wat hij op het scherm zag. Zijn ogen vernauwden zich en hij tuurde naar een bepaald gedeelte van het scherm. 'Otero,' mompelde hij, 'wat heb je gedaan?'

Plotseling kwamen de machines om hen heen tot leven. Motoren begonnen te zoemen en ledlampjes sprongen van oranje op groen.

'Wat gebeurt er?' vroeg Leilani.

'Hij heeft de code veranderd,' zei Marchetti. 'Toen ik inlogde, heeft dat een response getriggerd. Hij heeft de robots op indringerstand gezet.'

'Indringerstand? Wat is indringerstand?'

'Ze gaan achter iedereen op het eiland aan die geen identificatie-badge met een RFID-chip draagt. Dat is mijn verdediging tegen piraten.'

Leilani besefte onmiddellijk dat zij geen badge had, maar toen de machines zich van hun aansluitingen losmaakten, vroeg ze zich af hoe dat met hem zat.

'Waar is uw badge?'

'In de zak van mijn toga,' zei hij. 'De toga die ik van Kurt uit moest trekken.'

Kurt en Joe waren intussen aan de andere kant van het park gekomen en doken de tweede met tarwe bebouwde strook in. Opnieuw hoorden ze het geluid van een motor die begon te draaien, maar dit was anders en kwam uit de richting rechts van hen, aan de andere kant van het korenveld, waar een kleine combine in beweging kwam. Hij draaide om en kwam met zwaaiende maaibladen hun richting uit.

'Het is nog een beetje vroeg om te oogsten,' zei Joe.

'Tenzij ze proberen om ons te oogsten.' Kurt versnelde zijn pas en rende het korenveld uit, het smalle pad op dat naar de jachthaven voerde. Zij aan zij liepen ze zo hard als ze maar konden terwijl er van alle kanten machines op ze af kwamen.

'Marchetti is klaarblijkelijk nog niet klaar met herprogrammeren,' zei Kurt.

'Laten we hopen dat hij het wachtwoord onthouden heeft.'

Snelheid en behendigheid werkten nog steeds in hun voordeel en na een meter of dertig over het pad te hebben gerend en over een muur te zijn gesprongen, hadden ze de machines afgeschud. Even later draafden Kurt en Joe met grote sprongen de trappen naar de jachthaven af. Verderop zagen ze het watervliegtuig naar de pieren taxiën.

Ze moesten voortmaken.

Kurt rende naar wat hem de snelste boot leek: een twintig voets Donzi. Hij sprong aan boord en bekeek het bedieningspaneel terwijl Joe de lijnen losgooide. Kurt drukte op een knop en glimlachte toen de ingebouwde V-8 ronkend startte.

'De bandieten komen de kade op,' zei Joe.

'Maak je maar geen zorgen,' zei Kurt en hij keek even naar de collectie machines die op hen toe kwam scharrelen. Hij duwde het gashendel naar voren en draaide aan het stuurwiel. De boot schoot vooruit en draaide in een boog en met toenemende snelheid door de jachthaven. Zodra ze op de goede koers lagen, stuurde Kurt de boot in de richting van de opening in de golfbreker waar het watervliegtuig juist tussendoor taxiede.

Kurt hoopte dat hij tijdig bij het toestel kon zijn waarna hij het mogelijk omver zou kunnen varen, maar dat plan had maar een kleine kans van slagen. Hij wees naar de radio op het dashboard. 'Probeer Nigel aan de lijn te krijgen,' zei hij. 'Zeg dat hij moet opstijgen. Ik wil die kerels niet kwijtraken.'

Joe zette de radio aan, stemde af op de juiste frequentie en drukte de zendknop in. 'Nigel!' riep hij. 'Joe hier. Ontvang je me?'

Nigel antwoordde direct met zijn typisch Britse stem waarin nog net geen *cheerio* klonk. 'Hallo, Joe, wat gaan we doen?'

'Maak dat je in de lucht komt!' schreeuwde Joe. 'We zitten met een boot achter een watervliegtuig aan en dat houden we niet zo lang vol.'

'Wat spijt me dat nou,' antwoordde Nigel. 'Ik wou dat ik jullie kon helpen, maar ik heb de motor uit elkaar gehaald.'

'Wat?' schreeuwde Kurt, die had meegeluisterd.

'Waarom dat?' vroeg Joe.

'Kurt zei dat het er een beetje geloofwaardig uit moest zien. De motorkap open, wat onderdelen op de grond en een wat verwarde uitdrukking op mijn gezicht, dat leek me het beste.'

'Zo geloofwaardig hoefde nou ook weer niet,' mompelde Kurt.

'Dat plan kunnen we dus vergeten,' zei Joe.

Het enige wat ze nu nog konden doen, was proberen het vliegtuig aan te varen en te beschadigen of omver te gooien zonder daarbij zelf te worden gedood.

De Donzi stoof door de opening in de golfbreker. Het watervliegtuig taxiede voor de wind naar de plaats waar hij de start wilde beginnen.

Kurt drukte het gashendel helemaal naar voren en schoot voor het vliegtuig langs. De piloot zwenkte instinctief weg, maar het vliegtuig bleef overeind.

Kurt draaide scherp naar bakboord en kwam terug. Het vliegtuig begon vaart te maken. Kurt schoot eropaf en volgde in het kielzog.

'Kom op nou,' zei Kurt en spoorde de boot aan om hem ook het allerlaatste beetje snelheid te geven.

De boot danste over de golven, passeerde links van het vliegtuig en schoot er opnieuw voor langs.

Joe dook in elkaar en schreeuwde een waarschuwing. Het vliegtuig kwam los van het water, sprong vlak over de boot heen waarbij de metalen propeller brullend langs ze heen schoot en de roeren van de drijvers de boot nog net raakten waarna het toestel weer op het water neerkwam.

Kurt keek op. 'Fijn dat niemand zijn hoofd is kwijtgeraakt.'

'Laten we dat niet nog eens proberen,' zei Joe. 'Ik voel er helemaal niets voor om te ervaren wat een margarita in de blender meemaakt.'

Kurt had eigenlijk verwacht dat het vliegtuig zou afzwenken in plaats van over ze heen te springen, maar desondanks hielp het wel. Het vliegtuig kwam ongelukkig terecht en om het weer te stabiliseren had de piloot gas teruggenomen. Toen hij de snelheid vervolgens weer opvoerde, ging hij een minder gunstige richting uit.

'Hij gaat voor de wind af,' zei Joe. 'Met staartwind zal het een stuk moeilijker zijn om te starten dan met de bries op de neus.'

'Moeilijker, maar niet onmogelijk,' antwoordde Kurt. Hij bestuurde de speedboot met een meesterhand, zwenkte terug achter het vliegtuig, dook in het kielzog en ramde een van de drijvers. Het vliegtuig slingerde en zwaaide en de piloot moest vechten om het onder controle te houden, maar slaagde daar toch snel weer in.

'Kijk uit!' schreeuwde Joe.

Een van de voortvluchtige mannen schoot een machinepistool op ze leeg, niet gericht, maar zo ongeveer in hun richting, wat voldoende was om een hele rits gaten in het voorste deel van de boot te schieten. Kurt en Joe waren genoodzaakt af te zwenken terwijl het vliegtuig vaart minderde en omdraaide om weer met de neus in de wind te komen.

Intussen keek Leilani in de werkplaats met afgrijzen naar het legertje machines dat overeind was gekomen en zich voorwaarts begon te bewegen. De aanval van drie van die dingen, beneden in het lab, was voldoende geweest om haar bang te maken, maar vijftig tegelijk was een volslagen nachtmerrie. Ze voelde een golf van woede in zich opwellen met daarbij de vaste overtuiging dat ze meer te verduren had gekregen dan ze had verdiend.

'Doe iets!' riep ze tegen Marchetti.

'Dat probeer ik,' zei Marchetti. 'Dat is een gemeen kereltje, die Otero. Als ik had geweten dat hij zo pienter was, had ik hem meer betaald.'

Leilani keek rond naar iets wat hen zou kunnen helpen. Het enige wat ze zag, was een rij kastjes.

'Wat zit er in die kasten?'

'Werkkleding.'

'Met identificatiebadges?'

'Ja,' riep Marchetti opgewonden uit. 'Precies. Ja, vooruit!'

Leilani rende door de werkplaats, gleed onder de zwaaiende arm van een van de robots door en klapte tegen de kastjes als een honkbalspeler die een sliding op de thuisplaat maakt. Ze veerde overeind, gooide een kastdeur open en griste er een overall uit. Er zat een witte ID-badge op en die klemde ze stevig vast.

De naderende machines bleven stilstaan, wendden zich van haar af en gingen vervolgens met zijn allen op Marchetti af die vergeefs op het toetsenbord stond te beuken.

'Ik kan de code niet breken!' riep hij. De machines hadden hem intussen te pakken gekregen en een ervan smeet hem op de grond. Een tweede ging hem te lijf met een elektrische schroevendraaier waarvan het Phillips-bitje woest draaide.

Leilani rende op hem af, baande zich een weg door de machines en dook boven op Marchetti. Ze klemde hem stevig in haar armen, in de hoop dat de robots hun gezamenlijke warmte als afkomstig van één persoon zouden zien en tegelijkertijd de ID-badge uitlezen. De schroevendraaier gierde en het bitje tolde. Ze greep Marchetti vast en sloot haar ogen.

Plotseling hield het geluid op. De schroevendraaier stopte en werd ingetrokken. De andere robot liet Marchetti los en het kleine legertje van machines begon zich terug te trekken, op zoek naar een ander slachtoffer.

Ze keek ze na, maar bleef Marchetti nog steeds vasthouden.

Toen de laatste machine het onderhoudsgebouw had verlaten, keek ze met harde, koude ogen op hem neer. Ze moest zorgen dat hij iets heel goed begreep.

'Je staat bij me in het krijt,' zei ze.

Hij knikte en langzaam liet ze hem los.

Een halve mijl van het drijvende eiland lagen Kurt en Joe onder direct vuur vanuit het watervliegtuig. Dat draaide om, ging weer voor de wind en begon vaart te maken. Opnieuw ging Kurt er vlak achter varen.

'Nu of nooit,' Joe.

'Ik heb een idee,' zei Joe. Hij klauterde naar voren, naar de boeg en greep het anker.

'Een vriend van me in Colorado heeft me lassowerpen geleerd,' riep hij. Hij begon het anker van bijna tien kilo aan zijn lijn rond te slingeren zoals een Argentijnse gaucho dat met zijn bola doet.

Kurt dacht te begrijpen wat hij van plan was en duwde het gashendel voor de laatste keer helemaal open. Ze begonnen in te lopen. Opnieuw werden ze beschoten, maar Kurt stuurde de boot naar de kant van de piloot en tot onder het vliegtuig.

Net op het moment dat het vliegtuig loskwam, draaide Joe rond en liet het anker los als een Olympische hamerwerper. Het vloog naar voren en wikkelde zich om de drijversteunen en de lijn kwam strak te staan.

De neus van het vliegtuig ging omhoog en trok de voorkant van de speedboot uit het water. Het gewicht en de weerstand waren te veel. De linkervleugel zakte naar beneden, raakte het water, waarop het watervliegtuig een radslag maakte en in stukken brak die alle kanten uitvlogen.

De speedboot werd opzij getrokken en het anker kwam weer los, maar Kurt zag kans te voorkomen dat de boot omsloeg. Hij draaide naar bakboord, minderde gas en maakte een rondtorn om de ravage achter hem te bekijken.

Het watervliegtuig was tot stilstand gekomen met een afgebroken drijver, de vleugels verbogen en verwrongen en de staart voor een deel afgescheurd. Het was bezig vol water te lopen en leek te zullen zinken.

'Yahoo!' schreeuwde Joe en pompte met zijn vuist in de lucht.

'Jij moet bij de rodeo gaan,' zei Kurt terwijl hij in de richting van het compleet verkreukelde toestel voer.

Hij bracht de boot langszij. Het vliegtuig zonk nu snel en de twee inzittenden deden wanhopige pogingen om eruit te komen. Matson was er als eerste uit en klampte zich al snel aan de speedboot vast. Even later volgde Otero.

Ze wilden in de boot klimmen, maar telkens als ze dat probeerden, gaf Kurt een beetje gas.

'Alsjeblieft,' riep Otero. 'Ik kan niet goed zwemmen.'

'Dan had je misschien niet op een drijvend eiland moeten gaan wonen,' zei Kurt en hij gaf zoveel gas dat ze moesten loslaten, waarna hij het gashendel weer dichttrok. Op z'n hondjes zwommen ze naar de boot en grepen zich aan de leuning vast.

Opnieuw schudde Kurt ze af.

'Het was allemaal zijn idee,' zei Otero en hij probeerde boven water te blijven.

'Wat was zijn idee?' vroeg Kurt.

'Om de microbots te stelen,' zei Otero.

'Hou je bek toch,' zei Matson.

'Aan wie hebben jullie ze gegeven?' vroeg Joe.

Het halfverzopen tweetal hing aan de boot en Otero zei niets meer.

'Meneer, Austin,' zei Joe. 'Ik meen toch te weten dat we uit principe geen botenklimmers en aanhangers dulden, nietwaar?'

Kurt knikte en glimlachte. 'Inderdaad, meneer Zavala. Inderdaad.'

Deze keer gaf hij iets meer gas. De twee achterblijvers probeerden zich vast te houden, maar moesten al spoedig loslaten. Deze keer voer Kurt gewoon door.

'Wacht even!' schreeuwde Otero, wild spartelend. 'Ik zal het vertellen.'

Kurt hield zijn hand achter zijn oor. 'Voordat we te ver weg zijn!' riep hij.

'Zijn naam is Jinn,' sputterde Otero. 'Jinn al-Khalif.'

Kurt trok het gas helemaal dicht en de boot lag stil.

'En waar kan ik die Jinn vinden?' riep hij.

Otero keek Matson aan, maar die schudde zijn hoofd.

'Hij woont in Jemen,' gooide Otero eruit. 'Dat is alles wat ik weet.'

14

In een ommuurde tuin van een in Marokkaanse stijl gebouwd huis, op een steenworp afstand van de Golf van Aden, genoot een man die bekend stond als Sabah van de avond. Terwijl de schemering een mantel over de wereld wierp, at hij met smaak een maaltijd van lamsvlees met versgebakken platbrood en gesneden tomaten. Om hem heen bewogen gaasachtige gordijnen zachtjes in de zwakke wind terwijl de golven die tegen de nabijgelegen rotsen braken een kalmerende, telkens herhaalde melodie speelden.

Een bediende liep naar hem toe en fluisterde hem iets in het oor.

Sabah luisterde en knikte en heel even verscheen er een lichte rimpel van ergernis op zijn voorhoofd.

De bediende nam zijn bord mee en Sabah leunde achterover met een glas zwarte thee. Het geluid van naderende voetstappen hield op onder de zuilengang.

'Ik verzoek om een audiëntie met u,' zei een gestalte in de schaduw.

'Aangezien je hier bent, zou ik zeggen dat je die al hebt,' antwoordde Sabah. 'Al dan niet uitgenodigd.'

'Ik wilde je niet storen,' zei de man. 'Daarom heb ik gewacht tot je klaar was met eten.'

Sabah gebaarde naar een stoel. 'Kom bij me zitten, Mustafa. We zijn oude vrienden, al vanaf de oorlog met Israël. De wapens die je ons leverde, konden ons de overwinning niet bezorgen, maar ze gaven me de kans om al-Khalif en zijn familie te steunen. Sindsdien heeft het fortuin me begunstigd.'

Mustafa kwam dichterbij en ging tegenover Sabah zitten, die enige schroom in zijn voetstappen meende te bespeuren. Normaal gesproken was Mustafa de stoutmoedigheid zelf, arrogant en uitbundig en daarom vroeg Sabah zich af wat hem van de wijs had gebracht.

'Daar kom ik juist over praten,' zei Mustafa. 'Het fortuin, zowel van jou als van mij. En van anderen die het leeuwendeel voor zichzelf opeisen.'

Sabah nam nog een slokje thee en zette toen het glas neer. Op een schaaltje naast hem lagen versgeplukte qatbladeren, een plant met een stimulerende werking, te vergelijken met een milde soort amfetamine. Sabah nam een blad, vouwde het op en stak het in zijn mond. Hij begon langzaam te kauwen en zoog de vrijkomende sappen op.

'Leeuwen nemen het grootste deel omdat ze leeuwen zijn,' zei Sabah. 'Niemand kan ze ervan weerhouden.'

'Maar wat nu als de leeuw zwak en arrogant is?' vroeg Mustafa. 'Of als hij blind is voor het eergevoel van anderen? Dan zal er iemand anders opstaan en zijn plaats innemen.'

'Kom,' zei Sabah, 'je hoeft echt niet in metaforen te spreken. Je hebt het over Jinn en het project. Je bent van mening dat hij ons op de een of andere manier in de steek laat.'

Mustafa aarzelde en wrong zijn handen alsof hij aan grote verwarring ten prooi was.

Sabah schoof het schaaltje met bladeren naar hem toe. 'Neem er eentje. Dat maakt de tong los.'

Mustafa nam een blad, vouwde het tussen zijn vingers zoals Sabah dat had gedaan en stak het in zijn mond.

'Wat doet Jinn in jouw ogen verkeerd?' vroeg Sabah.

'Drie jaar met alleen maar beloftes en geen druppel regen,' antwoordde Mustafa.

'De veranderingen hebben tijd nodig. Daar was je voor gewaarschuwd.'

'Maar we hebben geen tijd meer,' zei Mustafa. 'Jij ook niet. Jemen sterft. De mensen worden onder bedreiging met wapens uit de steden verdreven omdat er niet genoeg water voor iedereen is.'

Sabah spuugde groen speeksel en de resten van het qatblad in een kom. Hij nam een slokje thee om zijn smaak te verfrissen. Mustafa had gelijk. Algemeen werd aangenomen dat de hoofdstad volgend jaar zo weinig water zou hebben dat zelfs de strengste rantsoenering geen soelaas zou bieden. Gedwongen migratie was de enige optie, de mensen dwingen naar andere regio's te vertrekken, maar ook in de rest van het land was de situatie niet veel beter.

'Het heeft hier vorige week drie keer geregend,' zei Sabah. 'Regens die we normaal niet hebben. Zelfs op dit moment hangen er wolken boven de bergen in het noorden. De verandering is aanstaande. Jinns beloften zullen worden waargemaakt.'

'Misschien,' zei Mustafa. 'Maar wat let hem om op de beloftes terug te komen?'

Uit de glans in Mustafa's ogen, kon Sabah afleiden dat hij nu ter zake zou komen.

'Zijn eer,' zei Sabah.

'Jinn heeft geen eergevoel,' zei Mustafa. 'Jij bent het bewijs daarvan. Het is algemeen bekend dat jij, Sabah, de reden van Jinns succes bent. Zijn rijkdom en macht zijn gebouwd op jouw wijsheid. Zijn familie heeft fortuin gemaakt door jouw inspanningen, jouw werk, jouw loyaliteit. Jinn bezit vele miljoenen: bedrijven, paleizen, vrouwen. En wat heeft hij jou gegeven?' Mustafa keek om zich heen. 'Je hebt een mooi huis, een paar bedienden. Lekker eten. Is dat alles wat je krijgt voor een heel leven van toewijding? Nee, het is een schijntje en jij verdient natuurlijk meer. Jij zou zelf een prins moeten zijn.'

'Ik ben een trouwe dienaar,' antwoordde Sabah.

'Zelfs dienaren delen in het succes van de meester,' zei Mustafa. 'Zelfs een slaaf kon vroeger aan het hof een gewaardeerd adviseur worden.'

Sabah had voldoende gehoord. 'Misschien is je tong nu iets te los geworden, Mustafa.'

'Nee,' antwoordde zijn gast heftig. 'Net los genoeg. Ik ken de waarheid. Jinn gebruikt jou net zoals hij ons gebruikt. Hij neemt heel veel en geeft alleen wat hij moet geven. Hij hoeft maar te kikken en wij staan voor hem klaar. Als hij het project stopzet, komen we om. Als hij om meer vraagt, hebben we geen andere keus dan hem dat te geven.'

'Het geld, dat zit je dus dwars.'

'Nee,' zei Mustafa. 'De macht, daar gaat het om. Nog even en dan hebben we geen greep meer op hem en kunnen we zelfs niet meer met hem onderhandelen. Hij heeft magische krachten gecreëerd, net zoals de djinns uit de oudheid. Maar als hij de enige is die daar macht over heeft, heeft hij ons niet langer nodig. Dat de djinns van vroeger vervloekt werden, had een goede reden. Het waren tovenaars die niet te vertrouwen waren. Als ze niet in toom worden gehouden, maken ze goden van zichzelf. Dat is Jinns doel.'

Sabah keek eens naar zijn oude vriend en probeerde in te schatten hoe ver hij zou gaan. Tot dat moment had Mustafa nog net niet gepleit voor verraad, maar daar stuurde hij duidelijk op aan. En volgens Sabah was hij daartoe aangezet.

'En dus hebben de investeerders onderling overlegd,' zei hij. 'Wie had de moed om die vergadering te beleggen?'

'Dat maakt verder niet uit,' zei Mustafa.

'Dat maakt mij wel iets uit.'

'Waar het jou om zou moeten gaan, is jouw eigen positie,' hield Mustafa vol. 'Vraag je eens af waarom je hier in Aden zit in plaats van bij Jinn in zijn tovenaarsgrot in de woestijn.'

'Omdat hij me op dit moment niet nodig heeft.'

'Dat lijkt steeds vaker het geval te zijn,' opperde Mustafa. 'En wat doe jij, de trouwe dienaar, als Jinn je helemaal niet meer nodig heeft?'

Sabah was verrast door zijn woorden, maar toch kwam het hem voor dat hij eerlijk was en niet alleen maar aanmatigend.

Mustafa was nog niet uitgesproken en drong verder aan. 'Toen hij jong was had je hem onder controle door je kracht. Toen hij ouder werd, had je hem door je wijsheid in je macht. Wat heb je nu nog over? Je hebt hem alles gegeven, Sabah. Nu is het tijd om te nemen. Om datgene te nemen wat je hebt verdiend.'

'Een soort paleisrevolutie, is dat het? Is dat de bedoeling?'

'Jij hebt dit imperium opgebouwd,' fluisterde Mustafa. 'Dat is veel meer jouw werk dan het zijne. Jij zou de sleutels ervan in je bezit moeten hebben en niet buiten de muren staan als het tweederangs clanlid dat je altijd bent geweest.'

Mustafa's woorden raakten die ene emotionele snaar die Sabah het diepst weggestopt had. Hij maakte geen deel uit van de Khalif-clan. Het maakte niet uit hoe loyaal hij was of hoe meedogenloos of hoe hard hij werkte, hij zou nooit meer worden dan een vertrouwde medewerker.

Naarmate Jinns zoons en dochters ouder werden, zou dat wat een partnerschap was geworden steeds verder vervagen. De clan en de familiebanden zouden domineren. Sabah zou opzij worden geschoven en zijn kinderen zouden nooit kunnen oogsten wat hij had gezaaid. In zekere zin was dat al begonnen. De laatste twee jaar had Jinn steeds minder tijd samen met Sabah doorgebracht. Zijn gewoonten waren veranderd. Vroeger had hij genoten van Sabah's adviezen, maar die leken hem nu alleen nog maar te vervelen.

Maar dat alleen was geen reden voor verraad. Sabah pakte nog een blad qat, vouwde het tussen zijn vingers op en stak het in zijn mond. Voordat een dergelijk besluit kon worden genomen, moesten er veel zaken in aanmerking worden genomen.

Terwijl hij kauwde voelde hij hoe de stimulerende bestanddelen van de plant een golf van energie door zijn lichaam stuurden.

Hij begreep dat Mustafa, nu hij zijn plan eenmaal had uitgesproken, niet meer van gedachten zou veranderen. Als Sabah daar niet in principe mee akkoord zou gaan, zouden de problemen hier en nu beginnen. Misschien had Mustafa mensen in de buurt die op zijn teken wachtten. Misschien dacht hij ook wel dat hij Sabah in zijn eentje zou kunnen vermoorden.

Die kans zou Sabah hem niet geven. 'Heb je een plan?'

Mustafa knikte. 'We moeten de horde in actie zien, al is het maar op beperkte schaal.'

'Als je "we" zegt, bedoel je dan de anderen ook?'

'Ik zal als getuige optreden, samen met Alhrama van Saudi-Arabië. Jinn vertrouwt ons het meest. We brengen daarna verslag uit aan de anderen.'

'Juist. En hoe moet ik dat regelen?'

'Jinn moet toestaan dat wij de controlekamer en de productiefaciliteiten inspecteren. Hij moet ons toegang geven tot het programma en de codes.'

Sabah overdacht wat ze van hem vroegen. Hij streek over zijn baard. 'En als je dat allemaal hebt gezien?'

'Dan geef ik je een teken,' zei Mustafa. 'Op dat teken dood jij Jinn en neemt de operatie over als volledig deelgenoot in de onderneming en hoofd van het Oasis consortium.'

15

K urt Austin was op weg naar Marchetti's hightech kantoor op de
bovenste verdieping van een van de twee voltooide gebouwen van
Aqua-Terra. In de vierentwintig uur die waren verstreken sinds Joe en
hij het watervliegtuig hadden onderschept en daarmee hadden voorkomen dat Matson en Otero konden ontsnappen, was er veel gebeurd.

Dirk Pitt en de top van NUMA waren in Washington druk bezig geweest met het verzamelen van inlichtingen over Jinn al-Khalif.

Nigel, de piloot, had zijn helikopter weer in elkaar gezet en was, op
uitnodiging van Marchetti, Paul en Gamay Trout gaan ophalen.

Zelf was Marchetti vijftien uur bezig geweest om met de stofkam
door de computercode te gaan om zich ervan te overtuigen dat Otero
niet nog meer vallen voor hem had gezet. Hij had niets gevonden, maar
op zijn geautomatiseerde eiland draaiden honderden programma's en
hij zei met nadruk dat hij niet kon garanderen dat die geen van alle
waren aangetast. Op aandringen van Kurt concentreerde hij zich op de
meest vitale onderdelen en schakelde hij de constructierobots voor alle
zekerheid helemaal uit.

In afwachting van een rapport van het NUMA-hoofdkwartier verzamelde iedereen zich in Marchetti's kantoor. Na afloop van de video-
vergadering zou dan worden besproken hoe ze deze zaak verder gingen aanpakken.

Kurt deed de deur open en ging naar binnen. Joe, Gamay en Paul
waren er al. Marchetti zat tegenover hen. Leilani zat naast hem.

'Dat is een machtig mooie petoet die je daar beneden hebt,' zei Kurt
tegen Marchetti. 'Ik heb in slechtere vijfsterrenhotels gelogeerd.'

Marchetti straalde. 'Als Aqua-Terra klaar is, verwachten we miljonairs en miljardairs aan boord te mogen ontvangen. Als ik daar een paar van moet opsluiten, wil ik niet dat hun ervaring op Aqua-Terra daardoor wordt verknald.'

Kurt grinnikte.

'Heb je ze aan de praat gekregen?' vroeg Leilani.

'Nee, ze houden hun kaken stijf op elkaar,' zei Kurt. Even keek hij Joe aan, wendde zich toen weer tot Marchetti. 'Je hebt zeker niet toevallig een hongerige python in de buurt?'

Marchetti leek te schrikken van die vraag. 'Eh... nee. Hoezo?'

'Laat maar.'

De satellietverbinding kwam tot stand en Kurt ging zitten. Even later verscheen het ruige gezicht van Dirk Pitt op het scherm en na een snelle introductieronde begon Pitt aan zijn verslag.

'We hebben wat inlichtingen verzameld over die Jinn. We zullen jullie de volledige gegevens in een versleuteld bestand sturen, maar hier zijn alvast de hoofdzaken van wat we aan de weet zijn gekomen.

Dertig jaar geleden was Jinn al-Khalif een negentien jaar oude bedoeïense kamelenhoeder; twintig jaar geleden hield hij zich gedurende een korte, maar zeer winstgevende periode bezig met de wapenhandel en kort daarna gebruikte hij het daarmee verdiende geld om zich een belang in verschillende legale zaken te verwerven. Scheepvaart en bouwnijverheid, infrastructuur. Niet echt omvangrijk, maar hij mocht niet klagen.

Vijf jaar geleden stichtte hij een onderneming die hij Oasis noemt. Dat is een merkwaardig opgezet internationaal consortium dat zich intensief met technologie bezighoudt en door onduidelijke bronnen gefinancierd wordt. Interpol heeft een en ander vanaf het begin in de gaten gehouden. Ze maakten zich vooral zorgen over de enorme hoeveelheden geld en technologie die naar Jemen stroomden zonder dat daar ook maar enige controle op was.'

'Ik kan me niet voorstellen dat Jemen een magneet is voor het aantrekken van buitenlands kapitaal,' zei Kurt.

'Absoluut niet,' antwoordde Pitt. 'Dat was dan ook de reden waarom Interpol dacht dat Oasis mogelijk een frontstore was voor een witwasoperatie van terroristen. Alleen is Jinn nooit politiek actief geweest, zelfs niet in zijn eigen, geplaagde land. En ze hebben geen enkele transactie kunnen vinden die op witwassen zou kunnen wijzen. Naar het schijnt waren alle technologieoverdrachten en investeringen in hightech legitiem.'

Pitt tikte iets in op het toetsenbord voor hem. Op het scherm verscheen een satellietfoto die de grimmige schoonheid van Jemens noordelijke woestijngebied toonde. Het beeld werd scherper en zoomde in alsof ze vanuit de ruimte neerdaalden. Toen de maximum resolutie was bereikt, focuste het beeld op een rotsachtige uitstulping die een lange schaduw over de zandvlakte wierp. Het deed Kurt denken aan de Ship Rock in New Mexico.

Voertuigsporen liepen naar de rots toe en strekten zich erachter uit, en in het zand waren verkleurde gedeelten zichtbaar.

'Wat zien we hier?' vroeg Kurt?

'Onze inlichtingendiensten hebben een aantal van Jinns activiteiten terug weten te voeren naar dit gedeelte van de woestijn.'

'Veel is er niet te zien,' zei Paul.

'Dat is ook niet de bedoeling,' antwoordde Pitt. 'Zien jullie al dat donkergekleurde zand? Dat strekt zich over veertig hectare uit.'

'Het lijkt wel alsof het ergens anders vandaan die kant op is gespoeld,' zei Gamay. 'Door erosie of een plotselinge overstroming. Een *flash flood.*'

'Behalve dan dat dit het droogste gedeelte van de woestijn is,' zei Dirk. 'Bovendien klopt de helling niet met het patroon dat we hier zien.'

'Het is dus camouflage,' zei Kurt. 'Wat verbergen ze?'

'Onze deskundigen denken dat daar grote hoeveelheden grond zijn verzet,' zei Pitt. 'Het zou kunnen wijzen op een ondergrondse nederzetting van enorme afmetingen. Infraroodscans geven een buitensporige hoeveelheid warmte aan die uit ventilatieopeningen in het zand komt. Dat alles wijst op een productieproces, hoewel niemand tot nu toe ook maar enig idee had wat ze daar deden.'

'Mijn ontwerp stelen,' zei Marchetti, 'en mijn vinding produceren.'

Pitt knikte. 'Daar lijkt het wel op. De vraag is echter waarom?'

Marchetti dacht een moment na. 'Ik weet het niet,' zei hij. 'Het was mijn bedoeling dat ze afval zouden eten, maar zoals we hebben kunnen zien, is het ontwerp gewijzigd. Dat betekent dat ze voor een ander doel bestemd zijn. Op dit moment weten we alleen met zekerheid dat ze jullie catamaran hebben aangevallen, maar tenzij ik iets heb gemist, zijn er tot dusver geen andere vaartuigen aangevallen of vermist geraakt. Daaruit zou je kunnen opmaken dat dit niet hun hoofddoel is.'

'Maar waarom zijn ze daar dan toch voor gebruikt?' vroeg Kurt.

Marchetti keek Leilani heel even aan voordat hij antwoord gaf. 'Onder normale omstandigheden zou de boot volledig kaalgevreten zijn. Er zou geen kruimel organisch materiaal zijn overgebleven. En de bots zouden weer in zee zijn verdwenen.'

Kurt begreep wat hij bedoelde. 'Geen bewijs. Geen getuigen. De boot zou in perfecte conditie zijn aangetroffen, net als de Mary Celeste. Ze hadden er alleen niet op gerekend dat de bemanning de boel in brand zou steken om ze af te weren.'

'Exact,' zei Marchetti. 'Zonder die resten die jullie vonden, zou er niets zijn geweest waaruit iemand had kunnen opmaken wat er gebeurd was. Zelfs als er iemand op een afstand vanaf een ander schip zou hebben toegekeken, zou die niets hebben gezien.'

Pitt bracht het gesprek terug in het oorspronkelijke spoor. 'Ze kunnen dus een gevaar voor de scheepvaart opleveren. Maar als dat niet hun voornaamste taak is, wat is die dan wel? Zouden zij de oorzaak kunnen zijn van de afwijkende temperaturen die ons team ontdekte?'

'Mogelijk,' zei Marchetti. 'Ik weet niet precies hoe, maar waar ze toe in staat zijn, is tot op zekere hoogte afhankelijk van het aantal dat er in zee zit.'

'Kunt u dat nader toelichten?' vroeg Pitt.

'Je moet ze net zo zien als insecten. Eentje is geen groot probleem – één wesp, één mier, één termiet – dat vormt niet echt een bedreiging. Maar als er voldoende tegelijk op dezelfde plaats zijn, kunnen ze allerlei problemen veroorzaken. Mijn ontwerp was zo gemaakt dat ze zich zelfstandig konden voortplanten en *ad infinitum* verspreiden. Dat was de enige manier om ervoor te zorgen dat ze ook werkelijk effectief waren. Er is geen reden om aan te nemen dat deze niet hetzelfde doen. Miljoenen kunnen een probleem vormen voor een klein vaartuig, miljarden zouden een bedreiging kunnen zijn voor een groter schip of een olieplatform of zelfs iets wat zo groot is als Aqua-Terra, maar biljoenen, of triljoenen, of triljoenen van triljoenen, dat zou een bedreiging voor de hele zee kunnen betekenen.'

'De hele zee?' vroeg Joe.

Marchetti knikte. 'In zekere zin zijn de microbots zelf een verontreiniging. Bijna als een toxine. Maar omdat ze zichzelf voeden en voortplanten en ook beschermen, kun je ze beter als exoten beschouwen, een invasie van vreemde organismen in een nieuwe habitat. Zoiets verloopt altijd volgens hetzelfde patroon. Zonder natuurlijke vijanden is het aanvankelijk niet meer dan een curiositeit, maar al snel wordt het een overlast, om binnen betrekkelijk korte tijd epidemische vormen aan te nemen en daarmee een bedreiging te vormen voor het hele ecosysteem. Ongecontroleerd zouden de microbots hetzelfde kunnen doen.'

'Ik weet nog dat de plakker naar New England kwam,' zei Paul. 'Een nachtvlinder die daar normaal niet voorkwam. Een exoot. Kwam uit China en had geen natuurlijke vijanden. Het eerste jaar waren er alleen maar zo hier en daar wat donzige rupsen. Het tweede jaar waren het er veel meer en na drie jaar zaten ze werkelijk overal. Miljarden. Alle bomen zaten eronder, ze vraten alles kaal en de bossen werden nagenoeg gedecimeerd. Heb je het over een dergelijk effect?'

Marchetti knikte somber.

Er viel een stilte terwijl de groep overdacht wat Marchetti zojuist had gezegd. Kurt probeerde zich voor te stellen hoe het zou zijn als de microbots zich door de Indische Oceaan zouden verspreiden en verder rond de wereld. Hij vroeg zich af of dit een rationele gedachte was of alleen maar paranoïde, en bovenal waarom iemand zoiets zou willen laten gebeuren of hoe ze daar beter van dachten te worden.

'Waar ze ook mee bezig mogen zijn, ik denk dat we mogen aannemen dat het geen goede zaak is,' zei Pitt. 'Daarom moeten we uitzoeken wat het is en zorgen dat we dit de baas worden. Iemand een voorstel hoe we dat kunnen doen?'

Opnieuw waren alle ogen op Marchetti gericht.

'Er zijn twee manieren,' zei hij. 'Ofwel we betrappen de microbots op heterdaad, waarvoor ik mijn diensten en het eiland aanbied, of we gaan naar de bron en zoeken uit wat hun opdracht is.'

'Naar Jemen gaan,' verduidelijkte Pitt.

Marchetti knikte. 'Ik aarzel om het te zeggen en ik zou absoluut niet mee willen, maar als deze dingen in die ondergrondse nederzetting in Jemen worden geproduceerd, zouden jullie naar die fabriek moeten gaan om erachter te komen waarom ze worden gemaakt en de specificaties bekijken.'

Pitt knikte peinzend en keek de verzamelde leden van het team een voor een aan.

'Goed dan,' zei hij toen. 'Ons oorspronkelijke doel was erachter te komen wat er met de crew is gebeurd, maar ik denk dat we het er allemaal over eens zijn dat we hiermee een grotere bedreiging hebben gevonden. Een bedreiging die waarschijnlijk de reden was waarom ze werden gedood. We moeten dit van beide kanten benaderen. Paul en Gamay zullen gebruikmaken van meneer Marchetti's gastvrijheid en onderzoek op zee doen, waarbij ze Aqua-Terra als thuisbasis zullen gebruiken. Kurt, Joe en jij moeten je gereed maken. Tenzij jullie bezwaren hebben, ga ik een manier bedenken om jullie Jemen binnen te smokkelen.'

Kurt keek Joe aan en die knikte. 'We zullen zorgen dat we er klaar voor zijn.'

Pitt beëindigde de videoconferentie. De vergadering werd gesloten en iedereen ging de deur uit.

Leilani kwam naar Kurt toe. 'Ik wil met jullie mee,' zei ze.

Kurt ging verder met zijn spullen bij elkaar te zoeken. 'Vergeet het maar.'

'Waarom?' vroeg ze. 'Als die Jinn degene is die dit allemaal veroorzaakt heeft, wil ik erbij zijn als jullie hem te grazen nemen.'

Kurt keek haar strak aan. 'Je hebt ons één keer in gevaar gebracht en dat laat ik niet nog eens gebeuren. Bovendien ga ik jou niet in gevaar brengen. En ook gaan we die kerel niet "te grazen nemen". In tegenstelling tot jou, zijn wij niet een soort doodseskader. We willen erachter komen waar hij mee bezig is en waarom, meer niet. Het beste wat jij kunt doen, is gewoon naar huis gaan, terug naar Hawaï.'

'Ik heb niemand om naartoe te gaan,' zei ze.

'Het spijt me,' zei Kurt, maar dat argument werkt deze keer niet.'

Gamay kwam naar ze toe en greep in. 'Als wij gaan analyseren wat er met de voedselketen aan de hand is, kunnen we daar best een mariene biologe bij gebruiken. Waarom blijf je niet bij ons, hier op het eiland?'

Het leek Leilani niet bepaald aan te staan, maar ze had duidelijk geen keus. Uiteindelijk knikte ze.

Kurt liep zonder nog een woord te zeggen de deur uit. Hij vond het jammer voor haar, maar hij had werk te doen.

16

Golf van Aden, voor de kust van Jemen

Zevenendertig uur na de bespreking in Marchetti's conferentie-
kamer, zaten Kurt en Joe in een donkere nacht op een houten
vissersboot op ongeveer een mijl uit de kust voor Aden. Ze droegen
zwarte wetsuits met zwemvliezen en kleine zuurstoftanks op hun rug
en wachtten geduldig op een sein vanaf de wal.

Kurt wreef een dun laagje babyshampoo aan de binnenkant van het
glas van zijn duikmasker en spoelde het toen af om te voorkomen dat
het later zou beslaan. Joe controleerde zijn luchtflessen nog eens en
bond een duikmes in een schede aan zijn been.

'Ben je klaar?' vroeg Kurt.

'Zo klaar als iemand maar zijn kan. Zie je al iets?'

'Nog niet.'

'Wat nou als die gozer ergens opgehouden wordt?'

'Hij komt wel,' zei Kurt. 'Dirk heeft me verzekerd dat die man hem
een paar keer eerder heeft geholpen.'

'Heeft hij een naam genoemd?'

Kurt schudde glimlachend zijn hoofd. 'Hij zei dat dat niet nodig
was.'

Joe grinnikte. 'Dirk heeft zo zijn geheimen, reken daar maar op.'

Het was een maanloze nacht met een zwakke wind uit het noordwesten. Kurt kon de geur van de woestijn ruiken die de wind meevoerde, maar hij zag niets. Ze lagen ten anker voor een verlaten deel
van de kust en dobberden op de deining, klaar om te water te gaan.
Maar dat kon pas als ze zeker wisten dat er iemand was om ze op te
pikken.

Eindelijk was er een lichtje te zien dat in hun richting seinde. Aan-uit, aan-uit. Toen weer een paar seconden aan en daarna alleen maar duisternis.

'Dat is onze man,' zei Kurt en hij zette zijn masker op.

Joe deed hetzelfde, maar wachtte toen even. 'Een vraagje nog,' zei hij. 'Wat nou als die bots hier in het water zitten te wachten om ons op te vreten?'

Daar had Kurt nog niet over nagedacht en eigenlijk wenste hij dat Joe dat evenmin had gedaan. 'Dan kun je maar beter hopen dat ze geen honger hebben,' zei hij. Met die woorden liet hij zich achterover vallen en verdween in het inktzwarte water.

Joe volgde een paar seconden later en het gedempte geluid van de plons echode door de duisternis.

Kurt draaide zich in de juiste richting en bewoog zijn benen met soepele, krachtige slagen waardoor de zwemvliezen hem snel door het water stuwden. Rustig en geluidloos naderde hij het strand.

Naarmate hij dichterbij kwam, werd het geluid van de golven die op het strand braken steeds duidelijker en hij voelde hoe de ebstroom hem naar het oosten probeerde te sleuren. Hij corrigeerde zijn richting enigszins maar in plaats van zich te vermoeien door tegen de stroom te vechten, liet hij zich er door meevoeren.

Vlak bij het strand gekomen, focuste hij zich helemaal op de deining en probeerde een indruk te krijgen van de golfperiode. Een grote golf duwde hem omhoog en dreigde hem met zijn gezicht op het strand te gooien, maar hij ging voorbij en brak vijftien meter verder in een massa wit schuim op het zand.

De onderstroom van de teruglopende golf kreeg hem te pakken, maar Kurt zwom er met kracht tegenin, pakte de volgende golf en bodysurfte zo het strand op.

Tien meter verderop lagen rotsblokken die dekking boden. Hij trok zijn zwemvliezen uit, rende er met een paar grote passen heen en kroop ertussen. Eenmaal daar, trok hij zijn duikmasker af, ritste zijn wetsuit een eindje open en haalde een kleine nachtzichtkijker tevoorschijn. Hij speurde het strand en de hoger gelegen weg af, maar zag nergens iets bewegen, geen enkel teken van leven.

Een meter of zeventig meer naar het westen, stond een oud Volkswagen busje op de weg geparkeerd. Dat was hun vervoer.

Hij keek om en zag Joe het strand op komen. Even later sprintte Joe naar de rotsen.

Kurt wees naar het busje. 'Niet slecht,' zei hij. 'We zaten er hooguit een voetbalveldje naast.'

'Dat eindje lopen is gemakkelijker dan tegen de stroom in zwemmen,' antwoordde Joe.

'Zo is 't,' zei Kurt. 'Bovendien is er altijd die kleine kans dat onze vriend in de gaten is gehouden of gevolgd en daarom was het waarschijnlijk ook beter om niet recht voor de vluchtauto uit het water te komen.'

De twee mannen trokken hun wetsuits uit. Eronder droegen ze gewone kleding. Nog steeds bedacht op moeilijkheden, verplaatsten ze zich in een aantal korte sprintjes over het strand tot ze bij de VW kwamen.

Het dertig jaar oude barrel was geelbruin van kleur en bekrast en ingeteerd door vele jaren stuifzand. De banden waren zo te zien glad en van het VW-embleem op de voorkant ontbrak de helft van de 'W'.

'Misschien is het geen echte Volkswagen,' zei Kurt.

'Ja,' zei Joe, op de halve 'W' wijzend. 'Een VolksVagen.'

'Niet echt chic,' zei Kurt, maar terugdenkend aan de Vespa, voegde hij er onmiddellijk aan toe: 'Maar hij heeft in elk geval vier wielen.'

'Jouw ster moet echt rijzende zijn,' zei Joe.

Kurt grinnikte en schoof de zijdeur open. Het busje had dan misschien niet veel stijl, maar wel veel ruimte voor spullen. Het had een luchtgekoelde motor, wat in de woestijn een stuk betrouwbaarder was dan een watergekoelde krachtbron, en authentieke Jemenitische kentekenplaten waarvan Kurt hoopte dat ze nog geldig zouden zijn.

En er zat niemand in. Wie Dirk Pitt ook gevonden mocht hebben om het busje hier neer te zetten, hij was nu verdwenen. Uit een tweede stel bandensporen in de zachte berm viel op te maken dat de chauffeur met een andere auto was vertrokken.

Ze klommen in het busje, Kurt klauterde op de plaats van de bestuurder terwijl Joe achterin ging kijken wat daar voor hen lag.

'Schoenen en kaftans,' zei Joe. 'Voedsel, water en wat andere spullen. Die jongen heeft goed voor ons gezorgd.'

Kurt zocht naar de sleutels. Toen hij de zonneklep naar beneden klapte, vielen ze in zijn hand, samen met een briefje. Hij stak de sleutel in het contactslot en Joe kwam naar voren en ging naast hem zitten.

'Hier staat dat we de kustweg moeten volgen in noordoostelijke richting. Sla na elf kilometer links af en volg de verharde weg naar het noordoosten. Dat is de Eastern Highway. Na krap vijftig kilometer gaat die over in een onverharde weg. Volg die vanaf dat punt exact tweeënzeventig kilometer. Verberg de auto en ga te voet verder. Loop naar het noordwesten, kompaskoers 290 over een afstand van 8300 meter. Ga daar de hoek om en je bent bij de nederzetting die je zoekt. Veel succes.'

'Staat er een naam onder?'

'Anoniem,' zei Kurt. Hij vouwde het briefje op en stak het weg. 'Maar wie het ook mag zijn, laten we hem niet teleurstellen.'

Na een snelle blik in het rond te hebben geworpen, draaide Kurt de contactsleutel om, waarop de motor tot leven kwam met een geluid dat alleen oude Volkswagens kunnen maken. De versnellingsbak knerpte een beetje toen hij hem in zijn eerste zette en de koppeling op liet komen, maar ze waren in elk geval onderweg.

Hij hoopte de nederzetting nog voor het aanbreken van de dag te bereiken. Ze hadden vier uur.

17

Gamay Trout was werkelijk verrukt toen ze met een snelheid van twintig knopen in een klein, door Elwood Marchetti ontworpen luchtschip op nog geen tien meter hoogte boven de golven vloog.

Een blimp kon je het niet noemen, dat zou het gestroomlijnde toestel onrecht hebben gedaan. De bemanningsruimte hing tussen en iets onder twee rompen die Marchetti luchtgondels noemde. Deze gondels waren gevuld met helium en leken op drijvers, maar dan veel groter en langer. Aan de onderkant waren ze plat terwijl de bovenkant gekromd was, waardoor ze liftkracht gaven als het toestel zich vooruit bewoog. Ze waren aan de bemanningsruimte verbonden door een reeks steunen die onder een hoek van vijfenveertig graden naar beneden uitstaken. Een tweede rij steunen liep er in de lengterichting tussenin om ze te verstevigen en op afstand te houden. Door dit ontwerp was vanuit de bemanningsruimte de hemel te zien, wat in geen enkel ander lucht-schip mogelijk was.

Het passagiersgedeelte had de vorm van een luxe motorjacht en liep in een vloeiende lijn naar achteren af. Helemaal achterop was een plat-form van waaraf men in de openlucht van de vlucht kon genieten of kon zonnebaden. Ook was het mogelijk hier aan of van boord te gaan. Twee in buizen gebouwde propellers die ver voor de cabine waren aan-gebracht, trokken het toestel als een stel sledehonden voort. Twee korte vleugels deden dienst als canard en twee verticale staarten, een op elke gondel, deden dienst als roeren.

'Dit is fantastisch,' zei Gamay die overboord leunde en naar drie dol-fijnen keek die ze hadden gevonden en waren blijven volgen.

Marchetti bestuurde het toestel, waardoor Gamay, Paul en Leilani met volle teugen van de vlucht konden genieten. Ze baadden in de zon, voelden de wind en keken naar de dolfijnen die beneden hen door het heldere water schoten.

Met krachtige slagen van hun platte staarten konden de spitssnuit-dolfijnen het luchtschip gemakkelijk bijhouden. Af en toe sprong er een uit het water naar hen omhoog om met een fraaie boog terug te vallen.

'Het lijkt bijna alsof ze bij ons proberen te komen,' zei Leilani.

'Misschien denken ze dat wij het moederschip zijn,' antwoordde Paul.

Gamay lachte. Ze kon zich zo ongeveer voorstellen wat de dolfijnen van een dergelijk vaartuig zouden denken. Maar ze waren er duidelijk niet bang voor. 'Marchetti, volgens mij gaat dit werken.'

Leilani knikte. Ze leek in een aanzienlijk betere stemming te zijn. Paul glimlachte.

'Jij kijkt als de kat die net een prooi binnen heeft,' zei Gamay.

'Ik bedacht juist dat ik me gelukkig mag prijzen dat ik hier zit, met twee mooie vrouwen,' zei Paul grijnzend, 'in plaats van dat ik met Kurt en Joe door de woestijn loop te sjokken.'

Gamay lachte.

'En het is niet alleen het gezelschap,' voegde hij er nog aan toe. 'We hebben voor de verandering ook eens al die mooie, dure speeltjes om mee te werken. Kurt en Joe worstelen op dit moment waarschijnlijk met een stel stinkende kamelen.'

'Ik ben het helemaal met je eens,' zei Gamay en ze wendde zich toen tot Marchetti. 'Hoeveel verder kunnen we nog gaan?'

'We kunnen dagen in de lucht blijven, als dat nodig is,' zei hij. 'Maar ik stel voor om nog een uur in deze richting door te gaan en dan terug te gaan naar het eiland. Mijn mensen zijn bezig de andere twee lucht-schepen in elkaar te zetten en die zijn morgen klaar voor gebruik, dus dan kunnen we een veel groter gebied bestrijken.'

'Heb je daar piloten voor?' vroeg Paul.

'Piloten?' zei Marchetti. 'We hebben helemaal geen piloten nodig.'

'Wie vliegt ze dan?'

'Dat kan iedereen,' zei Marchetti. 'Jullie ook. Deze dingen besturen is net zo makkelijk als een auto of een boot besturen.'

Gamay vond Marchetti een welkome aanvulling van het team. In elk geval had hij zijn toezegging om zijn volledige steun aan de expeditie te geven, gestand gedaan. Hij had het drijvende eiland Aqua-Terra inmiddels al naar het noordwesten gedraaid en gezorgd dat ze met de flitsende snelheid van vierenhalve mijl per uur in die richting gingen. Hij had alle specificaties van de microbots aan NUMA overgedragen en tien man van zijn oorspronkelijke bemanning teruggeroepen om het eiland zonder robots te kunnen runnen.

'Geef ons toch maar liever een paar lessen voordat je ons de lucht in stuurt,' zei Paul.

'Dat lijkt me redelijk.'

Gamay richtte haar aandacht weer op de zee. De dolfijnen zwommen nog steeds met hen mee en bleven net voor de schaduw die het luchtschip op het water wierp. Een van de drie leek te willen gaan springen, maar plotseling gingen ze uiteen, schoten verschillende richtingen uit en waren in een oogwenk verdwenen.

'Zag je dat?' vroeg ze.

'Die zijn snel,' zei Paul.

'Het begon ze zeker te vervelen,' zei Leilani.

Gamay staarde nog steeds naar het water en voelde een verandering. De zee werd donkerder. Het diepe blauw van even daarvoor was veranderd in een troebele, grijze kleur.

Ze nam aan dat de dolfijnen de verandering hadden opgemerkt, het als een gevaar hadden geïnterpreteerd en daarom in een andere richting waren gevlucht. Haar blijdschap was op slag verdwenen. 'Minder vaart,' zei ze tegen Marchetti. 'Ik geloof dat we ze hebben gevonden.'

18

'Dit ding geeft me een gevoel alsof ik op weg ben naar Woodstock in de woestijn,' zei Joe, in het donker starend, boven het geluid van de motor van de Volkswagen bus uit.

'Laten we hopen dat het er niet net zo druk is,' zei Kurt.

Hij en Joe reden door de nacht. Toen ze het laatste punt bereikten, verlieten ze de woestijnweg en parkeerden de VW achter de glooiende helling van een duin.

Terwijl Joe de bandensporen uitwiste, haalde Kurt een dekkleed tevoorschijn. Hij trok er een dunne beschermlaag af waaronder een kleeflaag zat. Hij legde het dekkleed met die kleeflaag naar beneden en sleepte hem over de grond waardoor er zich een dunne laag zand op vastzette.

Na zich ervan overtuigd te hebben dat er voldoende zand op zat, gooide Kurt het dekkleed over de Volkswagen, zette hem met pennen in de grond vast en gooide er nog een aantal emmertjes zand overheen.

Hij was net klaar toen Joe terugkwam. Die keek alsof hij zijn ogen niet kon geloven.

'Wat is er met de auto gebeurd?'

'Die heb ik onzichtbaar gemaakt,' zei Kurt en hij hing een kleine rugzak over zijn schouders. 'Niemand die hem kan zien.'

'Nee,' zei Joe, 'en wij waarschijnlijk ook niet. Ik kan mijn auto niet eens terugvinden op de parkeerplaats, dus deze vind ik zeker nooit meer terug.'

Daar had Kurt niet echt over nagedacht. Hij keek rond naar herkenbare punten, maar zag in alle richtingen alleen maar zandduinen.

Hij haalde een gps-ontvanger uit zijn zak en plaatste een speld om de plek te markeren, in de hoop dat dit zou helpen de VW terug te vinden.

Terwijl Joe zijn eigen rugzak omhing, trok Kurt een paar sneeuwschoenen aan. Dat waren niet meer de tennisrackets van weleer maar een moderne uitvoering, gemaakt van carbonfiber die precies hetzelfde deed: het gewicht over een groter oppervlak verspreiden zodat je op het zand kon lopen in plaats van er in weg te zakken en je zo voort te moeten slepen.

Joe trok eenzelfde paar aan en de twee mannen gingen op weg.

Negentig minuten later bereikten ze de top van een schijnbaar eindeloze reeks zandduinen. Ze waren net boven toen ze vanuit het zuiden het geluid van een naderende helikopter opvingen.

Kurt speurde de hemel af en zag een rood waarschuwingslicht knipperen. Zo te zien was het niet meer dan drie of vier kilometer van hen verwijderd en kwam op een hoogte van ongeveer honderdvijftig meter recht op ze af.

'Liggen,' zei Kurt. Hij liet zich vallen en probeerde zich als een slang in het zand te verbergen.

Joe deed hetzelfde en even later waren ze bijna tot aan hun nek bedekt met zand. Ondanks die camouflage bleef de helikopter op ze toe komen, zonder ook maar een moment van zijn koers af te wijken.

'Dit ziet er niet best uit,' fluisterde Joe.

Kurt tastte naar de holster op zijn heup met de kaliber .50 Bowen revolver. Dat was een kanon, maar tegen een helikopter zou hij weinig uitrichten tenzij hij een aantal pure gelukstreffers zou weten te plaatsen.

Hij keek naar het rode licht. Aan de andere kant was een zwakker groen licht te zien. Als het werkelijk op schieten uitdraaide, zou hij precies tussen die twee lichten mikken en de revolver leegschieten in de hoop iets vitaals te raken.

Hij hoorde hoe Joe zijn eigen pistool losmaakte, waarschijnlijk van plan hetzelfde te doen, toen een gedachte zich opdrong: als ze ontdekt waren en er was een helikopter op ze af gestuurd, waarom was die dan niet verduisterd?

'Toch aardig van ze om de navigatielichten te laten branden zodat we daarop kunnen mikken,' zei hij.

'Denk je dat ze zich hebben vergist?'

De helikopter kwam nog steeds recht op hen af, was nog hooguit vijfhonderd meter van ze verwijderd en daalde niet alleen, maar veranderde toen ook van koers.

'Ik denk dat we daar zo dadelijk achter zullen komen.'

De helikopter raasde langs ze heen, ongeveer vijftig meter boven hen en een paar honderd meter meer naar het westen.

Kurt zag hem passeren en volgde zijn koers. Nadat hij zich ervan had overtuigd dat er geen tweede toestel achter zat, sprong hij omhoog uit het zand en rende erachteraan. Hij kwam beneden aan het duin, klauterde tegen de volgende helling op en liet zich boven opnieuw plat op de grond vallen.

Joe plofte naast hem neer. Verderop hing de helikopter nu stil in de lucht en daalde langzaam naar een donkere vorm die als een schip uit de woestijn oprees.

Boven op het 'schip' ging een reeks zwakke lampjes aan die een keurige cirkel markeerden. De helikopter corrigeerde enigszins, zwenkte langzaam en landde toen op de rots.

'Zo te zien hebben we de nederzetting gevonden,' zei Kurt.

'En we zijn niet de enigen,' antwoordde Joe.

Vanuit het zuidwesten konden ze lichten zien naderen. Het leek een kleine colonne van misschien acht of negen voertuigen, maar door het vele stof dat ze opwierpen, was het moeilijk om de koplampen te tellen.

'Ik dacht dat Dirk zei dat hier weinig verkeer was.'

'Het is kennelijk spitsuur,' antwoordde Kurt. 'Laten we hopen dat ze niet voor ons zijn gekomen.'

Terwijl de voertuigen voor de hoge rots tot stilstand kwamen, werd de stilte van de woestijn verstoord door een hoop kabaal. Het was een en al felle koplampen, opdwarrelend stof en stemmen die niet klonken alsof er ruzie werd gemaakt, maar meer als een korte discussie in het Arabisch. In de opening van een grot verschenen gewapende mannen die de nieuwkomers begroetten.

Boven op de hoge rots kwamen de wieken van de helikopter tot stilstand. Er kwamen twee mannen uit die naar de zijkant van de klip liepen en daar verdwenen in wat een uitgehakte opening leek. Kurt nam aan dat het een soort tunnel of verborgen ingang was.

'Kom mee,' zei hij. 'Het personeel is nu even druk met het parkeren van al die auto's.'

Kurt ging een paar stappen terug de helling af en begon er omheen te trekken. Joe volgde en probeerde hem in te halen.

'Wat gaan we doen?' vroeg Joe. 'Gewoon binnenwandelen en net doen alsof we bij de club horen?'

'Nee,' zei Kurt. 'We gaan achterom naar die landingsplaats. Ik zag de passagiers van die helikopter verdwijnen zonder naar beneden te klimmen. Ergens boven op die rots moet een ingang zijn. Die hoeven we alleen maar te vinden.'

19

Boven de Indische Oceaan, had Marchetti het luchtschip intussen langzaam laten klimmen naar een hoogte van dertig meter en de snelheid vervolgens aanzienlijk verminderd. Om het toestel zo slank en gestroomlijnd te maken, had hij bij het ontwerp een aantal concessies moeten doen. Zo moest het bijvoorbeeld steeds een bepaalde voorwaartse snelheid hebben die het voldoende liftkracht gaf, omdat het van zichzelf te weinig drijfvermogen had om op dezelfde hoogte te blijven zweven.

Toen de motoren gestopt waren en ze stuurloos ronddreven, werden de passagiers nerveus.

'We zakken nog steeds,' zei Gamay. Twintig meter onder hen was de zee kalm en donker. Als ze gelijk had en die donkere kleur inderdaad iets te maken had met de microbots die daar onder het zeeoppervlak zwermden, voelde ze er helemaal niets voor om op het water te landen.

'Ogenblikje,' zei Marchetti.

Hij haalde een hendel over, waarop er zowel aan de voor- als achterkant van het luchtschip een compartiment opensprong alsof hij tegelijkertijd de kofferbak en de motorkap van zijn auto open had gedaan. Er volgde een sissend geluid van ontsnappend gas onder hoge druk en uit de luiken kwamen twee aanvullende ballons. Ze stegen op, vulden zich snel met helium en trokken hun lijnen strak. Terwijl ze opbliezen, vertraagde de daling en stopte uiteindelijk helemaal.

'Ik noem het luchtankers,' zei Marchetti trots. 'Als we straks verdergaan, laten we ze weer leeglopen, maar intussen zorgen ze ervoor dat we niet in de plomp terechtkomen.'

Gamay vond het een hele opluchting om dat te horen en ook Paul en Leilani lieten hun ingehouden adem los.

'Ik zal de spullen om monsters te nemen maar eens gaan pakken,' zei Paul.

Het luchtschip bleef op twaalf meter hoogte hangen. Door telkens een klein beetje gas te laten ontsnappen, liet Marchetti het tot anderhalve meter boven het water dalen en zette het drijfvermogen toen op neutraal.

'Zo laag genoeg?' vroeg hij.

Paul knikte en klom met de uitschuifbare monsternemer naar het achterste platform.

'Wees voorzichtig,' zei Leilani, met een gezicht of ze er niet aan moest denken om zelfs maar in de buurt van de rand te komen.

'Daar sluit ik me bij aan,' zei Gamay. 'Het heeft me jaren gekost om je te trainen. Ik moet er niet aan denken om dat nog eens met een nieuwe man te doen.'

Paul grinnikte. 'Ik geef je weinig kans ooit iemand te vinden die net zo knap en charmant is als ik.'

Gamay glimlachte. Ze zou heel zeker nooit meer iemand vinden van wie ze zoveel hield.

Toen Paul de rand van het platform bereikte, kroop Gamay naast hem. Wetend wat daar beneden was, had ze hem eigenlijk willen vastbinden als een uitkijk boven in het kraaiennest, maar dat kon onmogelijk en het was ook eigenlijk niet nodig. Ze zaten in de gyre van de Indische Oceaan, bijna in het centrum van de ringstroom, wat te vergelijken was met het oog van een orkaan. Onder normale omstandigheden waren dit de 'doldrums', gebieden zonder noemenswaardige wind of golven.

De zee beneden hen zag er vlak en olieachtig uit en de zon brandde op ze neer. Het was merkwaardig stil. De wind was nauwelijks voelbaar en er was niets waarover ze zich zorgen hoefden te maken terwijl ze nauwelijks een meter boven het water zweefden.

Paul schoof de hengel uit en liet de fles in het water zakken om een monster te nemen. Hij haalde hem weer op en voordat hij hem binnenhaalde liet hij eerst even het overtollige water eraf druipen.

Gamay had een paar dikke plastic handschoenen aangetrokken, nam het monster aan en veegde de buitenkant van de fles af met speciaal geladen microfiber handdoek die volgens Marchetti eventueel aanwezige microbots zou aantrekken en vangen.

Ze zag geen residu, maar die kleine donders waren dan ook klein. Er pasten gemakkelijk honderd van die dingen op een speldenknop.

Ze keek naar het water in de fles.

'Zo te zien is het helder,' zei ze.

Ze sloot de fles af en deed hem in een roestvrijstalen doos met een rubber pakking in het deksel dat ze stevig dichtmaakte. De handdoek deed ze in eenzelfde trommel.

Gamay en Paul staarden in het water beneden ze zoals mensen soms vanaf de kade naar het water kijken. Het water zag er heel normaal uit. Toch hadden ze, sinds de dolfijnen zich plotseling hadden verspreid, over twee mijl verkleurde oceaan gevlogen. Er klopte iets niet.

Opeens drong de waarheid tot Gamay door. 'Ze zitten niet aan de oppervlakte,' zei ze. 'Als we er recht van boven op neerkijken, zien we ze, maar zodra je ook maar onder een kleine hoek kijkt, zie je alleen maar zeewater.'

Vanuit de cockpit liet Marchetti weten dat hij het daarmee eens was. 'Ze zweven net onder het oppervlak. Je moet een dieper monster nemen. Als je wilt kan ik hem wel tot vlak boven...'

'Nee, niet doen,' zei Leilani. 'Alsjeblieft. Wat nou als we het water raken of er gaat iets mis?' Ze stond in het hoofdgedeelte van de cabine en keek overboord, beschermd door de wand. Ze zag een tikje groen.

'Ik denk wel dat het van hieraf zal lukken,' zei Paul, zoals altijd de inschikkelijkheid zelf. Hij ging plat op het dek liggen, met zijn hoofd en schouders over de rand. Hij maakte gebruik van zijn lange armen, strekte die uit zover als hij kon reiken en nam een tweede monster.

Marchetti kwam dichterbij. Gamay ook.

Paul haalde het monster op. Ook dat was helder. Hij gooide het weg en probeerde of hij zich nog verder uit kon rekken.

Leilani begon te protesteren. 'Ik weet het niet, hoor,' mompelde ze angstig. 'Moeten we die dingen echt aan boord halen?'

Kurt had gezegd dat ze labiel was. Nu zag Gamay waarom hij dat had gezegd. Vol enthousiasme om mee te gaan en nu opeens doodsbang.

'Iemand zal het toch moeten doen,' zei Gamay.

'Misschien moeten we gewoon de marine erbij roepen, of de kustwacht of zoiets.'

'Hou mijn benen vast,' zei Paul. 'Ik moet een dieper monster nemen.'

Gamay ging op haar knieën zitten, zette haar handen op de achterkant van Pauls benen en drukte die met haar volle gewicht naar beneden. Ze hoorde hoe Leilani iets mompelde en nog verder achteruit deinsde, alsof de bots elk moment als krokodillen uit het water konden springen en Paul opslokken.

Paul stak de hengel naar beneden en rekte zich zo ver mogelijk uit. Hij stak hem twee, misschien wel tweeënhalve meter in het water. Toen hij hem weer boven water haalde, kon Gamay de spanning in zijn lichaam voelen. Het monster zag er donker uit.

'Ik geloof dat je beet hebt.'

Terwijl Paul de hengel binnen begon te halen, begon Leilani te beven. Ze deed nog een stap verder achteruit.

'Er gebeurt niets,' zei Marchetti in een poging haar op haar gemak te stellen.

Op dat moment klonk er een harde knal die het hele toestel deed schudden. Het helde naar een kant en het achterste deel zakte naar beneden als een huifkar die een wiel was kwijtgeraakt.

Paul gleed weg, kwam tegen de zijwand van het dek aan en ging bijna overboord. Gamay gleed met hem mee, greep hem bij zijn broekriem en sloeg haar andere arm om een stut die uit het dek omhoog stak.

Leilani gilde en viel maar hield zich aan de deur van de kajuit vast terwijl Marchetti zich aan de stuurstand vastklampte.

'Hou je vast!' schreeuwde Gamay.

'Hou jij je maar vast,' riep Paul terug. 'Ik heb niks om me aan vast te grijpen.'

Weer volgde een knal en nu kwam het luchtschip weer recht te hangen, maar met de achterkant nog verder naar beneden, als een kiepwagen die zijn lading wil storten. Gamay hield uit alle macht vast. Ze was lichamelijk sterk, maar ze kon Paul met zijn ruim twee meter lengte en een gewicht van honderdtien kilo niet lang houden. Ze voelde zijn riem in haar vingers snijden.

Achter haar probeerden Leilani en Marchetti te helpen.

'De ballon!' riep Leilani, en ze wees omhoog.

Gamay keek ook. Het achterste anker was losgeraakt en zweefde omhoog naar de hemel als een losgelaten ballon van een kind op de kermis. Het gevolg was dat het luchtschip met de staart in het water dreigde te zakken.

'Zorg dat we vaart gaan maken!' schreeuwde Gamay.

'Doe ik,' zei Marchetti en hij rende naar de cockpit.

'Leilani, ik heb hulp nodig, zei Gamay.'

Terwijl Marchetti de kajuit binnen rende, hurkte Leilani naast Gamay en greep Pauls benen vast. De propellers begonnen te draaien en het luchtschip kwam langzaam in beweging. Daardoor kostte het nog meer inspanning om Paul vast te houden.

Gamay kreeg het gevoel dat ze elk moment losgerukt kon worden. Ze zag dat Leilani probeerde meer grip op Paul te krijgen.

Het luchtschip begon vaart te maken, maar het achtereind zakte nog steeds en scheerde op hooguit dertig centmeter boven het water. Paul kromde zijn lichaam om te voorkomen dat hij met zijn gezicht het water zou raken.

Toen de snelheid toenam, begon het luchtschip geleidelijk vlak te trekken.

'Nu!' schreeuwde Gamay. Ze trok uit alle macht, en met hulp van Leilani zag ze kans Paul terug te trekken naar de plek waar hij begonnen was, met zijn hoofd en schouders net over de rand. Nu pas zag ze dat hij de monsternemer nog steeds in zijn handen had.

'Laat dat ding los!' schreeuwde ze.

'Na al die moeite?' zei Paul. 'Echt niet.'

Intussen maakte het toestel steeds meer vaart en ontwikkelde daarmee voldoende liftkracht om Marchetti in staat te stellen het helemaal horizontaal te trekken.

Terwijl ze klommen en uiteindelijk hun kruishoogte bereikten, trok Gamay Paul helemaal binnenboord en sloeg haar armen stijf om hem heen.

'Paul Trout, als je zoiets nog een keer flikt, wordt het mijn dood,' zei ze.

'En de mijne,' antwoordde hij.

'Wat is er gebeurd?' vroeg hij aan Marchetti.

'Geen idee,' zei hij. 'Het anker is op de een of andere manier losgeraakt. Het moet een storing of een defect zijn geweest.'

Gamay keek naar Paul, dankbaar dat hij bij haar was in plaats van in het water bij die dingen. Ze leken erg veel pech te hebben. Maar was het wel pech? Ze begon zich af te vragen hoe het met Marchetti's bemanning zat. Otero en Matson waren omgekocht. Wat belette anderen om zich ook te verkopen? Ze hield deze gedachten voor zich, keek naar het donker gekleurde monster dat ze hadden weten te nemen en zei tegen zichzelf dat er behalve Paul niemand was die ze onvoorwaardelijk kon vertrouwen.

20

Jinn al-Khalif liep met grote passen door de gangen van zijn grot. Hij was woedend. Hij schopte de deur van zijn enorme kantoor open en gooide een stoel opzij die de weg naar zijn bureau versperde. Sabah kwam direct na hem binnen en deed de deur op een meer normale manier achter zich dicht.

'Ik laat me niet als een schooljongen ontbieden!' bulderde Jinn.

'Je bent niet ontboden,' zei Sabah.

'Ze nemen onaangekondigd contact met jou op, zeggen dat ze komen en dat ze verwachten mij hier ook te zien!' schreeuwde Jinn. 'Is dat soms geen ontbieden?'

Jinn stond naast een indrukwekkend groot bureau. Achter hem was door de glazen afscheiding die als achtermuur van zijn kantoor fungeerde, de zes meter lager gelegen productieruimte van zijn fabriek te zien.

In de *clean room* waren mannen in beschermende kleding bezig de machines opnieuw in te stellen voor de productie van de volgende versie van Jinns microbots. Deze gewijzigde, dodelijke soort was bestemd voor Egypte en de Aswandam.

'Het was een verzoek,' zei Sabah. 'Gezien hun toon en houding van de laatste tijd, leek het me noodzakelijk ze toe te zeggen dat je aanwezig zou zijn.'

'Dat is een schaamteloze daad!' schreeuwde Jinn. 'Jij doet geen toezeggingen voor mij.'

De woede die Jinn op dit moment was overvallen, had hij al vele malen in zijn leven gevoeld, maar nooit eerder was die op Sabah gericht geweest.

'Hoe komt het toch dat naarmate we dichter ons doel naderen, mijn ondergeschikten hun verstand lijken te verliezen en hun plaats niet meer weten?'

Sabah leek iets te willen zeggen, maar bedacht zich.

'Je hebt al genoeg gezegd,' zei Jinn met een minachtend handgebaar. 'Ga maar weg.'

In plaats van te buigen en te vertrekken, bleef Sabah stram rechtop staan.

'Nee,' zei hij eenvoudig. 'Ik heb je van jongs af aan, vanaf de dag dat je vader stierf, onderwezen. En ik heb gezworen dat ik je zou beschermen, ook tegen jezelf. Ik ga dus iets zeggen en jij luistert en als ik uitgesproken ben, kun je besluiten wat je gaat doen.'

Jinn keek op, voldoende geschrokken om zijn instinctieve neiging Sabah wegens ongehoorzaamheid te doden, te onderdrukken.

'Dit consortium,' begon Sabah, 'heeft miljarden dollars in jouw onderneming gestoken. En het zijn stuk voor stuk machtige mannen die zo nu en dan hun spierballen eens even moeten tonen.'

Jinn staarde Sabah gebiologeerd aan en luisterde, zoals hij dat door de jaren heen zo vaak had gedaan.

'Het feit dat ze allemaal zijn gekomen, wijst op gevaar,' vervolgde Sabah. 'Ze zijn verenigd.'

Jinn keek zijn kantoor rond. Er was maar weinig wat als versiering kon worden beschouwd. Maar aan een van de wanden hingen ouderwetse wapens en hij keek naar een kromzwaard.

'Dan vermoord ik ze allemaal,' zei Jinn. 'Ik zal ze met beide handen aan stukken hakken.'

'En wat levert ons dat op?' vroeg Sabah. 'Ze zijn niet alleen gekomen. Ze hebben allemaal een eenheid gewapende mannen bij zich. Bij elkaar zijn dat er bijna net zoveel als onze eigen mensen. Dat zou alleen maar oorlog betekenen. En zelfs als we zouden winnen, komen er ongetwijfeld anderen om uit te zoeken wat er gebeurd is en misschien zelfs om wraak te nemen.'

Voor het eerst in heel lange tijd voelde Jinn zich kwetsbaar, in een hoek gedreven. Als ze hadden geweten wat ze in hem wakker maakten, zouden ze niet zo hebben aangedrongen.

'Ze hadden geen slechter moment kunnen kiezen,' zei hij. 'We moeten voorbereidingen treffen voor de ontvangst van andere gasten.'

136

'Dat wordt geregeld,' zei Sabah kordaat.

'Mooi zo,' zei Jinn. 'Wat stel je voor?'

'We moeten ze iets duidelijk maken zonder dat daar een oorlog uit voortkomt. Ik stel voor dat we ze laten zien wat ze willen zien. Eerst hoe het van heel dichtbij is en nog een keer van een afstand.'

Er verscheen een onheilspellende uitdrukking op Sabah's gezicht en Jinn begon te begrijpen wat hij bedoelde. Hij had Sabah eigenlijk al afgeschreven als oud en niet meer van deze tijd, maar daar kwam hij nu op terug.

'Laat het testbassin vollopen,' zei Jinn.

'Dat is geconfigureerd om de aanval op Aswan te simuleren.'

Er gleed een glimlach over Jinns gezicht. 'Perfect. Geef een demonstratie. Zorg dat ze op de eerste rij zitten. Ik zou erg blij zijn als ze meer zouden zien dan ze hadden bedongen.'

Op Sabah's gezicht verscheen een blik van verstandhouding.

'Ik zal doen wat je beveelt,' zei hij.

Jinn keek achterom naar zijn werkers beneden, aan de andere kant van de glaswand. Ze waren druk in de weer. De machines waren weer opgestart en draaiden op volle capaciteit. Aan het eind van de productielijn liep een fijn stroompje zilverzand in een geel plastic vat. Ernaast stonden nog negenenvijftig vaten te wachten. Daarin zou de nieuwste versie van zijn horde verpakt worden. En als Jinn het goed had ingeschat, zouden ze de wil van Aziz breken en de Egyptische militaire leiders en hun grote rijkdommen weer in zijn macht brengen.

21

Kurt bereikte de top van het rotsplateau een paar seconden voor Joe en overzag de situatie. De landingsplaats lag op driekwart van de afstand tot de voorste rand. Er stond een helikopter van Russische makelij op. De laaddeur was opengeschoven en in de opening zaten twee als bewakers geklede mannen te roken en te praten.

Hij keek nog eens rond, maar zag verder niemand. 'Kun je ze allebei te pakken nemen?'

Joe knikte. 'Twee vliegen in een klap,' zei hij. 'Of, in dit geval, met meerdere draden.'

Kurt was blij dat te horen. Hij wees naar de andere kant van de helikopter. Als een bergbeklimmer ging Joe langs de zijkant van het plateau die kant uit.

Toen Joe een verdekte plek naast de grijze machine had bereikt, trok Kurt de capuchon van de kaftan voor zijn gezicht. Hij kwam uit zijn schuilplaats tevoorschijn en liep op de mannen toe, zijn handen uitgestrekt en mompelde iets over een kameel die zoek was.

De mannen sprongen overeind en kwamen op hem af. De ene legde zijn hand op de kolf van zijn pistool, maar trok het niet, mogelijk omdat Kurt eruitzag als iemand van de plaatselijke bevolking, misschien ook omdat hij zijn handen omhoog stak terwijl hij sprak.

'Nãqah, nãqah,' zei hij, het Arabische woord voor vrouwtjeskameel.

De mannen leken niet te weten hoe ze het hadden. Ze bleven op hem af lopen, duidelijk boos, maar hadden intussen niet in de gaten dat Joe hen van achteren besloop.

'Nãqah,' zei Kurt nog een keer en zag de mannen toen verstijven en op hun knieën vallen. Zonder een geluid te maken vielen ze voorover.

Joe grijnsde opgewekt, de Taser die hij op de mannen had afgeschoten, in zijn hand.

'Waar, o waar is mijn kleine nāqah gebleven?' zei Kurt om de zaak af te ronden.

'Dat is het mooie van Tasers,' zei Joe. 'Ze werken zo snel dat de mensen niet eens kunnen schreeuwen.'

De draden zaten nog vast en toen de mannen zich bewogen, gaf Joe ze nog een stroomstoot.

'Ik geloof dat ze zo wel genoeg hebben, dr. Frankenstein.'

Joe schakelde de stroom uit, waarop de spanning onmiddellijk wegviel. Kurt sprong bovenop het tweetal, gaf ze beiden een verdovende injectie en zag hoe ze met hun ogen rolden. Toen ze helemaal slap werden, trok Joe de draden van de Taser los en hielp Kurt om de twee naar de helikopter terug te dragen. Ze legden de twee mannen in de helikopter, klommen er zelf ook in en schoven de deur dicht.

Even later ging de deur weer open. Kurt en Joe kwamen naar buiten, gekleed in de donkerblauwe pakken van de bewakers, compleet met keffiyeh's die hun gezicht en haren bedekten. Terwijl Joe deed alsof hij de helikopter bewaakte, keek Kurt rond, op zoek naar de tunnel die hij eerder had gezien.

Hij vond een uitgehakt gedeelte in de rand van de rots en daaronder een ladder die recht naar beneden voerde. Beneden vond hij een stalen deur met een elektronisch slot boven de kruk. Het zag er bekend uit, zoals de sloten die je in elk hotel kon vinden.

'Laten we hopen dat er voor ons gereserveerd is,' zei hij in zichzelf en zocht in de zakken van de bewaker. Hij vond inderdaad een sleutelkaart, schoof die in de kaartlezer en trok hem er weer uit. Toen het licht op groen sprong, duwde hij de deurkruk naar beneden.

'Fluitje van een cent,' fluisterde hij.

Hij legde een steen neer om de deur open te houden, klom de ladder weer op en floot Joe. Even later waren ze in de tunnel en gingen via een steile trap verder naar beneden.

'Het konijnenhol in,' zei Kurt. 'Kijk wel goed uit voor de Koeterwaal.'

'Wat is de Koeterwaal ook weer precies?' vroeg Joe. 'Dat heb ik eigenlijk nooit goed begrepen.'

'Die is kwaadaardig en griezelig,' zei Kurt. 'Als je hem ziet, begrijp je het vanzelf.'

Ze gingen de trappen af en kwamen in een wirwar van tunnels. Ze namen er een die verder naar beneden voerde en kwamen op een volgend kruispunt.

'Ik heb een gevoel alsof ik in een mierennest zit,' fluisterde Joe.

'Ja,' zei Kurt. 'Ik kan me gewoon voorstellen dat aan de andere kant van het glas reusachtige mensen naar ons kijken.'

Ze gingen verder door de tunnel en kwamen alweer bij een kruispunt.

'Welke kant op?' vroeg Joe.

'Geen idee,' zei Kurt.

'We hebben een gids of een kaart nodig.'

Er verscheen een rimpel op Kurts voorhoofd. 'Als je ergens een verlichte kast ziet met een kaart en een kruis "U bevindt zich hier", moet je dat vooral zeggen.'

Die vonden ze niet, maar Kurt zag wel iets anders.

Langs het plafond liep een aantal buizen door de tunnel. Waarschijnlijk met elektriciteitskabels en mogelijk ook water of aardgas. Allemaal zaken die een productiefaciliteit nodig had.

'We moeten zien dat we de fabriek vinden,' zei hij. 'Ik denk dat we die buizen moeten volgen.'

Ze bleven door de tunnel lopen en de buizen volgen. Dat bracht hen in een bredere gang, breed genoeg om met een auto doorheen te rijden. Vanaf de andere kant naderden twee mannen die net zo gekleed waren als zij. Kurt dwong zichzelf tot kalmte, maar was klaar om te vechten. Ze liepen zonder een woord te zeggen langs de mannen en hij ademde weer wat gemakkelijker.

Aan het eind van de tunnel kwamen ze in een open gedeelte van de grot. Hier was een betonnen vloer gelegd en er stonden een tiental tafels met stoelen. De ruimte was helder verlicht. Tegen de muur aan de overkant waren aanrechten en koelkasten geplaatst.

'Gefeliciteerd,' zei Kurt. 'We hebben de eetzaal gevonden.'

'En deze keer heb ik nou eens geen honger,' zei Joe.

Aan drie van de tafels zaten groepjes mannen. Vreemd genoeg zagen die er heel anders uit dan Jinns mannen.

'Hier zit van alles,' fluisterde Kurt. 'We kunnen maar beter doorlopen.'

Ze gingen verder en bleven de buizen en leidingen volgen tot ze bij een glazen wand kwamen. Die bood uitzicht op een enorme, holle ruimte. Die was zwak verlicht, maar zo te zien was daar beneden een bassin ter grootte van een Olympisch zwembad. In het midden ervan stond iets groots en donkers.

'Wat is dit,' fluisterde Joe. 'Een kuuroord?'

'Niet als ze ons in de gaten krijgen.'

'Dat is een groot bassin,' zei Joe. 'Doet me denken aan onze simulatietank in Washington.'

'Curieuzer en curieuzer,' mompelde Kurt, Alice uit de klassieker van Lewis Carroll citerend. 'Die jongens moeten een model ergens van bouwen. Stromingen of golven of zoiets.'

'Wat is dat daar in het midden?'

'Geen idee,' zei Kurt. 'Laten we het maar eens van dichtbij gaan bekijken.'

Ze vonden een deur en glipten erdoorheen. Via een trap kwamen ze in wat een kleedkamer leek. In aparte hokjes hingen witte pakken, beschermende kleding, een soort gaspakken.

'Tijd om ons te verkleden,' zei Kurt.

'Denk je dat we die nodig zullen hebben?'

'Als camouflage,' zei Kurt. 'En als daar beneden soms microbots zitten, kan het geen kwaad om een beschermende laag om je lijf te hebben.'

Nog geen minuut later hadden Kurt en Joe ieder een gaspak aangetrokken over de uniformen die ze van de bewakers hadden gestolen.

Ze gingen de deur uit en kwamen bij het bassin. Ze bevonden zich nu op dezelfde hoogte als het wateroppervlak en Kurt zag dat het object in het midden van het bassin geen schip was en zelfs geen nabootsing van een kustlijn, maar een groot, gewelfd object dat tussen de twee zijkanten van het bassin geklemd zat. Aan de ene kant stond het water hoog tegen de afsluiting op, en aan de andere kant liep het door een smalle, onregelmatig gevormde geul.

Ze gingen een volgende trap af en deden daar de deur open. Ze bevonden zich lager dan het wateroppervlak en konden door de zijwand van helder acrylaat in het bassin kijken en zagen nu ook een doorsnede van de versperring.

'Ik heb dit eerder gezien,' zei Kurt. 'Het is een stuwdam. De bovenste laag bestaat uit vergruisde steen en zand. De grijze kern in het midden bestaat hoogstwaarschijnlijk uit ondoordringbare klei. De onderste laag wordt een schermwand genoemd. Gewoonlijk is die van beton gemaakt en bedoeld om te voorkomen dat er water onder de dam doorsijpelt.' Hij wees naar het hoge water achter de dam. 'Ze zijn zelfs bezig om het bassin aan de hoge kant te vullen, alsof dat een stuwmeer moet voorstellen.'

'Waarom zouden deze kerels een model van een dam willen bouwen?' vroeg Joe.

'Dat weet ik niet, maar ik heb het gevoel dat we niet blij zullen zijn met het antwoord.'

Hun aandacht werd getrokken door het geluid van een generator die werd opgestart. Even later gingen de grote lampen die aan het plafond hingen aan en werd de hele ruimte helder verlicht. Door het water zag Kurt de vervormde beelden van mannen in gaspakken aan de andere kant van het bassin.

'We kunnen maar beter doen alsof we druk bezig zijn,' zei Kurt.

Joe grijnsde. 'Ik geloof dat ik eens moet gaan kijken of de nooduitgang vrij is.'

'Volgens mij is dat een klusje voor twee man.'

Ze gingen de trap weer op en glipten de observatieruimte uit. Terug bij het bassin zwaaiden ze even naar de mannen in dezelfde pakken als zij aan de andere kant, die terug wuifden, en gingen de kleedkamer weer binnen.

'Wat nu?' vroeg Joe.

Door het raam zag Kurt een andere groep de hal binnenkomen. Deze keer waren het een paar in mooie Arabische gewaden geklede mannen. Weer een andere, in het wit geklede man legde hen het een en ander uit. Achter hem stond een in een eenvoudige grijze kaftan geklede man met een baard.

'Dat is Jinn,' zei Kurt, die hem herkende van een observatiefoto die hij had gezien.

'Wie zijn die andere kerels?' vroeg Joe.

'Ze zien eruit als hoogwaardigheidsbekleders die een rondleiding krijgen,' zei Kurt.

Jinn ging de mannen voor naar de zijkant van het bassin en naar dezelfde trap die Kurt en Joe even eerder op waren gegaan. Ze gingen naar beneden, naar de plaats waar ze onder het wateroppervlak konden kijken.

'Volgens mij zijn ze hier voor een demonstratie of zoiets,' fluisterde Kurt.

'Ik wil niet vervelend doen,' zei Joe, 'maar misschien moesten wij ons maar eens haastig terugtrekken terwijl zij met andere dingen bezig zijn.'

Kurt schudde zijn hoofd. 'Een wijs advies, beste vriend. Alleen zitten we op de eerste rang terwijl zij op het punt staan om ons te laten zien wat ze van plan zijn. Ik denk dat het ons betaamt om in de buurt te blijven, deze pakken aan te houden en te proberen niet op te vallen.'

'Dat het ons "betaamt"?'

'Dat was vorige week het woord van de dag in mijn agenda. Ik had niet gedacht dat ik de kans zou krijgen om het te gebruiken.'

'Goed om te horen dat je je woordenschat uitbreidt. Maar wat nou als een van die lieden van mening is dat het hem betaamt om te vragen wat wij hier uitspoken? Of ons opdracht geeft om iets te doen terwijl we geen idee hebben hoe dat moet? Een grote machine aanzetten of zoiets?'

'Dan drukken we gewoon op een hoop knoppen en halen een paar schakelaars over en doen net of we weten waar we mee bezig zijn.'

'Gewoon op goed geluk.'

'Precies.' Kurt had Joe graag nog wat meer op zijn gemak gesteld, maar er gebeurden andere dingen die zijn aandacht opeisten. Hij zag Jinn druk praten en gebaren maken, maar kon niet horen wat hij zei.

'Dit is net zoiets als televisie kijken zonder geluid,' zei Joe.

Aan het andere eind van het bassin werd een groot, geel vat met een strop aan de haak van een loopkraan gehangen. Uit de voorzichtige manier waarop dat gebeurde en het feit dat daar alleen maar mannen in witte pakken bij betrokken waren, meende Kurt te kunnen opmaken wat er in dat vat zat.

'Met geluid of zonder geluid,' zei Kurt, 'maar ik geloof dat we een show gaan zien.'

22

In de spelonkachtige ruimte rondom het bassin echoden de woorden die Jinn tegen Mustafa uit Pakistan en Alhrama uit Saudi-Arabië sprak met een vreemde dissonantie. Hij zag kans om hoffelijk en grootmoedig te blijven – dat vond hij zelf althans – hoewel hij ze graag met zijn blote handen had gewurgd. Maar hij was klaar om ze een lesje te leren. Hij had zelfs besloten om ze niet één, maar twee lesjes te leren.

Sabah boog zich naar hem over. 'Scheid ze van elkaar,' fluisterde hij, waarna hij zich terugtrok achter Jinn en uit het zicht.

Jinn reageerde niet op die woorden. Op Sabah's verzoek had hij met deze show ingestemd, maar hij bepaalde nu wat er verder ging gebeuren.

'In het bassin dat jullie hier zien, hebben we een model van de Hoge Aswandam gebouwd,' zei hij. 'Die zal binnenkort in het brandpunt van de belangstelling staan als een demonstratie van mijn macht.'

'Ik begrijp niet goed wat je bedoelt,' zei Alhrama.

'Generaal Aziz heeft jullie aangemoedigd met zijn weigering om te betalen wat hij had beloofd. Daar heeft hij zijn redenen voor, maar de voornaamste daarvan is de dam. Zolang die er is, beschikt Egypte over een watervoorraad die voldoende is voor vijf jaar. Maar Aziz heeft weinig begrepen van mijn macht en evenmin van mijn woede.' Hij bracht een radio naar zijn mond en drukte op de zendknop. 'Beginnen.'

De machines begonnen weer te draaien. De kraan verreed een stukje en bracht het vat boven het water naar de juiste plaats. Een kabel die aan de onderkant van het vat vastzat werd strak getrokken en het vat begon te kantelen.

Het zilverzand begon naar buiten te stromen; miljoenen en nog eens miljoenen van Jinns microbots stroomden in het bassin en losten daar op als suiker in warme thee. Het water begon troebel en grijs te worden.

'Geef het commando,' zei Jinn.

In een controlekamer hoog boven het bassin, drukte iemand op een knop en zond daarmee een gecodeerd commando uit.

Het troebele water raakte in beroering. De grijze wolk verdichtte zich in een strakker patroon en bewoog zich als een duistere watergeest door het water naar de rand van de dam.

'Wat gebeurt er?' vroeg Mustafa.

'De dam is gemaakt van aggregaat,' zei Jinn. 'Een mengsel van zand, aarde en stenen. Dat werkt gemakkelijk en wordt door het grote gewicht op zijn plaats gehouden, maar het is niet helemaal ondoordringbaar.'

Terwijl hij dat zei, hechtte het zilverzand zich op twee verschillende plaatsen aan de dam: op een plek dicht bij de bovenrand en op een plaats verder naar beneden, op ongeveer een derde van de schuin aflopende muur. Na ongeveer een minuut werd de voortgang die de uiterst kleine machientjes maakten merkbaar in de dwarsdoorsnede van de dam.

'Frappant,' zei Alhrama, 'de snelheid waarmee ze erin doordringen.'

'De werkelijke dam is uiteraard veel dikker,' zei Jinn. 'Maar het effect zal precies hetzelfde zijn; het duurt alleen langer. Het zal een kwestie van uren zijn, schat ik.'

Al na enkele minuten hadden de voorste gelederen van de horde de centrale kern van de dam bereikt. Hier werd de voortgang aanzienlijk vertraagd, maar ging wel door tot er een heel kleine doorgang naar de andere kant van de kern was ontstaan.

Nog eens twee minuten later had het zand zich een weg door het aggregaat aan de buitenkant van de dam gebaand. Het begon met een heel klein straaltje water, maar dat werd snel meer. Het duurde niet lang of het gewicht van het water achter de dam zorgde ervoor dat het met een krachtige straal uit de kleine opening spoot.

'Tijdens het werkelijke evenement zal dit effect nog worden versterkt,' zei Jinn. 'Het gewicht van het water achter de Aswandam loopt in de biljoenen tonnen.'

Zelfs in het schaalmodel schuurde het gat snel verder uit en werd steeds groter. De opening had al snel een diameter van vijf centimeter en toen tien. Even later stortte een deel van de bovenkant in en sleurde daarbij de weg en de miniatuurauto's met zich mee. Het water stroomde vanuit het hoge gedeelte door de opening en stortte aan de andere kant als een waterval naar beneden. Maar het was de opening lager in de dam die de zaak interessant maakte.

Op zeker moment was er zo veel water over de bovenkant gestroomd dat er een evenwicht werd bereikt. De kern van waterdichte klei weerstond de erosie aanvankelijk en daar werd de opening veel minder snel uitgeschuurd.

'De dam stort niet in,' merkte Mustafa op.

'Let op die onderste tunnel,' zei Jinn.

Ook de onderste tunnel bereikte ten slotte de andere kant en door de hoge druk van het water in het diepere gedeelte van het bassin groeide de opening daar binnen een paar minuten van niet meer dan een speldenprik tot een gat van enkele centimeters.

Aan de andere kant spoot het water er in een fijne nevel uit. Weer een minuut later bezweek het midden van de kern en toen ook het daarboven gelegen materiaal het begaf, ontstond er een diepe, V-vormige kloof.

Het water stroomde er in een reusachtige golf doorheen en stortte in de smalle geul die de Nijl moest voorstellen. Het stroomde over de oevers en sleurde modder, zand en kleine blokjes die gebouwen moesten voorstellen met zich mee.

De proef was geslaagd. De dam was bezweken en de Nijl was buiten zijn oevers getreden. Mustafa en Alhrama keken verbijsterd naar de verwoesting.

Jinn glimlachte stiekem en deed een stap terug. Het was het perfecte moment. Achter hem hield Sabah de deur open.

Mustafa draaide zich om en keek hen aan, grijnzend en vol verwachting. Hij knikte naar Sabah. De uitdrukking op zijn gezicht deed Jinn denken aan een dief met gestolen schatten in zijn hand. Toen Sabah niets deed, veranderde die uitdrukking eerst in verwarring, toen in woede en angst. Het moest tot hem zijn doorgedrongen dat Sabah niet van plan was zijn meester te doden.

De dief was met de gestolen spullen betrapt en dat was duidelijk aan zijn gezicht te zien. Hij greep naar een wapen, maar Sabah trok Jinn opzij en sloeg de deur met een klap dicht.

In een oogwenk zaten de knevels op de stalen deur en het geluid van schoten en kogels die er aan de andere kant tegenaan ketsten deed hun oren hoogstens tuiten, maar meer ook niet.

Achter de deur begon Mustafa te schreeuwen. 'Wat doe je nou? Wat heeft dit te betekenen?'

Jinn drukte op de knop van een intercom. 'Dat is heel eenvoudig. Je hebt geprobeerd mijn dienaar tegen me op te zetten en die heeft de proef doorstaan. Nu zul je de consequenties daarvan moeten dragen.'

Er werd met vuisten op de deur gebonkt en opnieuw klonken er schoten en het verbaasde Jinn dat Mustafa of Alhrama niet door afketsende kogels werden getroffen.

Nu begon Alhrama te schreeuwen. 'Jinn, wees toch redelijk! Ik heb hier niets mee te maken!'

Jinn negeerde ze. Hij bracht de radio weer naar zijn mond. 'Begin de agitatie.'

Boven in de controlekamer drukte de operator op een volgende knop, waarna het gele vat verder kantelde en nog meer zilverzand in het bassin stortte. De troebele grijze kleur keerde terug, maar nu nog sterker en het water veranderde opnieuw van aanzien. Vanaf de plaats buiten het bassin waar Jinn en Sabah stonden, leek het alsof het water begon te koken.

In de observatieruimte werd dat effect nog versterkt. Mustafa staarde naar de doorzichtige wand. Een donkere, stroperige massa, zo dik als inktvisinkt, golfde naar voren. Het vloeide tegen de wand van het bassin en verspreidde zich als een soort film over het heldere acrylaat.

Mustafa verstijfde. Alhrama wrong zich langs hem heen en rukte aan de kruk van de gesloten deur. 'Laat me eruit!' schreeuwde hij. 'Het was Mustafa. Ik heb hier part noch deel aan!'

Er begon een vreemd, krassend geluid te weerklinken en de laag werd dikker en donkerder en vertoonde patronen waarin Mustafa scheuren herkende. De scheuren verspreidden zich in een zich vertakkend patroon over het acrylaat en werden op twee plaatsen ook dieper.

Het krassende geluid werd harder en scherper, bijna als nagels over een schoolbord. Het geluid leek dwars door Mustafa's hersens te gaan. Hij zag het acrylaat trillen en het water sidderen. De doorzichtige wand kraakte onheilspellend. Achter hem bleef Alhrama aan de deur rukken en Jinn smeken om hem eruit te laten. Mustafa begon te beven en viel op zijn knieën.

'Nee!' schreeuwde hij. 'Nee!'

De acrylwand scheurde. Hij bezweek en het water stroomde de observatieruimte binnen. Mustafa probeerde naar buiten te zwemmen, maar de zwerm van zilverzand omhulde hem, drong in zijn kleren, boorde zich in zijn huid en sleurde hem als een aambeeld van vijfentwintig kilo naar de bodem van het bassin.

Heel even kronkelde hij als een geharpoeneerde vis en zijn lichaam schokte wild, maar al spoedig werd hij stil en kort daarna begon zijn bloed het water rood te kleuren. Achter hem in de observatieruimte verging het Alhrama niet beter.

23

Kurt staarde naar het bloedbad in de testruimte. 'Ik krijg opeens het gevoel dat we beter weg hadden kunnen gaan toen jij dat voorstelde,' zei hij tegen Joe.

Vanuit de kleedkamer hadden Joe en hij alles kunnen zien en nu het water rood was geworden, besloten ze dat het langzamerhand tijd werd om te vertrekken. Ze trokken de witte pakken uit, liepen naar de achterdeur en verlieten de kleedruimte via de trap.

'Ik hoop maar dat je een spoor van broodkruimeltjes hebt achtergelaten,' zei Joe.

'Gewoon omhoog blijven gaan en weg van hier,' antwoordde Kurt.

Ze kwamen in de hoofdgang die uitzicht bood op het bassin, maar keken geen van beiden om. Ze waren halverwege de gang toen ze het geluid van schoten hoorden. De eerste salvo's klonken weloverwogen en rustig, maar direct daarna werd het sporadisch en klonk er geschreeuw tussendoor. Ook leek er te worden teruggeschoten.

'De eetzaal,' zei Kurt. ''Die andere jongens die we daar zagen zitten, moeten gewerkt hebben voor die twee kerels die zojuist aan de microbots zijn gevoerd.'

Het schieten ging door en werd ook heviger. 'Zo te horen wordt daar stevig geknokt,' zei Joe. 'Misschien hebben ze geen kans gezien ze allemaal onverwachts te grazen te nemen.'

'Dat is jammer voor ons,' zei Kurt. 'Als we ons niet bij het blauwe team kunnen aansluiten, kunnen we ons maar beter een poosje gedekt houden.' Hij vond een deur, zette die op een kiertje en keek naar binnen. Hij zag computers, printers en tekentafels. Er was verder niemand. 'Hierheen,' fluisterde hij.

Ze glipten naar binnen. Kurt draaide zich snel om en deed de deur dicht. Hij drukte zich tegen de muur en merkte dat hij door een kier tussen de deurpost en de deur een stuk van de gang kon zien.

'Ga jij eens kijken of er ergens nog een uitgang is,' zei hij. 'Of een kast waarin we ons kunnen verschuilen als de nood aan de man komt.'

Joe ging op verkenning uit en Kurt bleef door de smalle spleet turen. Als er van tevoren een plan was opgesteld om met de bezoekers af te rekenen, dan leek dat niet te hebben gewerkt. Een aantal van Jinns gewonde mannen maakte zich door de gang uit de voeten. Even later kwam er van de andere kant versterking en verhevigde het gevecht weer. Er klonken explosies die op het gebruik van stungranaten duidden.

'Geen achterdeur en ook nergens een plek om ons te verbergen,' zei Joe.

Kurt bleef door de spleet kijken. 'Wat een mazzel, dat we net op tijd komen voor de familieruzie.'

'Een minuut eerder en we waren midden in het gevecht terechtgekomen,' zei Joe.

'Maar als we twee minuten eerder waren geweest, zouden we de gevechtszone ongehinderd zijn gepasseerd en waren we op weg geweest naar het dak terwijl zij het achter ons lekker uitvochten en ons dekking gaven.'

'Daar heb jij weer gelijk in,' zei Joe.

Kurt zette zijn voet tegen de onderkant van de deur en duwde hem net ver genoeg open om iets meer van de gang te kunnen zien. Het geluid van naderende voetstappen bereikte hem eerder dan hij kon zien wie of wat daar aankwam.

'We krijgen gezelschap,' fluisterde hij.

Joe hield zich doodstil.

Er passeerden twee bewakers die een jonge vrouw tussen hen in met zich meevoerden. Ze keek niet alleen angstig, maar op haar gezicht was ook iets anders af te lezen. Kurt hield het op aanvaarding of berusting.

Ze waren in een oogwenk gepasseerd, maar toen Kurt nog eens naging hoe ze eruitzag, werd hij bevangen door een vreemd gevoel. Ze was klein, met donker stekelhaar, een gebruind uiterlijk en droevige ogen. Ze leek een gevangene, maar wat meer was, ze leek op...

Kurt drukte zich weer tegen de muur. 'We hebben een probleem,' zei hij.

'Je bedoelt nog een ander probleem dan midden in de woestijn gevangen te zitten in een doolhof omringd door genadeloze boeven?'

'Ja,' zei Kurt, 'dat bedoel ik. Jij hebt Kimo toch ontmoet, hè?'

'Ja, een paar keer,' zei Joe. 'Hoezo?'

'Beschrijf hem eens.'

'Fijne gozer,' zei Joe. 'Gebouwd als een krachtsporter. Gedrongen, brede schouders. Hij was maar iets van een meter zeventig, maar hij was zo sterk als een beer en woog misschien tachtig kilo.'

'En beschrijf nou zijn zuster eens.'

'Verdrietig en een tikje labiel, maar met reden.'

'Niet zeuren,' drong Kurt aan. 'Hoe ziet ze eruit?'

'Mooi,' zei Joe. 'Hoge jukbeenderen, fijne trekken, lange, bruine benen.'

'Precies,' zei Kurt. 'Lang en mager met lange benen en mooi, zijdeachtig haar.'

'Wat wil je daarmee zeggen?'

'Ik zag zojuist in de gang een vrouw langskomen die heel wat meer op Kimo leek dan de vrouw die we op Aqua-Terra hebben achtergelaten.'

'Als je me nou toch belazert. Was ze een gevangene?'

'Daar leek het wel op.'

'Je denkt toch niet...'

'Ja, dat denk ik wel.'

De ernst van de situatie drong onmiddellijk tot Joe door. 'Dus als Leilani hier is, wie is dat dan daar op Marchetti's eiland?'

'Dat weet ik niet,' zei Kurt. 'Maar als ik naga hoe rap ze dat pistool op Marchetti richtte en daarna toch kans zag om het weer goed te maken, dan zou ik zeggen dat ze een professional is.'

'Jij noemde haar een doodseskader,' hielp Joe hem herinneren.

'Dat was een geintje, maar ze werd er niet heet of koud van.'

'Nee, dat werd ze zeker niet,' zei Joe. Hij zuchtte. 'Paul, Gamay en Marchetti zijn in gevaar.'

Kurt knikte. 'We moeten ze waarschuwen. Wie ze ook mag zijn, ze moet voor Jinn werken.'

Nog voordat Joe iets kon zeggen, werd de deur door een zware laars open geschopt. Mannen met uzi's stormden naar binnen en stortten zich op hen voordat ze ook maar iets konden ondernemen. Ze werden zonder meer op de grond gegooid, in bedwang gehouden en ontwapend. Zo vastgehouden, werden ze door twee mannen gefouilleerd.

'De Koeterwaal,' gromde Joe.

'Bedankt,' gromde Kurt terug met het gewicht van drie man op zijn rug. 'Dat had ik nog niet in de gaten.'

Nadat alle wapens en gereedschappen hun waren afgenomen, werden ze overeind gezet en vastgehouden terwijl een volgende figuur de kamer binnenkwam: Jinn al-Khalif met een geweer in zijn hand.

Hij schreed op Kurt toe. 'We hadden jullie verwacht,' zei hij.

'Je spionne heeft je ongetwijfeld verteld dat we kwamen.'

Jinn glimlachte als een jakhals. 'Ja, dat heeft ze inderdaad gedaan.'

Nadat hij dat had gezegd, gaf hij Kurt met de kolf van zijn geweer een klap in zijn maag die alle lucht uit hem sloeg en waardoor hij weer op de grond viel.

'Haar naam is Zarrina, en ik moest je de groeten doen.'

24

Aan boord van het drijvende eiland Aqua-Terra hadden Paul en
Gamay intussen met Marchetti het grootste deel van de dag doorgebracht om het monster 'wilde' microbots dat ze hadden gevangen, te
bestuderen.

Ze hadden een geïmproviseerd laboratorium ingericht ter vervan-
ging van het ondergelopen compartiment in het voorste gedeelte van
het eiland. Marchetti's computers, een kleine zend- en ontvangstinstal-
latie en andere apparatuur waren verspreid door de kamer opgesteld.

Zonder elektronenmicroscoop konden ze de individuele microbots
niet zien, maar Paul en Gamay hadden ieder de beschikking over een
medische microscoop en bekeken twee aparte monsters waarin de
microbots waren samengeklonterd, ongeveer zoals algen of bacteriën.

Marchetti zat achter zijn computerterminal te tikken. Leilani zat wat
nerveus op een stoel te draaien. Nadat ze eerst de hele morgen bezig
waren geweest naar de specificaties te zoeken, waren ze nu begonnen de
standaardcommando's te testen die Marchetti jaren eerder in de proto-
types had geprogrammeerd.

'Ze doen helemaal niets,' zei Paul voor de tiende keer.

'Weet je het zeker?' vroeg Marchetti, die nog steeds commandopro-
tocollen uitzond. 'Ik bedoel, ze zijn verschrikkelijk klein, dus misschien missen jullie iets.'

'We zitten door de microscopen naar ze te kijken,' zei Paul, 'en ze zitten daar alleen maar. Net luie familieleden na het Thanksgivingmaal.'

Gamay keek hem van opzij aan. 'Je hebt het toch niet over mijn
familie, hè?'

'Alleen maar over je neef, Willie.'

Heel even leek ze gekwetst, maar toen haalde ze haar schouders op. 'Je hebt gelijk. Die laat zich op donderdagmiddag op de bank vallen en staat pas zondag weer op.'

Marchetti kuchte wat overdreven om hun aandacht te trekken. 'Aangenomen dat de geest van neef Willie niet in de microbots is gevaren, kan ik alleen maar concluderen dat Otero de commandocodes heeft veranderd.'

'Dus hoe moet het nu dan verder?' vroeg Leilani.

Voordat Marchetti kon antwoorden, stelde Gamay een meer praktische vraag. 'Is er geen manier om de codes uit de bots zelf te halen? Kunnen we geen omgekeerde bewerking uitvoeren en de programmering uitlezen?'

Marchetti schudde zijn hoofd. 'Niet met de apparatuur die ik hier heb.'

'Waarom trekken we die codes niet uit Otero zelf?' zei Leilani. 'Of uit zijn vriend? We hebben ze beneden in de cel zitten. Laten we de sleutels pakken en een praatje met ze gaan maken. En met een praatje maken bedoel ik, ze dwingen om te praten.'

Gamay keek Paul aan. Ze maakten zich zorgen over Leilani. Naarmate de dagen verstreken, leek ze alleen maar bozer en meer gefrustreerd te worden, vooral sinds het incident aan boord van het luchtschip.

'Ik ben nogal strikt in de leer als het om dwangmiddelen gaat,' zei Marchetti.

'Hij heeft anders wel geprobeerd je te vermoorden,' zei Leilani.

'Daar heb je een punt,' merkte Marchetti op. 'Laten we het uit hem gaan slaan. Ik zal eens even gaan kijken of ik ergens een stuk rubberslang heb, of zoiets.'

'Dus zo strikt in de leer ben je nou ook weer niet?' zei Gamay.

'Ik verander nogal snel van mening,' antwoordde Marchetti 'Wat kan ik er meer van zeggen?'

'Misschien is er nog een andere manier.'

'Zoals?'

'Als de bots in open water instructies krijgen, kunnen wij die signalen dan niet opvangen?'

'Theoretisch gesproken wel,' zei Marchetti. 'Maar dan moeten we wel dichter naar ze toe gaan.'

'Dichter naar ze toe?' echode Leilani.

Dat leek Paul ook niet zo'n goed idee. 'Hoe dicht zou dat moeten zijn?'

'Dat hangt er helemaal van af hoe de signalen worden uitgezonden,' zei Marchetti. 'Het zou op een heel lage frequentie kunnen zijn of een *burst* op de korte golf. Die bestrijken beide een groot gebied en kunnen bijna overal vandaan worden uitgezonden. Het zou op een heel hoge frequentie kunnen zijn of een UHF-signaal vanuit een vliegtuig of een satelliet. Het is zelfs mogelijk dat het signaal naar een deel van de zwerm wordt gezonden, waarna ze het vervolgens verder aan elkaar doorgeven zoals bij een telefoonspelletje. In dat geval zouden we het alleen kunnen opvangen als we op het juiste moment op de juiste plaats zijn.'

'Het lijkt me toch eenvoudiger om de informatie uit Otero te persen,' zei Leilani.

'Over het algemeen is de eenvoudigste oplossing meestal ook de beste,' zei Paul. 'Wat voor soort uitzending zou je zelf gebruiken?'

Marchetti dacht even na. 'Een gecodeerde uitzending van korte afstand,' zei hij toen. 'Hoge frequentie.'

'Dan moeten we daarnaar gaan zoeken.'

'Het zal hoogstwaarschijnlijk een uiterst korte uitzending zijn,' zei Marchetti. 'Daarbij moet je aan milliseconden denken. Mogelijk wordt die met tussenpozen herhaald, maar heel kort. Zonder te weten waar we naar moeten luisteren, zal het misschien onmogelijk blijken om het tussen achtergrondruis in de atmosfeer op te vangen. Onweersstoring, andere radiosignalen, ionisatie, allemaal dingen die problemen kunnen geven.'

'Jij weet echt hoe je iemands plezier moet vergallen,' zei Paul, die het gevoel kreeg alsof iedere oplossing onoverkomelijke obstakels had.

'We hoeven het signaal er helemaal niet tussenuit te halen,' zei Gamay. 'We hebben iets wat dat voor ons doet.' Ze maakte een gebaar naar de monsters. 'Het enige wat we hoeven te doen is alle ruis en gekwetter in de ether op te nemen en kijken op welk moment de kleine bots wakker worden. Als dat gebeurt hoeven we alleen dat deel van de opname maar te beluisteren en het signaal ertussenuit halen.'

Marchetti leek werkelijk onder de indruk te zijn. 'Dat zou moeten lukken,' zei hij. 'Dat zou perfect moeten werken. Ik zal het eiland naar de rand van de zwerm dirigeren. Gerekend naar onze laatst bekende positie, zouden we daar binnen zesendertig uur kunnen zijn.'

25

Kurt en Joe zaten inmiddels al enige uren gevangen. Geen voedsel, geen water, geen licht en geen gezelschap. Ze waren niet geslagen, niet ondervraagd en ook niet bedreigd, maar gewoon achtergelaten in een kleine ruimte, in het donker, vastgeketend aan dezelfde dikke buizen die ze bij hun tocht naar het testbassin hadden gevolgd.

Vanuit het duister klonk Joe's schorre stem. 'De accommodatie is niet echt om over naar huis te schrijven.'

Kurts keel begon ook droog te worden. Hij had gedaan wat hij kon om zijn mond dicht te houden en alleen door zijn neus te ademen. 'Hoe lang is het nu al geleden sinds we hebben gebeld dat ze de kamer voor de nacht klaar moesten maken? Een uur?'

'Minstens,' zei Joe. 'Ik vraag me af of ze misschien zijn opgehouden door dat vuurgevecht.'

'Zo lang heeft dat nou ook weer niet geduurd, maar mogelijk moesten ze een grote puinhoop opruimen of waren er nog meer waar ze mee moesten afrekenen. Ik denk eerder dat ze ons helemaal niet hoeven te ondervragen als die Zarrina nog steeds berichten doorgeeft.'

'Toch snap ik iets niet,' zei Joe. 'Waarom hebben ze haar daar op de kade in Malé aangevallen als ze aan hun kant stond?'

Kurt dacht even na. 'Daar kunnen verschillende redenen voor zijn geweest. Misschien werkte ze in het diepste geheim en wisten die schurken daar niets van. Misschien was het een afleidingsmanoeuvre. Een ding is zeker: het was voor ons een reden om haar te willen beschermen en het nam meteen alle achterdocht weg. Een echte goeie zwendeltruc gaat nooit van de zwendelaar uit, maar altijd van het slachtoffer. Wij zagen wat we wilden zien: een vriend in nood. En omdat Kimo en de anderen verdwenen waren, waren wij al in een defensieve stemming. Na haar te hebben gered, kreeg het natuurlijke instinct om ons op onze vesting terug te trekken, de overhand.'

'Dat ze Leilani's paspoort en e-mails had, hielp ook. En dat ze wist dat Leilani NUMA had gebeld om te vragen of ze al iets over haar broer wisten.'

'Volgens mij had ze dat van de echte Leilani,' zei Kurt.

'Die moeten ze direct nadat ze in Malé was aangekomen, hebben gekidnapt en vervangen door die Zarrina.'

Joe had ongetwijfeld gelijk en daarom was het des te meer van belang dat ze ontsnapten. 'We moeten een manier proberen te vinden om hier weg te komen,' zei Kurt. 'Ik heb die hele pijp al afgetast, maar ik kan nergens een zwakke plek vinden.'

'Hier ook niet. Ik heb geprobeerd om hem los te wrikken, maar hij zit met grote bouten in de stenen verankerd. Er zit geen millimeter speling in.'

Joe was nog maar net uitgesproken toen de deur van hun cel werd geopend. De lamp aan het plafond werd aangeknipt en even waren Kurt en Joe verblind.

Jinn kwam binnen, vergezeld van de man met de baard, Sabah, die altijd bij hem leek te zijn. Ook kwamen er enkele gewapende bewakers mee.

'Ik zie geen handdoeken en ook geen pepermuntjes,' zei Joe.

'Stilte!' riep Sabah.

Jinn stak zijn hand op alsof hij wilde zeggen dat het wel goed was.

'Het is een interessante dag geweest,' zei Jinn, 'en dan bedoel ik dat meer voor jullie dan voor mezelf.'

Zijn Engels was goed, met een heel licht accent, maar hij had ongetwijfeld een opleiding genoten, mogelijk in Engeland.

'Het wordt nog veel interessanter als wij niet komen opdagen op de plaats waar we zouden worden opgepikt,' zei Kurt. 'Er zijn heel wat mensen die je in het vizier hebben, Jinn en als je je van ons ontdoet, word je alleen nog maar scherper in de gaten gehouden.'

'Berust je in je lot?'

'Tenzij je gekomen bent om ons vrij te laten,' zei Kurt.

'Niet bang om te sterven?'

'Het staat niet hoog op onze prioriteitenlijst, maar we maken onszelf niets wijs. De vraag is of jij dat wel doet.'

Jinn keek niet-begrijpend, wat volgens Kurt een goede zaak was. Hoewel hij zelf geen idee had waar hij eigenlijk heen wilde, kon alles wat hun gastheer aan het twijfelen bracht in dit stadium nuttig zijn.

'Ik maak mezelf ook niets wijs, zoals je dat uitdrukt,' antwoordde Jinn.

'Natuurlijk doe je dat wel,' zei Kurt. 'Jij bouwt speeltjes in de kelder en maakt die vervolgens kapot. Je speelt een of ander spel en je hebt totaal niet in de gaten dat dat snel afgelopen zal zijn. NUMA is je op het spoor. Dat betekent dat de CIA, Interpol en de Mossad je straks ook op de hielen zitten. Vooral als wij niet gezond en wel terugkomen. Als je ons vermoordt, kun je je nergens meer verschuilen.'

'Waarom denk je dat we ons zouden willen verschuilen, meneer Austin?'

'Als dat niet zo is, zou ik het je aanraden. De problemen komen van alle kanten op je af. Je aanval op onze catamaran was een bewijs dat je radeloos bent. Dat vuurgevecht van vanavond en die twee kerels die je vermoord hebt, zijn een bewijs van je kwetsbaarheid.'

Er welde een zachte, rollende lach ergens diep uit Jinn op. 'Ik zou denken dat jullie positie een stuk kwetsbaarder is dan de mijne.'

'En ik zou denken dat wij een uitweg voor je hebben.'

Joe keek Kurt vanuit zijn ooghoek aan alsof hij wilde zeggen: hebben we die dan?

Kurt greep iedere strohalm aan en schudde zomaar een verhaal uit zijn mouw. Het was de enige kaart die hij nog kon uitspelen. Hij moest proberen twijfel bij Jinn te zaaien en hem laten geloven, hoe belachelijk dat ook mocht klinken, dat Kurt en Joe en NUMA hem konden helpen om te ontkomen aan de problemen waardoor hij werd omringd.

Jinn kwam links van Kurt staan.

'Wat jij me probeert te bieden, wil ik helemaal niet hebben en ik heb het ook niet nodig,' zei Jinn. 'Ik kwam jullie alleen maar vertellen dat jullie gaan sterven.'

'Dat verbaast me niks,' zei Kurt zonder met zijn ogen te knipperen. 'Maar laat ik je dit vragen: waarom denk je dat mijn regering ons heeft gestuurd in plaats van een squadron drones of Stealth bommenwerpers met bunkerbusterbommen? Kom nou, zeg. Je mag hier dan misschien veilig zijn voor een aantal van je vijanden, maar niet voor de Amerikaanse regering. Dat weet je. Je staat intussen boven aan de lijst. Net als de reactor en de verrijkingsfaciliteiten die de Iraniërs aan het bouwen zijn. Jij bent niet anders dan tientallen andere bedreigingen die ze de afgelopen jaren hebben geëlimineerd. Mensen zoals jij kunnen zich niet langer achter grenzen verbergen. Maar jij hebt iets wat de Bin Ladens van deze wereld niet hebben. Jij hebt iets te bieden. Technologie.'

Jinn zei niets en deed niets. Het was duidelijk dat hij over Kurts woorden nadacht, iets wat bijna te mooi was om waar te zijn. Nu moest Kurt verder aandringen. Als hij iets meer tijd en een klein beetje vrijheid zou kunnen winnen, hadden hij en Joe mogelijk een kans.

'En je verwacht dat ik dat geloof?'

'Laat ik heel duidelijk zijn,' zei Kurt. 'Persoonlijk zou ik je nog niet eens vertellen hoe laat het was. Je bent een moordenaar en een boef. Maar ik werk voor Uncle Sam en ik doe wat me gezegd wordt. Onze opdracht was om hierheen te gaan, te infiltreren en vervolgens rapport uit te brengen. Later zouden we dan contact met je opnemen, zo mogelijk via derden. Zij willen hebben wat jij hebt.'

'Denk je soms dat ik niet goed bij mijn hoofd ben?' vroeg Jinn, die duidelijk kwaad begon te worden.

'Daar zou ik geen antwoord op geven, als ik jou was,' zei Joe.

'Jouw regering sluit geen deals.'

'Dat heb je mis,' zei Kurt. 'We sluiten al tweehonderd jaar deals. Ooit van Werner von Braun gehoord? Dat was een nazi, een Duitse wetenschapper die raketten bouwde waardoor duizenden mensen zijn gedood. Die hebben we na de oorlog direct onder onze hoede genomen omdat hij kennis bezat die wij nodig hadden. Viktor Belenk was een Russische piloot die ons de Mig-25 bracht. Of het nou honkbalspelers, balletdansers of computerprogrammeurs zijn, iedereen die iets te bieden heeft, is bij ons welkom. Dat is misschien niet eerlijk tegenover de arme boeren en plattelanders die ook graag willen komen, maar voor jou is het goed. Het biedt je een uitweg.'

'Zo is het wel genoeg,' zei hij en draaide zich om.

'Het hele land stort in elkaar!' riep Kurt. 'Als de anarchie eenmaal toeslaat, kunnen geld en macht je ook niet meer redden. En volgens mij heb je nog veel meer problemen buiten je eigen land, anders had je je gasten niet hoeven te vermoorden en zou je je om te beginnen hier al niet schuil hoeven te houden. Ik bied je een uitweg. Laat ons vrij zodat we verslag kunnen uitbrengen over wat we hier hebben gezien. Daarna neemt mijn regering op een meer professionele manier contact met je op.'

Jinn overwoog het aanbod niet eens, ondanks Kurts goedgespeelde list. Hij draaide zich met een glimlach om. 'Het duurt niet lang meer of vertegenwoordigers van jullie regering en niet alleen die van jullie, zullen me smeken om contact met ze op te nemen. Jullie verbleekte botten in het zand zullen daarbij geen enkel verschil maken.'

Jinn wenkte de bewakers. 'Leer deze mannen een lesje en breng ze daarna naar de put. Daar wachten jullie op mij.'

Jinn ging de deur uit, gevolgd door Sabah, en de vier mannen die achterbleven, kwamen naderbij.

Ze deelden eerst een paar klappen uit om ze murw te maken en vervolgens gebruikten ze uitschuifbare ploertendoders. De klappen waren hard, maar Kurt had erger meegemaakt en zag kans zich telkens weer zo te draaien en te buigen dat ze enigszins afschampten.

Joe deed hetzelfde en bleef ontwijken en bewegen, waarbij hij zijn ervaring als bokser kon gebruiken.

Een klap van een ploertendoder trof Kurt boven zijn oog en veroorzaakte een bloedende wond. Hij deed alsof hij door de klap half buiten westen raakte en liet zich slap in de kettingen vallen, waarna de mannen er verder weinig lol meer in leken te hebben. Ze gaven hem nog een ongeïnteresseerde schop in zijn rug en lachten wat onder elkaar.

Een van hen zei iets in het Arabisch, waarop hij overeind werd gesleurd. Ze maakten zijn boeien los en sleurden hem naar buiten. Tussen zijn opzettelijk halfgesloten ogen zag hij dat Joe gedwongen werd naast hem te gaan lopen.

Ze waren uit de cel, maar de vraag was waar ze nu terecht zouden komen. Misschien van de wal in de sloot.

Toen ze de hoofdingang van de grot bereikten, werd die vraag ten dele beantwoord. Het zonlicht viel in brede, oranje banen naar binnen. Het was laat in de middag, het heetste moment van de dag. Ze werden naar buiten gebracht, naar de achterkant van een SUV. Terwijl de andere bewakers hun armen vasthielden, bond een bijzonder gemeen uitziende kerel hun handen met twee einden touw van ongeveer een meter lang aan een trekhaak.

'Dit lijkt niet best,' zei Joe.

'Ik geloof dat we op de woestijnmanier gekielhaald gaan worden,' zei Kurt.

De gemeen uitziende kerel lachte, klom in de SUV en liet de motor een keer of wat razen. Kurt probeerde iets te bedenken om hieraan te ontkomen. Het enige wat bij hem opkwam, was op de SUV klimmen voordat die begon te rijden, maar de achterkant van de auto was glad en met gebonden handen konden ze zich onmogelijk ergens aan vasthouden.

Weer brulde de motor.

Joe keek hem van opzij aan.

'Ik weet niks.'

'Fantastisch.'

De SUV schoot met een ruk vooruit. Kurt en Joe werden meegesleurd, struikelden en vielen bijna, maar ze zagen kans overeind te blijven en renden achter de auto aan. Tot Kurts verrassing ging de bestuurder niet harder rijden. Hij reed stapvoets verder en sleurde zijn twee gevangenen op een drafje mee.

Achter hen lachten de bewakers om het gestrompel van Kurt en Joe om de auto bij te houden.

De SUV reed langs de ingang van de grot naar buiten, het pad door de woestijn op.

'En nu dan?' vroeg Joe. 'Heb je al iets bedacht?'

Kurt moest stevig joggen en zijn voeten zonken diep in het rulle zand. 'Nee,' zei hij.

'Kom op nou, Kurt,' zei Joe.

'Waarom verzin jij niet iets?'

'Jij bent de hersens van dit team. Ik heb het knappe snoetje,' zei Joe.

'Dat wordt wel anders als ze je straks met je gezicht door het zand hebben gesleurd.'

Joe gaf geen antwoord. Ze gingen een laag heuveltje op en daardoor was het nog moeilijker om het tempo bij te houden. De achterwielen van de SUV gooiden zand in hun gezichten. Ze kwamen op de top van de heuvel en gingen aan de andere kant weer naar beneden. Kurt was opgelucht toen hij zag dat ze weer een vlak stuk kregen.

De woestijnzon brandde genadeloos op hen neer en de luchttemperatuur liep tegen de veertig graden. Na twee of drie minuten in die hitte te hebben gedraafd, liep het zweet ze in straaltjes van het lichaam, wat meer vocht betekende dan hun lichaam mocht verliezen. In de verte zag Kurt nog een rotsformatie. Die moest op zijn minst anderhalve kilometer weg zijn, maar ze leken die kant uit te gaan.

Joe stootte zijn voet ergens tegen en viel bijna.

'Pas op!' schreeuwde Kurt, die voor zich uit bleef kijken.

Joe zag kans overeind te blijven.

Kurt probeerde iets te bedenken. Als ze het nog tot aan die rotsen konden redden, zou hij proberen daar een steen op te rapen. Het zou riskant zijn, maar Joe en hij konden onmogelijk veel langer zo door blijven rennen.

Voordat er iets kon gebeuren, sloeg de SUV naar het zuiden af en reed naar een groepje geparkeerde auto's. Hij stopte en Kurt en Joe vielen beiden op de grond.

Terwijl hij daar in het zand lag en op adem probeerde te komen, zag Kurt Jinn en een aantal van zijn mannen staan bij wat zo te zien een oude, verlaten waterput was.

Jinn kwam op hem toe. Hij moest hebben gezien dat Kurt naar de put keek. 'Dorst?' vroeg hij.

Kurt zei niets.

Jinn boog zich naar hem over. 'Je weet niet wat het woord dorst betekent tot je dwars door de woestijn bent getrokken op zoek naar de kleinste oase. Je keel gaat dicht zitten. Je krijgt het gevoel alsof je ogen in je hoofd droog koken. Je lichaam zweet niet meer omdat het geen druppel vocht meer over heeft. Dat is het leven van een bedoeïen. En die valt niet om na een paar kilometer.'

'Ik weet bijna zeker dat die op een kameel zou zitten en niet achter een auto meegesleurd zou worden,' zei Kurt schor.

Jinn wendde zich naar zijn mannen. 'Onze gasten willen graag een verfrissing,' zei hij. 'Breng ze naar de put.'

De bewakers maakten Kurt en Joe los, sleurden ze overeind en duwden ze in de richting van de put. Toen ze bij de opening kwamen, besefte Kurt dat ze niets te drinken zouden krijgen. Vanuit de put steeg de stank van de dood op.

Hij draaide zich om en gaf een van de bewakers een schop, verbrijzelde 's mans enkel en graaide naar zijn wapen. Joe kwam op vrijwel hetzelfde moment in actie, rukte zijn arm los en sloeg de man links van hem bewusteloos.

De snelheid waarmee de aanval werd uitgevoerd, verraste de bewakers. Deze mannen hadden de hele dag nog geen eten of water gehad. Ze waren geslagen en door de woestijn gesleurd. Nog maar een ogenblik eerder hadden ze voor dood in het zand gelegen.

Vier van Jinns mannen schoten hun kameraden te hulp, maar de Amerikanen vochten als razende wervelwinden. Als een man kans zag een stoot te plaatsen, kreeg een andere een dreun in zijn gezicht, een schop tegen zijn knie of een elleboog in zijn maag.

Een van de bewakers probeerde Kurt te tackelen, maar die ontweek hem en liet hem struikelen waardoor hij tegen een andere bewaker botste. Terwijl die twee in het zand vielen, sprong Kurt overeind. Hij zag een pistool op de grond liggen en dook eropaf. Maar net als een rugbyspeler die een duik neemt naar een fumble, werd hij onmiddellijk besprongen door drie van Jinns mannen die ook allemaal naar het pistool graaiden.

Het ging af en een van Jinns mannen slaakte een kreet van pijn. Hij was een paar vingers kwijt. Maar voordat Kurt opnieuw kon schieten, kreeg hij een klap op zijn achterhoofd en werd het wapen hem uit handen gegrist.

Naast hem was ook Joe getackeld.

'Grijp ze!' schreeuwde Jinn. 'Gooi ze in de put!'

Kurt verzette zich hevig, maar Jinns mannen hadden hem bij zijn armen en benen vast. Ze droegen hem naar de put als een toeschouwer die bij een rockconcert aan het crowdsurfen is.

Joe verging het al niet beter. Een van de bewakers had hem in een halve nelson en duwde hem vooruit, klaar om over de rand te gooien.

Op het moment dat Kurt bij de put kwam, zag hij kans een been los te rukken en een van de mannen in zijn gezicht te schoppen. De man tuimelde achteruit, haakte met zijn enkel achter het lemen muurtje en viel achterover, met zijn hoofd naar beneden in de put. Heel even echode zijn kreet uit de diepte, maar toen werd het abrupt stil.

De groep die Kurt vasthield, wankelde als een tafel op drie poten, maar ze zagen wel kans om hem met een zwaai naar de opening van de put te gooien.

Toen ze Kurt loslieten, draaide hij zich om en zag het lage muurtje en de twee rechtop staande, A-vormige ijzeren frames. Hij zwaaide met zijn armen, kreeg er een te pakken en hield vast.

Een seconde later werd Joe in de put gegooid. Die greep zich instinctief aan Kurts benen vast. Het extra gewicht dreigde Kurt naar beneden te trekken en alleen door zich in doodsnood aan het gloeiend hete ijzer vast te klampen, bleven ze hangen.

Er schoof een schaduw voor de ondergaande zon.

Jinn had een knuppel in zijn hand. Hij haalde uit en wilde Kurt op zijn vingers slaan. Net voor de klap liet Kurt los.

Ze vielen allebei recht naar beneden. Zes meter lager kwamen ze op een schuin aflopende hoop zand terecht en gleden toen nog eens drie meter lager naar de bodem.

Het was wel een dreun, maar de helling van het zand en een paar in staat van ontbinding verkerende lijken werkten als een soort airbag en vingen de klap voor een groot deel op. Kurt kwam ongelukkig terecht, met zijn gezicht op de grond. Hij was verdoofd en zelfs bijna bewusteloos, maar toch zag hij kans zijn ogen open te doen. Joe lag vlak naast hem, tegen de wand, als een in de hoek gegooide lappenpop. Zijn armen lagen onder hem en zijn ene been stak in een vreemde hoek omhoog. Hij bewoog niet.

Boven hoorde Kurt een geluid. Hij durfde zich niet te bewegen, maar vanuit zijn ooghoek zag hij Jinn over de rand van de put naar beneden kijken. Er knalde een reeks schoten en op de bodem van de put sprongen stukken steen en aarde omhoog. Kurt voelde iets scherps in zijn been snijden en een paar centimeter voor zijn gezicht sloeg een kogel in en gooide een hoop aarde omhoog.

Kurt bleef doodstil liggen, zonder een vin te verroeren en zonder te ademen.

Hij hoorde iemand iets in het Arabisch schreeuwen en de woorden vervormden ver boven hem. Iemand scheen met een zaklantaarn in de put. De lichtbundel speelde op een bijna hypnotiserende manier heen en weer. Kurt bleef doodstil liggen. Hij wilde dat ze hem gewoon als het zoveelste lijk op de bodem van de put beschouwden.

Er werd nog wat gepraat. Het licht ging uit en de gezichten verdwenen.

Een minuut later echode door de putschacht het geluid van motoren die werden gestart. Kurt bleef naar de wegrijdende voertuigen luisteren tot hij niets meer hoorde. Joe en hij waren voor dood achtergelaten. Dat waren ze niet, althans nog niet, maar als ze niet uit de put konden komen, was dat alleen maar een kwestie van tijd.

26

Gamay ging het provisorische laboratorium binnen om te kijken hoe het met Marchetti ging. Ze trof hem daar aan, gebogen over een experiment met een warmtelamp, een aantal temperatuursondes en een hoge, nauwe laboratoriumbeker vol met water dat helemaal bovenin troebel leek te zijn.

'Klopt het dat er microbots in die beker zitten?'

Marchetti ging rechtop zitten. 'O, jeetje,' zei hij, met een hand op zijn borst. 'Je laat me schrikken, zo stilletjes kom je binnen.'

'Niet echt,' zei ze. 'Je was alleen maar te veel in je werk verdiept.'

'Dat is waar,' zei hij, terwijl hij een van de sondes verstelde en op een display keek.

'Mag ik weten wat het is?'

'Ik probeer gewoon iets uit te zoeken,' zei hij, op een toon alsof hij er liever niet over wilde praten.

Ze ging tegenover hem zitten en keek hem recht aan. 'Waarom is dat toch, dat mannen liever niet over hun invallen en ideeën willen praten?' vroeg ze. 'Ben je zo bang dat je het mis hebt?'

'Ik heb het al wel een miljoen keer mis gehad,' zei Marchetti. 'Ik ben eigenlijk veel banger dat ik deze keer gelijk heb.'

'Waarover?'

'Ik heb een vaag idee wat daar op zee mogelijk aan de hand is.'

'En toch hou je dat voor je,' zei ze. 'Zoals de meeste mannen die ik heb meegemaakt, wil je eerst bewijzen hebben voordat je je mond opendoet, of toch op zijn minst een redelijke hoeveelheid ondersteunend bewijs.' Ze gebaarde naar de experimentele opstelling. 'Ik heb de indruk dat je dat probeert te verzamelen.'

'Je intuïtie is werkelijk verbluffend. Ik durf te wedden dat Paul helemaal niets stiekems kan uithalen.'

'Hij heeft geleerd om dat niet te proberen.'

'Dan is hij een verstandig man,' zei Marchetti met een wat schaapachtige grijns. 'Maar je hebt natuurlijk gelijk. Ik heb ergens het idee dat de microbots inderdaad verantwoordelijk zijn voor de temperatuuranomalie. Ik herinner me nog dat er destijds plannen waren om de opwarming van de aarde tegen te gaan. Dat hield in dat er jarenlang doorlopend raketten gelanceerd moesten worden die miljoenen en nog eens miljoenen reflecterende schijfjes in een baan om de aarde zouden moeten brengen, of alleen over de polen, dat weet ik niet meer. Die reflecterende schijfjes moesten een deel van het zonlicht terug de ruimte in sturen. Een klein percentage. Net genoeg om de gevolgen die we beginnen te merken, teniet te doen.'

Gamay herinnerde zich daar iets over te hebben gehoord.

'Er kleefden duidelijk enorme problemen aan dat plan,' vervolgde Marchetti, 'maar het concept intrigeerde me. Ik heb me vaak afgevraagd of het echt zou werken.'

'Er zijn voorbeelden uit het verleden,' zei Gamay. 'Na zware vulkanische uitbarstingen, verspreidt de as zich om de aarde met vrijwel hetzelfde effect als die schijfjes waar u het over hebt. Perioden met hongersnood die zich in de zesde eeuw voordeden, worden toegeschreven aan as dat het zonlicht deels tegenhield, met als gevolg dat de oogsten verminderden. 1815 wordt wel het jaar zonder zomer genoemd omdat de gemiddelde temperaturen wereldwijd ongewoon laag waren. De hoofdverdachte was de uitbarsting van de vulkaan Tambora in Indonesië.'

'Ik heb de indruk dat hier sprake is van een soortgelijk principe,' zei Marchetti. 'Niet in de atmosfeer, maar in de zee.'

Hij wees naar het experiment. 'Ik heb geprobeerd een cyclus van opwarming en afkoeling door de zon in dit watermonster na te bootsen. Maar ik stuit op een probleem met mijn theorie. Zelfs met de troebele laag bots aan de oppervlakte, gedraagt het zich vrijwel als gewoon zout water.'

'Met als gevolg?'

'De microbots absorberen een deel van de warmte, maar bij lange na niet genoeg om het water af te koelen in de mate die wij hebben gezien.'

'Hoe groot is het verschil?'

'Zeer substantieel,' zei hij. 'Een deviatie van bijna negentig procent. Dat mag je gerust veel noemen.'

'Je bedoelt dat je bij dit experiment maar...'

'Dat ik maar tien procent van de afkoeling heb gevonden die we daar in open zee hebben waargenomen. Ja, dat is precies wat ik bedoel.'

Ze keek rond. Ze hoefde niet te vragen of hij het experiment wel goed had uitgevoerd of dat hij het misschien nog eens moest proberen. Hij was hier urenlang in zijn eentje aan het werk geweest en hij was van oorsprong ingenieur voordat hij computerprogrammeur was geworden. Ze nam aan dat hij wist waar hij mee bezig was. Bovendien zag ze nog zes andere opstellingen die zo te zien identiek waren aan die hier voor hen op tafel. Ze nam aan dat het controleproeven waren.

'Dus wat betekent dat dan?' vroeg ze. 'En probeer deze keer eens te doen alsof je een vrouw bent en deel je gedachten, oké?'

'Er zijn twee mogelijkheden,' zei hij. 'Ofwel iets anders is verantwoordelijk voor het merendeel van de afkoeling, of de microbots koelen de oceaan door een proces dat we nog niet ontdekt of geobserveerd hebben.'

'Des te meer reden om ze te blijven volgen,' zei ze.

'Ik vrees van wel,' antwoordde hij.

Voor Gamay verder nog iets kon zeggen, ging er in het lab een alarm af. Het was een hoog, doordringend geluid dat vergezeld ging van zwaailichten.

'Wat is er aan de hand?'

'Brandalarm,' zei Marchetti. Hij reikte naar een intercom en drukte op een knop. 'Wat is er aan de hand, chief?'

'We hebben meerdere meldingen van hoge temperaturen,' antwoordde de hoofdwerktuigkundige en het klonk alsof hij nog steeds bezig was met checken. 'We hebben een bevestiging,' zei hij toen. 'Er is brand in de machinekamer.'

27

Paul Trout hoorde het alarm en rende door de gang naar het tijdelijke laboratorium. Marchetti was via de intercom druk in gesprek met zijn hoofdwerktuigkundige. Gamay stond naast hem met een bezorgde uitdrukking op haar gezicht.

'Brand,' zei ze.

'Dat dacht ik al,' antwoordde Paul.

Een rooklucht en de onmiskenbare geur van brandende dieselolie begon tot de ruimte door te dringen. 'Machinekamer?'

Ze knikte.

Marchetti vroeg via de intercom: 'Kun je de robots online krijgen?'

'Ze reageren niet.'

'En het brandblussysteem?'

'Reageert ook niet.'

Marchetti zag er beroerd uit. Hij drukte weer op de knop van de intercom. 'Blijf het proberen,' zei hij. 'We zullen de brand met de hand moeten bestrijden. Zeg tegen Kostis en Cristatos dat ik ze daar zie. Hou de anderen stand-by.'

Marchetti keek Paul en Gamay aan. 'Heeft een van jullie ervaring met brandbestrijding?'

'Ik,' zei Paul. 'Ik ga met je mee.'

Nu was Gamay degene die er beroerd uitzag. 'Paul, alsjeblieft,' zei ze.

'Ik red me wel,' antwoordde hij. 'Ik heb genoeg training gehad. Zoek jij een veilige plek voor jezelf.'

'De controlekamer,' zei Marchetti. 'Daar is mijn *chief*.'

Gamay knikte. 'Wees voorzichtig.'

Paul en Marchetti renden de deur uit en gingen via een trappenhuis naar het hoofddek. Vandaar namen ze weer een andere trap, dieper de romp van het eiland in en vandaar verder door een gang die naar de machinekamer voerde. Naarmate ze dichter bij het achterste gedeelte van het eiland kwamen, werd de rook dikker.

'Dit is het *fire station*,' zei Marchetti toen ze in een bergruimte met een aantal hoge deuren kwamen. 'Hier zijn de brandbestrijdingsmiddelen opgeslagen.'

Ze waren nog vijftien meter van de machinekamer verwijderd. De geur van warme dieselolie was misselijkmakend en de hitte van de brand was er te voelen en ook te horen.

Marchetti deed een deur open. Erachter hingen felgele, van Nomex gemaakte brandwerende pakken met reflecterende oranje strepen. Op een plank erboven lagen de bekende persluchttoestellen en maskers. Bij elk SCBA ofwel *Self-Contained Breathing Apparatus*, hoorde een brand- en hittebestendig masker met een geïntegreerd reduceerventiel, een communicatiesysteem en een *head-up display*, een systeem waarbij alle relevante informatie op de binnenkant van het masker werd geprojecteerd. Verder een harnas voor zaklantaarns en andere gereedschappen en zuurstofflessen die op de rug werden gedragen.

Marchetti pakte een brandwerend pak en Paul deed hetzelfde. Terwijl ze bezig waren die aan te trekken, arriveerden Kostis en Cristatos die zich eveneens verkleedden.

Paul trok zijn masker recht en draaide de luchtkraan open. Hij stak zijn duim op. De lucht was goed.

Marchetti stak zijn hand uit en haalde een schakelaar aan de zijkant van Pauls masker over. Even hoorde Paul alleen maar ruis, maar toen klonk de stem van Marchetti in zijn koptelefoon.

'Kun je me horen?'

'Luid en duidelijk,' zei Paul.

'Mooi zo. De ademhalingsapparaten zijn voorzien van radio.'

Paul was er klaar voor. De twee bemanningsleden waren ook bijna zover. Marchetti liep naar de haspel aan de wand en begon de brandslang uit te rollen.

Paul nam de plaats achter hem in en ze gingen op weg.

Toen ze de open deur naar de machinekamer naderden, vroeg Paul: 'Wat is het plan?'

'Terwijl de chief de robots online probeert te krijgen, doen wij wat we kunnen om de brand te bestrijden.'

'Waarom sluiten we de zaak niet simpelweg af?'

'Een van mijn mensen is nog in de machinekamer,' zei Marchetti.

Paul keek naar de brandende machinekamer. Hij kon zich nauwelijks voorstellen hoe iemand zou kunnen overleven in wat zich in hoog tempo tot een vuurzee ontwikkelde.

'Kan hij ergens schuilen?'

'Aan de achterkant van de machinekamer is een klein kantoor, een controlekamer. Als hij daar was toen de brand uitbrak, leeft hij mogelijk nog.'

Ze hadden twee slangen uitgerold; de slang die Paul en Marchetti vasthielden en een tweede voor Kostis en Cristatos.

'Geef water!' riep Marchetti.

Een van de bemanningsleden draaide de afsluiter open en de slangen zwollen op. Marchetti opende de straalpijp en het water spoot er onder hoge druk uit. Hoewel Marchetti de slang stevig vasthield, moest Paul vechten om de terugslag op te vangen.

Hij verstevigde zijn greep, boog zijn knieën en drong met Marchetti de machinekamer binnen.

Het binnengaan van die deur gaf een gevoel alsof ze over de drempel van de hel waren gestapt. Zwarte rook wervelde om hem heen, zo donker en zo dik dat Paul zo nu en dan alleen nog maar de lamp op Marchetti's helm kon zien. Golven van hitte dreigden hem dwars door het Nomex-pak te roosteren en zijn ogen brandden door de rook die kans zag om onder de afsluiting van zijn masker door te dringen. Hier en daar sloegen grote oranje vlammen door de duisternis. Ze leken overal vandaan te komen en sloegen zo nu en dan zelfs over de mannen heen. Ergens in de verste hoek van de ruimte klonk een reeks kleine explosies.

Marchetti liet de waterstraal heen en weer gaan en verstelde de straalpijp om een breder waterscherm te maken. Marchetti's bemanningsleden kwamen met de tweede slang naar binnen en nu bestreden ze de vuurzee met twee stralen waarbij ze ook nog eens grote golven oververhitte stoom aan de heksenketel toevoegden.

'Zie jij de vuurhaard ergens?' vroeg Marchetti.

'Nee,' zei Paul, die probeerde door de rook te turen.

'In dat geval moeten we verder naar binnen gaan.'

Tot op dat moment was Marchetti in Pauls ogen een beetje een zwakkeling geweest, meer een kantoorman, maar hij bewonderde hem om zijn moed bij de verdediging van zijn eiland en de manier waarop hij voor het leven van zijn bemanningslid knokte.

'Hierheen!' riep de voorste man met de andere slang.

Paul draaide zich om en zag hoe hij een stortvloed van water in de vlammen spoot en daarmee een pad voor Marchetti en hem baande.

Paul vermande zich en werkte eendrachtig met Marchetti samen om in het hart van de vuurzee door te dringen. Intussen kon hij de hitte van het dek onder hem voelen alsof hij boven op gloeiende lava stond. Een volgende muur van vuur laaide links van hen op en een explosie sloeg Marchetti omver.

Paul trok hem weer overeind. 'Dit wordt niks!' schreeuwde hij. 'We moeten terug.'

'Ik zei toch dat een van mijn mannen hier beneden is!'

Opnieuw volgde er een kleine explosie en rees er een muur van vlammen op, maar die werd door de twee stralen water ook onmiddellijk weer neergeslagen.

De machinekamer had drie verdiepingen, was vier keer zo lang als hij diep was met een wirwar van machines, buizen, slangen en loopbruggen. Op sommige plaatsen sloegen de vlammen tot tegen het plafond en alles was verduisterd. Als ze niet bezig waren de slag te verliezen, dan was het toch op zijn minst een patstelling.

'We moeten het compartiment onder de halon zetten,' zei Paul. 'Dat is de enige manier.'

'Dat hebben we geprobeerd,' zei Marchetti. 'De haloninstallatie reageert niet. Die had bij tachtig graden automatisch moeten gaan werken, maar dat is niet gebeurd. We hebben geprobeerd om hem vanaf de brug handmatig te starten, maar er gebeurde niets.'

'Er moet hier toch ook ergens iets zijn om het systeem met de hand te starten,' zei Paul. 'Een *override*.'

Marchetti keek in het rond. 'Er zijn er zelfs vier,' zei hij. 'De dichtstbijzijnde moet daar zitten, bij de generatoren.'

'Dan moeten we die activeren.'

Marchetti aarzelde. 'Zodra we dat doen, worden de deuren automatisch gesloten,' legde hij uit. 'Wie dat doet, zit zelf opgesloten.'

'Voor hoe lang?'

'Tot het vuur gedoofd is en de temperatuur gedaald.'

'Dan moeten we verder geen tijd verknoeien.'

Marchetti keek in de richting van het kantoortje, de mogelijk veilige wijkplaats. De loopbrug was verwrongen en verbogen alsof zich halverwege een explosie had voorgedaan. Het was een en al vlammen en rook terwijl er van boven kokend water naar beneden stortte, en een ding was duidelijk: daar kwamen ze onmogelijk doorheen.

'Oké!' schreeuwde hij, terwijl hij zich omdraaide naar de wand helemaal aan de andere kant. 'Deze kant op.'

28

In de controlekamer trof Gamay een chaos aan. Twee van Marchetti's mensen waren koortsachtig op de computers bezig, in een poging de robots of het brandbestrijdingssysteem weer online te krijgen.

De hoofdwerktuigkundige, een kleine, stevig gebouwde Griek, hield de ontwikkeling van de brand in de gaten. Op de achtergrond kon Gamay de radiogesprekken tussen de twee blusteams volgen. Zo te horen waren ze niet aan de winnende hand.

'Hoe erg is het?' vroeg ze, en ze bedacht dat het beneden lang zo erg niet had geleken.

'Het is razendsnel gegaan,' zei de chief. 'De hele machinekamer staat in brand. Dat kan alleen maar een brandstoflek zijn. Dat moet haast wel.'

'Breidt de brand zich uit?' vroeg Gamay, bang dat Paul ingesloten zou raken.

'Nog niet,' zei de chief.

Terwijl Gamay haar best deed om niet te veel bij de woorden 'nog niet' stil te staan, kwam Leilani binnen. Ze zag er bang en verward uit.

'Wat is er aan de hand?'

'Brand in de machinekamer,' zei Gamay. 'Een van de bemanningsleden is door de brand ingesloten. En de automatische systemen werken niet.'

Leilani ging zitten en begon te beven. Zo te zien stond ze op instorten, maar daar kon Gamay zich op dat moment verder niet mee bezighouden.

'Wat nu als de brand zich wel verder verspreid?' vroeg Gamay.

'Dan raken mijn man en Marchetti en je twee andere mensen ingesloten.'

'Niet als ze kans zien het eerst onder controle te krijgen,' zei de chief. 'Ze moeten de brand neerslaan.'

'Daar heb je meer mensen voor nodig.' Die woorden kwamen van Leilani.

Gamay en de chief keken haar aan.

'Als de robots niet werken, moet je meer mensen sturen,' herhaalde ze.

'Daar heeft ze gelijk in,' zei Gamay, verrast door haar plotselinge sterke houding.

'We proberen de robots weer online te krijgen,' zei de chief.

'Vergeet die verdomde robots nou maar,' zei Gamay. 'Vier man kunnen die brand nooit blussen.'

'We hebben maar twintig man aan boord,' zei de chief.

Dat had Gamay van meet af aan verkeerd gevonden en opeens wist ze ook waarom. 'Iedereen die een brandweercursus heeft gevolgd, moet erheen,' drong ze aan. 'Of anders moeten Paul en de anderen zorgen dat ze eruit komen.'

De chief keek eens naar de twee mannen achter de computers. 'Hebben jullie al iets?'

Ze schudden allebei hun hoofd. 'Het is een geluste code. Telkens als we door de buitenste laag heen zijn, reset hij zichzelf en moeten we weer van voren af aan beginnen.'

Gamay wist niet precies wat dat inhield, maar zo te horen leek het weinig zin te hebben om ermee door te gaan.

De chief slaakte een zucht. 'De robots kunnen we wel vergeten,' zei hij, het voor de hand liggende toegevend. 'Ga maar,' zei hij tegen de mannen achter de computer. 'Ik stuur de anderen ook naar de machinekamer.'

De twee mannen stonden op en liepen naar de deur.

'Dank u,' zei Gamay, opgelucht dat er hulp voor Paul onderweg was.

Over de radio klonk de stem van Marchetti. 'Al vooruitgang, chief?'

'Nee,' zei de hoofdwerktuigkundige in de microfoon. 'We kunnen niet in het programma komen. Ik stuur hulp.'

'Begrepen,' zei Marchetti. 'Wij gaan voor de override.'

'Ze laten het compartiment vollopen met halon,' zei de chief. 'Dat onderdrukt de brand en dooft het vuur uiteindelijk.'

'Wat zitten daar voor bezwaren aan vast?'

'Halon is giftig. En het werkt alleen in een afgesloten ruimte. Zodra ze de installatie activeren, sluiten de deuren zich automatisch. Dan zijn ze opgesloten tot de sensoren vaststellen dat het vuur gedoofd is en de temperatuur in de ruimte zover is gedaald dat het niet spontaan weer kan oplaaien.'

Gamay voelde dat ze misselijk werd. Ze wist wat dat betekende.

'Dat hoeft niet echt een probleem te zijn,' zei de chief. 'Als het compartiment eenmaal met halon is gevuld, behoort het vuur in ongeveer dertig seconden te doven. De temperatuur is daar nu honderdvijfentwintig graden. Volgens mijn berekeningen zal het afkoelen, als alles volgens plan verloopt, ongeveer tien minuten in beslag nemen.'

Tien minuten waarin Paul in een verzengende hitte achter een gesloten deur zit. Ze kon de gedachte nauwelijks verdragen. Maar een nog veel ergere gedachte drong zich op. 'Als alles volgens plan verloopt,' herhaalde ze. 'Gezien alles wat we tot nu toe hebben meegemaakt, is dat wel een heel optimistische veronderstelling. Wat nu als de deuren niet sluiten? Of, nog erger: als ze niet meer opengaan?'

De chief zei niets, maar uit zijn lichaamstaal kon ze opmaken dat hij daar ook al aan had gedacht.

Beneden in de machinekamer waren Paul en Marchetti bezig zich een weg naar de andere kant te knokken. Het leek een eeuwigheid te duren om de enorme ruimte over te steken. Eerst werd de weg versperd door verwrongen stukken staal en brandende dieselolie. Even verderop blies stoom uit een gebarsten leiding.

Met Marchetti's mannen achter zich om te voorkomen dat ze door de vlammen ingesloten zouden worden, terwijl ze zelf de vlammen voor zich neersloegen, knokten ze zich meter voor meter verder vooruit. Uiteindelijk zagen ze een doorgang.

'Hou de slang vast,' zei Marchetti. 'Hou de vlammen op afstand terwijl ik erdoorheen ren. Ik geef je een seintje als ik aan de andere kant ben.'

Paul ging naar voren en greep de straalpijp. 'Oké, rennen!'

Marchetti liet los en Paul had al zijn kracht nodig om de straal in de goede richting te houden. Terwijl Marchetti naar voren rende, sloeg Paul de vlammen neer, eerst links van hem, toen terug naar rechts waarbij hij Marchetti doelbewust natspoot.

Hij zag Marchetti veilig door de eerste vlammengolf komen en vandaar verder gaan, tot hij plotseling verdween achter een uitbarsting van vuur en rook die vanaf de zijkant kwam. Paul richtte de straal in die richting en sloeg de vlammen neer, maar hij zag nog steeds niets.

'Marchetti?'

Hij hoorde niets.

'Marchetti?!'

De rook was zo dik dat Paul nauwelijks een hand voor ogen kon zien. Hij zweette in zijn hittebestendige pak en zijn ogen brandden verschrikkelijk van de dampen en van het zout van zijn eigen zweet. Hij bleef over het looppad spuiten tot hij in de duisternis een zwak lampje zag schemeren. Het was laag, vlak bij de grond. Marchetti's helmlicht.

'Marchetti ligt op de grond!' schreeuwde Paul. 'Ik ga hem halen.'

Hij sloot het spuitstuk, liet de slang vallen en rende naar voren. De twee bemanningsleden volgden en spoten hem nat.

Hij kwam veilig langs de vlammenzee en bereikte Marchetti. Marchetti's helm was zwart beroet en zijn masker half van zijn gezicht af. Zo te zien was hij in volle vaart tegen een uitstekende balk aangelopen. Paul drukte het masker weer op Marchetti's gezicht. Die hoestte en kwam bij.

'Help me overeind,' zei hij.

Een explosie deed de machinekamer schudden en van bovenaf regenden de stukken en brokken op hen neer. Paul hielp Marchetti op de been, maar die viel onmiddellijk weer op zijn knieën. Hij stak zijn hand uit.

'Geen evenwicht,' zei hij.

Paul trok hem overeind en hield hem rechtop. Als twee mannen bij een wedstrijd driebenig zaklopen strompelden ze verder en bereikten de achterwand. De handbediening lonkte.

'We hebben het gered!' riep Paul in zijn microfoon. 'Zorg dat je de deur uit komt. We gaan de halon loslaten.'

Paul stak zijn hand uit naar de hefboom, klapte de beveiliging weg en pakte de hendel vast. Het wachten leek een eeuwigheid te duren. De zoveelste explosie daverde door de machinekamer.

'We zijn door de deur,' meldde een van de bemanningsleden eindelijk.

'Nu,' zei Marchetti.

Paul gaf een harde ruk aan het hendel.

Uit tachtig door de hele machinekamer verspreide openingen werd de halon 1301 met een ongelofelijke snelheid en veel gesis het compartiment in alle richtingen binnen geblazen. Binnen korte tijd was de hele ruimte gevuld en werd de brand gesmoord. Hier en daar schoten nog wat vlammen op en flakkerden wat alsof ze wanhopig trachtten te overleven. Toen doofden ze allemaal als bij toverslag.

Er volgde een bijna oorverdovende stilte.

Het kwam Paul heel onwezenlijk voor. De razende vlammen, de explosies, de striemende rukwinden waarmee de brand lucht aanzoog en hitte uitstootte, waren opeens allemaal verdwenen. Alleen de dikke rook bleef hangen en ook het halon bleef sissen, met daarbij het geluid van water dat naar beneden droop en het gekraak en gekreun van gloeiend metaal.

Het leek haast te mooi om waar te zijn dat er plotseling geen vlammen meer waren en Paul noch Marchetti verroerde aanvankelijk een vin, alsof ze bang waren de betovering te verbreken. Uiteindelijk draaide Marchetti zich naar Paul om. Er verscheen een grote glimlach op zijn gezicht, al kon Paul die door het besmeurde en met roet bedekte masker nauwelijks zien.

'Goed gedaan, meneer Trout. Goed gedaan.'

Paul glimlachte ook, tegelijkertijd trots en opgelucht.

Op dat moment klonk er een schril, elektronisch gepiep en tegelijkertijd begon het xenon flitslicht achter op Marchetti's ademhalingsapparaat te branden. Nog geen twee seconden later begon ook Pauls lamp te flitsen en te piepen. Samen maakten de twee alarmen een hinderlijke herrie.

'Wat gebeurt er?' vroeg Paul.

'Reddingsbakens,' zei Marchetti.

'Waarom gaan die juist nu af?'

Marchetti had een terneergeslagen uitdrukking op zijn gezicht. 'Omdat onze zuurstof bijna op is,' zei hij.

178

29

Kurt bleef zo lang als hij kon in de onaangename houding liggen waarin hij was neergekomen. Zelfs nadat de auto's weggereden waren en het geronk van de motoren was weggestorven en alleen het gezoem van vliegen in het donker te horen was, bleef hij doodstil liggen.

De vliegen zoemden nu eens hier, dan weer daar, werden even stil om even later weer rond te zoemen. Zelfs als ze op hem gingen zitten en over zijn gezicht kropen, deed Kurt zijn uiterste best om geen spier te vertrekken voor het geval er iemand toekeek. Maar uiteindelijk moest hij zich toch bewegen.

Met een blik omhoog naar de ronde opening hoog boven hem, legde hij een arm langs zijn zij, rolde zich langzaam om en duwde zich overeind. Vanuit die houding zag hij kans om te gaan zitten, waarna hij langzaam achteruit schoof tot hij met zijn rug tegen de wand leunde. Bij elke beweging schoot er een nieuwe golf van pijn door zijn lichaam en daarom besloot hij, toen hij eenmaal tegen de wand zat, een paar minuten zo te blijven zitten.

Hij bekeek zijn been. Tijdens het schieten was hij door iets geraakt, maar hij zag nergens een kogelwond en nam daarom aan dat het een stukje steen moest zijn geweest dat van de muur was gevlogen toen er een kogel tegenaan ketste. Zijn schouder deed verschrikkelijk pijn, maar hij leek hem wel normaal te kunnen bewegen.

Hij stak zijn hand uit en schudde Joe zachtjes aan zijn schouder.

Joe deed zijn ogen half open als iemand die uit een diepe slaap ontwaakt. Hij bewoog een heel klein beetje, gromde wat en leek wat verward. Hij keek om zich heen, maar dat leek ook geen klaarheid te brengen.

'Waar zijn we?' vroeg hij.

'Herinner je je dat niet meer?'

'Het laatste wat ik me herinner, is dat we achter een auto werden gesleept,' zei hij.

'Dat was het hoogtepunt van onze reis,' zei Kurt, met een blik omhoog. 'Letterlijk.'

Joe worstelde zich in een zittende houding, wat hem net zoveel pijn leek te bezorgen als het Kurt had gedaan.

'Zijn we dood?' vroeg Joe. 'Als dat namelijk niet zo is, dan heb ik me bij mijn leven nog nooit zo slecht gevoeld als nu.'

Kurt schudde zijn hoofd. 'Nee, we leven nog, althans voorlopig. We zitten alleen maar op de bodem van een put zonder een touw of een ladder of wat dan ook om er weer uit te komen.'

'Gelukkig,' zei Joe. 'Ik dacht heel even dat we in de problemen zaten.'

Kurt keek om zich heen, naar de andere lijken die in het zand lagen. Twee ervan moesten hier al een poosje liggen. Ze verspreidden zo'n afschuwelijke stank dat hij bijna kokhalsde. De derde was de kerel die hij over de rand had geduwd, net voordat hij zelf in de put was gegooid. Hij had een gapend gat in zijn voorhoofd en zijn nek was vreemd verdraaid. Hij bewoog niet.

Het verbaasde Kurt dat zij nog leefden. 'Ik denk dat die hoop zand en het feit dat we met onze voeten omlaag naar beneden zijn gedonderd ons geholpen heeft. Zo te zien heeft deze jongen zijn hoofd gestoten.'

'Plus dat wij hem geloof ik nog een eindje verder hebben laten vallen,' zei Joe. 'En die andere twee?'

'Geen idee,' zei Kurt, met een blik op de lijken die voor een groot deel met vliegen bedekt waren. 'Die hebben de baas misschien boos gemaakt.'

'Als we ooit bij NUMA weggaan,' zei Joe, 'help me dan vooral onthouden dat ik niet voor een egotistisch maniakale dictator, een krankzinnige of andersoortige boef moet gaan werken. Die schijnen geen adequate kanalen te hebben om klachten te spuien.'

Kurt schoot in de lach, wat hem een gevoel gaf alsof iemand hem met een dolk stak. 'O, dat doet pijn,' zei hij, in een poging zijn gegrinnik te smoren. 'Geen grappen meer, alsjeblieft.'

Hij keek omhoog naar de smalle opening waarboven een stukje zinderende hemel zichtbaar was.

'We moeten iets verzinnen om hier uit te komen, anders staan wij ook op het menu van de vliegen. Denk je dat je kunt opstaan?'

Joe strekte zijn benen. 'Mijn enkel is aardig stijf, ' zei hij. 'Maar ik denk dat het wel zal lukken.'

Met zijn handen tegen de muur gesteund, krabbelde Kurt overeind. Heel even voelde hij zich duizelig, maar dat trok snel weer weg. Hij stak zijn hand uit en hielp Joe overeind. In de ronde ruimte met een doorsnee van anderhalve meter bogen en strekten ze hun benen en spanden hun spieren.

Zo te zien was de put in gedeelten uitgegraven. Het bovenste deel was tot op een diepte van ongeveer zes meter bekleed met lemen blokken. Daaronder was het alleen maar aarde.

'Denk je dat we eruit kunnen klimmen?' vroeg Joe.

Kurt greep een vooruitspringende steen vast en trok er eens aan om te zien hoeveel gewicht die zou kunnen dragen. Hij verkruimelde onder zijn handen in een bedroevende regen van stof en gruis.

'Nee.'

'Misschien met uitgestrekte handen en voeten en ons zo omhoog werken?' zei Joe.

Kurt strekte zijn armen uit. Hij kon de beide wanden maar net aanraken. 'We kunnen nooit genoeg kracht zetten om zo omhoog te klimmen.'

Hij keek nog eens rond. Afgezien van de drie lijken leek de put ook als afvalplaats te worden gebruikt. Overal lagen blikken en plastic flessen en zelfs een gladde autoband. En er lagen overal kleine botjes. Kurt nam aan dat die afkomstig waren van kleine dieren die in de put waren gevallen of misschien had iemand hier de resten van zijn avondmaal in gegooid, dat kon ook.

Hij keek naar de band, toen naar de wanden, toen naar de dode mannen. 'Ik heb een idee.' Hij doorzocht de zakken van de man die hij over de rand had geduwd en vond een mes, een Lugerpistool en een compacte verrekijker.

Aan zijn riem hing een veldfles. Die was voor driekwart leeg. Hij nam een slok, niet meer dan een mondvol, en gaf de fles toen aan Joe. 'Op je gezondheid.'

181

Joe dronk de rest terwijl Kurt de rommel opzij schoof en de oude autoband uit het zand trok.

'Beetje opruimen?' vroeg Joe.

'Leuk, hoor.'

Hij liet zich naast de twee andere lijken op zijn knieën vallen en hield zijn adem in toen de vliegen in een grote zwerm opvlogen. Hij maakte het touw los waarmee ze aan elkaar gebonden waren. 'Dit hebben we straks nodig.'

'Er zit zeker niet toevallig een enterhaak aan?'

'Nee,' zei Kurt, 'maar die hebben we ook niet nodig.'

Hij begon aan de lijken te trekken en stapelde ze in het midden van de put op elkaar.

'Ga zitten,' zei Kurt.

'Op die dooie kerels?'

'Ik heb de meest verse bovenop gelegd,' zei Kurt.

Joe aarzelde.

'Ze zijn dood,' zei Kurt. 'Het kan ze echt niks schelen.'

Uiteindelijk ging Joe zitten. Kurt pakte de band en zette die rechtop tegen Joe's rug, alsof hij een krans legde. Vervolgens ging hij zelf ook zitten, met zijn rug tegen de band en tegen Joe aan.

'Zet je voeten tegen de muur en druk.'

Joe deed wat hem gevraagd werd en Kurt voelde de band tegen zijn rug drukken. Hij zette zijn voeten tegen de muur en drukte. Hij voelde hoe de band tussen hen in een beetje in elkaar werd gedrukt. Hij voelde ook voldoende druk in zijn rug en onder zijn voeten, dacht hij, om zo samen tegen de wand van de schacht omhoog te klimmen, en daarbij had hij dan ook nog steeds vijftien of twintig centimeter buiging in zijn knieën over.

'Span je buikspieren aan en laten we eens proberen of dit lukt,' zei hij.

Joe spande zijn spieren en drukte nog steviger met zijn voeten. Kurt deed hetzelfde. Hij voelde de druk van de band zowel in zijn boven- als onderrug. Het kostte maar heel weinig inspanning om van de stapel dode kerels omhoog te komen.

'Dit zou best eens kunnen werken,' zei Joe.

'Eerst jij, dan ik,' zei Kurt. 'Telkens één voet.'

De eerste keer dat Joe zijn voet verzette, vielen ze bijna doordat ze naar één kant overhelden. Ze hervonden hun evenwicht waarna Kurt hard met zijn linkervoet drukte waardoor ze ongeveer twintig centimeter omhoog gingen. Snel verzette hij ook zijn rechtervoet naar de nieuwe positie.

Joe's volgende beweging was al een stuk zekerder en even later kropen ze langzaam maar zeker omhoog.

'Dat vergat ik nog te vertellen,' wist Joe met grote inspanning uit te brengen, omdat hij klaarblijkelijk onmogelijk zijn mond kon houden, 'voordat we daar in die tekenkamer gepakt werden, zag ik een kaart met zeestromen en zo. Die besloeg de Perzische Golf, de Arabische Zee en de helft van de Indische Oceaan.'

Kurt en hij zetten zich tegelijkertijd af, gingen vijftien centimeter omhoog en verplaatsten een voor een hun voeten.

'Was daar iets ongewoons op te zien?' vroeg Kurt met een vreemde, beklemde stem omdat de woorden door een strak gespannen middenrif geperst moesten worden.

'Ik had... niet echt de tijd... om ze goed te bekijken,' zei Joe. 'Maar het bracht me... op een gedachte.'

Ze verplaatsten zich weer.

'Wat dan?' vroeg Kurt, die zijn antwoorden kort hield.

'Als Jinn zijn kleine beestjes... gebruikt om... een dam te eroderen... hoe kan het dan... dat wij ze... in de Indische Oceaan... vonden... duizend mijl van het vasteland?'

Kurt dacht na over die vraag en probeerde zich tegelijkertijd te concentreren op hun opwaartse bewegingen. 'Goeie vraag,' zei hij. 'Dammen blokkeren rivieren... Rivieren stromen naar zee... Misschien zijn die microbots toch per ongeluk in de oceaan terechtgekomen.'

Hij probeerde na te gaan welke afgedamde rivieren in de Indische Oceaan of de Perzische Golf uitmondden, maar kon niets bedenken.

Ze rustten even uit, hun benen halfgespannen.

'Hoe het ook zij,' vervolgde Kurt, 'we moeten zien dat we hier uit komen. Wat de plannen van die gek ook mogen zijn, ze zijn voor niemand goed, behalve voor hem.'

Intussen hadden ze het tweede gedeelte van de schacht bereikt. Lachen en grappen maken was er niet meer bij, want vanaf dat punt werd de klim een stuk moeilijker.

Kurt voelde hoe zijn rug, zijn buikspieren en zijn benen begonnen te branden. Hij klemde zijn tanden op elkaar en klom verder.

'Gaat het?' vroeg hij.

'Ja,' gromde Joe. 'Maar ik doe het liever niet nog een keer.'

Kurt keek omlaag. Zijn voet verschoof een fractie, maar door zijn knie strak te trekken en zijn hiel tegen de wand te drukken, wist hij het op te vangen. Hij zag zijn been trillen en voelde een kramp in zijn kuit opkomen.

'Nog anderhalve meter,' zei hij hijgend. 'Dan kunnen we... deel twee... van het plan activeren.'

'Wat nou als die boeven er nog steeds zijn?' vroeg Joe.

'Ik heb sinds de auto's zijn weggereden geen geluid meer gehoord.'

'En als ze een wacht hebben achtergelaten?'

'Daar hebben we dat pistool voor.'

Nadat ze zich nog ongeveer een halve meter omhoog hadden gewerkt, viel de late namiddagzon op Kurts gezicht.

Ze waren minder dan een halve meter van de bovenkant verwijderd toen ze een vreemd geluid hoorden: een hoog gefluit dat tegen de lemen wanden weerkaatste.

'Hoor je dat?' vroeg Joe.

'Ik probeer het thuis te brengen,' zei Kurt.

Met elke seconde werd het gefluit harder, tot er op zeker moment recht boven hen een gigantische schaduw passeerde. Kurt zag de onderkant van een groot, grijs met wit vliegtuig voorbij flitsen, flappen en neusvleugelkleppen uitgeschoven en het zeswielige landingsgestel uitgestrekt als de klauwen van een adelaar die naar een tak grijpt om op te landen.

'Wat was dat?' zei Joe.

'Een of andere jet,' zei Kurt.

Hij kon nooit veel hoger dan dertig meter hebben gezeten toen hij over de opening van de put raasde. Kurt had er ook niet meer dan een paar seconden zicht op gehad, maar zelfs in dat korte moment had hij gezien dat de vorm van het toestel iets vreemds had.

'Ik wist niet dat we aan het eind van de landingsbaan zaten,' zei Joe. 'Het zou toch jammer zijn als we net op het verkeerde moment boven zouden komen en dan door een 747 overreden worden.'

Kurt onderdrukte de lach die in hem opborrelde en duwde nog harder tot ze bijna bij de rand van de put waren.

Hij voelde zijn kuiten en dijen verzuren en hoewel er weinig gevaar bestond dat hij kramp zou krijgen of dat zijn spieren hem in de steek zouden laten, voelde hij toch wel dat ze moesten voortmaken. Zijn buikspieren gloeiden door de voortdurende druk tegen de autoband en hij had een gevoel alsof hij honderd *crunches* met een *medicine ball* van zeven kilo op zijn borst had gedaan.

Hij haalde het 9mm pistool uit zijn zak en legde de veiligheidspal om. 'Kalm aan,' fluisterde hij.

Joe verzette zijn voeten. Kurt deed hetzelfde en heel langzaam gingen ze ook de laatste vijftien centimeter omhoog. Kurt hief het pistool en rekte zijn nek zodat hij over de rand van de put kon kijken. Hij zag nergens iemand die de put bewaakte.

'Veilig,' zei hij.

'Veilig aan deze kant,' zei Joe. 'En nu?'

Kurt gooide het pistool over de rand en haalde het touw onder zijn overhemd vandaan. Hij liet het door zijn handen glijden tot hij voldoende lengte had. Met een eind van het touw in elke hand maakte hij een lus van ruim een meter en gooide die met een snelle polsbeweging en uitgestrekte armen keurig over een van de twee A-frames. Hij trok het touw strak en naar beneden zodat het niet langs de ijzeren staven omhoog zou schuiven.

Voorzichtig, en ervoor wakend dat hij zich niet te veel omdraaide, gaf hij het ene eind van het touw aan Joe. 'Hou dat met je beide handen vast en laat het niet meer los.'

Toen trok hij zijn lengte van het touw strak, deed het onder zijn arm door, om zijn bovenarm en toen nog twee keer om zijn hand. Joe deed hetzelfde.

'Heb je dat touw goed vast?'

'Als een winnend loterijbriefje,' zei Joe.

'Dat is mooi,' antwoordde Kurt, 'want je weet wat er gaat gebeuren als we onze arme benen een beetje rust gunnen, toch?'

'Ja hoor,' zei Joe. 'Zoals alles waar jij bij betrokken bent, zal het wel pijnlijk worden.'

'Geen pijn, geen gein,' zei Kurt. 'En deze keer is onze vrijheid de gein. Klaar?'

'Klaar.'

Kurt zette zijn handen goed en spande zijn armen.

'Drie… twee… een… nu!'

Vrijwel tegelijk trokken beide mannen aan het touw en ontspanden hun benen en buikspieren. Het touw kwam met een ruk strak te staan rondom het A-frame. De band viel tussen ze uit, ze zwaaiden naar voren en kwakten een halve meter onder de rand tegen de wand van de schacht.

De band kwam met een doffe dreun op de bodem van de put terecht, maar de mannen hielden zich hoog daarboven stevig vast.

'Dit gedeelte moeten we tegelijk doen,' zei Kurt, 'anders valt er iemand terug in de put.'

Ze trokken zichzelf omhoog, naast elkaar, hand over hand, tot ze het ijzeren frame vast konden grijpen. Dat brandde in hun handen zoals Kurt dat al eerder had ervaren, maar ze lieten niet los, trokken zich op en klommen over het lage muurtje.

Kurt viel met zijn gezicht in het zand en daar was hij alleen maar blij om. Joe viel naast hem neer.

Ze bleven hijgend liggen en rustten even uit. Kurt voelde zijn benen trillen. Het was alsof ze dagen in die put hadden gezeten. Hij keek naar zijn pols, maar zijn horloge lag nog steeds bij die bewaker in Malé. Hij stak zijn hand op naar de ondergaande zon.

'Wat doe je?' vroeg Joe.

'Ik probeer een zonnewijzer te maken.' Hij gaf het op. 'Hoe laat heb jij het?'

'Kwart voor zeven,' zei Joe. 'Dat moet een nieuw record zijn. Voor dood achtergelaten en binnen een uur terug in actie.'

Terwijl ze daar op adem zaten te komen, naderde er opnieuw een jet fluitend over de woestijn. Hij volgde dezelfde baan en kwam geleidelijk dalend naderbij.

De mannen doken instinctief in elkaar en drukten zich tegen het lage muurtje van de put.

Dat hadden ze niet hoeven te doen. De piloot van een jet die met een snelheid van honderdvijftig knopen met zijn *final approach* bezig is, kijkt alleen maar ver vooruit, naar zijn landingsgebied. De kans dat zijn aandacht zou worden afgeleid door niet ter zake doende objecten op de grond, was vrijwel nihil.

Anderzijds wist je nooit of er soms passagiers keken.

Net als het eerste raasde ook dit vliegtuig over ze heen, maar deze keer wel iets hoger. Kurt zag dezelfde vreemde dingen: een vreemd gevormde onderbuik, twee grote motoren hoog boven de romp en vlak bij de staart, en een dikke, doosvormige vleugelsectie. Het had wel iets van een DC-9 of een Super 80 of een Gulfstream G5 die anabole steroïden gebruikte en die met de verkeerde handleiding en wat extra onderdelen in elkaar was gezet.

'Zelfde type,' zei Kurt. 'Volgens mij Russisch.'

'Lijkt er wel op,' zei Joe. 'Het zou ook hetzelfde vliegtuig kunnen zijn dat een tweede landingspoging doet.'

De grijs-witte jet kwam lager en lager en leek duidelijk van plan te landen. Ze verloren hem uit het oog doordat hij achter een duin verdween en hoorden hem toen neerkomen.

Even stierf het geluid van de motoren weg om toen weer aan te zwellen tot een gehuil dat vijftien seconden lang door de woestijn daverde alvorens te verstillen.

'Dat klonk als straalomkering, vind je ook niet?'

'Ja,' zei Joe. '*The eagle has landed.*'

'Ik geloof dat we onze ontsnappingsroute hebben gevonden,' zei Kurt.

Joe keek hem van opzij aan.

'Op geen van de satellietfoto's van deze plek was een geparkeerd vliegtuig te zien,' legde Kurt uit. 'Dat wil zeggen dat dit vliegtuig hier niet de hele dag in de zon gaat staan bakken. Die lost zijn lading, wat het dan ook mag zijn, en vertrekt dan op een bepaald moment voor zonsopgang weer.'

'Vast wel,' zei Joe. 'Alleen is dit Terminal One van Dulles Airport niet. We kunnen niet gewoon even naar de balie stappen en een ticket kopen.'

'Nee,' zei Kurt, 'maar we kunnen straks als het helemaal donker is wel stiekem aan boord kruipen. Ze verwachten ons vast niet.'

'Nee, omdat we wel hartstikke gek zouden zijn als we zouden doen wat jij voorstelt.'

'We hebben geen water,' zei Kurt. 'Geen gps. En geen idee hoe we die Volkswagen zonder gps terug zouden moeten vinden. Dus tenzij jij van plan bent op goed geluk door de woestijn te zwerven, zullen we terug moeten naar het hol van de leeuw.'

Joe leek in tweestrijd te staan, maar mogelijk bereid om met het plan

in te stemmen. 'Jij brengt me helemaal in de war met die dierenmeta-
foren van je,' zei hij. 'Ik dacht dat het een konijnenhol was.'

'Dat veranderde toen we gepakt werden.' zei Kurt. 'Deze kerels zijn
een stuk gevaarlijker dan konijnen.'

'Behalve dan dat konijn in die film van Monty Python,' zei Joe.

'*Monty Python en de Heilige Graal.*'

'Die bedoel ik.'

'Juist,' zei Kurt, die zich de film herinnerde en zijn best deed niet te
lachen omdat dat pijn deed aan zijn ribben en zijn uitgedroogde keel.
'Volgens mij staan we voor de keus,' zei hij. 'We kunnen ofwel de
benen nemen zoals Sir Robin deed. Of we kunnen stiekem hun terrein
weer binnensluipen en ons in een hoekje van een van die jets verbergen
en uit dit land vertrekken voordat er door uitdroging niets anders van
ons over is dan stof en wat botten.'

Joe schraapte zijn keel. 'Ik heb inderdaad wel dorst.'

'Ik ook,' zei Kurt.

Joe slaakte een diepe zucht. Hij stak zijn hand uit, viste het pistool
uit het zand en gaf het aan Kurt. 'Gaat u voor, heer ridder,' zei hij. 'Ik
betwijfel dat we daar de heilige graal zullen vinden, maar ik neem genoegen met een enkele reis weg van hier of toch op zijn minst een wel-
voorzien frisdrankenstalletje.'

30

Paul ging naast Marchetti zitten om weer een beetje bij te komen. De geestelijke en lichamelijke inspanning die het bestrijden van de brand hadden gevergd, hadden hem volledig uitgeput. De bijtende rook, de misselijkmakende geur van dieselolie en de verzengende hitte, waren een aanslag geweest op zijn zintuigen. Maar desondanks waren die snerpende alarmtonen en flitsende lichten op hun ademhalingsapparaten zijn enige echte zorg.

'Hoeveel tijd hebben we?'

'Tien minuten,' zei Marchetti. 'Kan iets meer of iets minder zijn.'

Een veel lievere stem klonk door de speakers van zijn helm. 'Paul, kun je me horen?'

'Ik hoor je, Gamay,' zei hij.

'Hoe is de situatie?'

'Het vuur is gedoofd,' zei hij. 'De halon heeft gewerkt. Maar onze zuurstof begint krap te worden. Hoe lang nog voordat ze de deuren kunnen openen?'

'Momentje,' zei ze.

Even was het stil, maar al na enkele seconden meldde ze zich weer. 'De chief zegt dat jullie zoveel water hebben gebruikt dat de temperatuur redelijk laag is gebleven. Over ongeveer zeven minuten zitten we ruim onder de temperatuur waarbij de brand spontaan weer zou kunnen oplaaien.'

'Dat is goed nieuws,' zei Paul. Hij hielp Marchetti overeind. 'Kom, we gaan je bemanningslid zoeken.'

'Deze kant op,' zei Marchetti, terwijl hij wat stram naar de achterkant van de enorme ruimte liep.

Ze baanden zich een weg door de puinhoop. De reeks explosies had de halve machinekamer verwoest. Ze liepen langs de resten van machines en over het stalen dek. Overal steeg stoom op van het vele bluswater dat ze hadden gebruikt. De geur van dieselolie was benauwend.

'Hier,' zei Marchetti en hij liep naar een afgesloten deur.

Het was geen waterdicht schot, maar de geblakerde deur zag er ontzagwekkend uit en de randen leken intact te zijn. Paul kreeg weer hoop.

'Het is ontworpen als schuilplaats,' zei Marchetti, 'maar ik was er niet zeker van dat het zoiets als dit zou kunnen weerstaan.' Hij greep de grote sluithendel vast, maar liet onmiddellijk weer los.

'Een beetje heet?' vroeg Paul.

Marchetti knikte, maakte zich gereed en greep de hendel opnieuw vast. Hij gromde en probeerde de hendel omlaag te drukken, maar het ding gaf geen krimp en hij moest opnieuw loslaten.

'Mogelijk is de deur door de hitte uitgezet,' zei Marchetti.

'Wacht, ik help je,' zei Paul. Hij ging er goed voor staan en samen grepen ze de hendel vast en zetten hun volle gewicht erop. Hij schoot omlaag. Paul zette zijn schouder tegen de deur en duwde hem open. Hij liet de hendel ook onmiddellijk weer los, maar had het gevoel alsof zijn handen dwars door zijn Nomex handschoenen verbrand waren.

Een luchtstroom golfde uit het compartiment naar buiten en vermengde zich met de stoom en de rook in de machinekamer. In de controlekamer was het aardedonker. De enige verlichting kwam van hun helmlampen en de flitsende xenonlichten op hun luchtflessen. Ze gingen ieder een kant op. Tegen de achterwand zag Paul een man in een overall op de grond liggen. 'Hierheen.'

In het commandocentrum waren alle ogen gericht op de centrale monitor en het knipperende rode getal dat de temperatuur in de machinekamer aangaf. Die daalde geleidelijk en veranderde uiteindelijk van rood in geel.

'We zijn er bijna,' zei de chief. 'Ik ga de deuren klaarmaken.'

Gamay was opgelucht. Ze keek op de klok. Er waren zes minuten verstreken sinds Paul en Marchetti's zuurstofalarm was afgegaan. Ze leken deze keer werkelijk wat speelruimte te hebben, maar ze zou zich pas echt veilig voelen als haar man uit die machinekamer en in haar armen was.

De chief drukte op een paar knoppen en keek op zijn controlepaneel. Wat hij daar zag, maakte hem duidelijk boos. Hij drukte nogmaals op de knoppen en haalde een keer of wat een tuimelschakelaar over.

'Is er iets niet goed?'

'De deuren reageren niet,' zei hij. 'Ik heb het commando gegeven om ze open te doen, maar ze blijven in de stand afgesloten voor noodsituatie staan.'

'Kunnen ze door de brand beschadigd zijn geraakt?'

'Dat betwijfel ik,' zei hij. 'Daar zijn ze juist voor gemaakt.'

Hij probeerde het nog een paar keer met de knoppen en de schakelaars en keek toen ergens anders naar. 'Het is de computer. Die blokkeert de boel.'

'Waarom?'

Rechts van haar zag Gamay Leilani staan. 'Ik weet waarom,' zei ze. 'Dat heeft Otero gedaan.'

'Otero zit in de bak,' zei de chief.

'Marchetti heeft me verteld dat hij een genie was op het gebied van computers. Hij zou van tevoren iets gedaan kunnen hebben voor het geval hij zou worden gepakt, voor het geval hij problemen moest veroorzaken om Marchetti in verwarring te brengen. Net zoals hij dat met de robots heeft gedaan.'

De chief bleef proberen om de blokkering op te heffen of een manier te bedenken waarop hij die kon omzeilen. 'Het is absoluut de computer,' zei hij. 'Verder werkt alles correct.'

Gamays hoofd tolde. Ze begreep niet hoe die kerel hun zelfs vanuit zijn cel nog dwars kon zitten.

'We moeten naar hem toe en hem dwingen om dat wat hij gedaan heeft te deactiveren,' zei Leilani. 'Desnoods zetten we hem een revolver tegen zijn kop.'

Allerlei gedachten schoten door Gamays hoofd. Haar houding en overtuiging met betrekking tot dwangmaatregelen veranderden snel bij de gedachte aan haar man die opgesloten zat in een machinekamer vol giftige dampen en een snel slinkende zuurstofvoorraad.

'Gamay,' zei Leilani bijna smekend. 'Ik ben door deze mensen al iemand kwijtgeraakt. Dat hoeft voor jou niet zo te zijn.'

Op de monitor sprong de temperatuur op groen en de klok tikte de zevende minuut weg. Paul had nog drie minuten zuurstof.

'Goed dan,' zei Gamay. 'Maar geen wapens.'

De chief draaide zich naar een van zijn mensen. 'Rocco, neem jij het over. Ik ga met ze mee.'

Leilani liep naar de deur en deed hem open. Gamay liep naar buiten, naar de lift en het cachot zonder ook maar een idee te hebben wat ze moest doen als ze daar eenmaal was.

Beneden in de machinekamer had Paul het vermiste bemanningslid bereikt. Hij hurkte naast hem neer en rolde hem om. De man reageerde niet. Paul trok zijn handschoenen uit en controleerde of hij nog een hartslag voelde en Marchetti kwam naast hem staan.

'En?'

Paul hield zijn hand tegen de halsslagader van de man in de hoop toch nog iets te voelen. 'Het spijt me.'

'Verdomme,' zei Marchetti. 'Dan is dit allemaal voor niets geweest.'

Paul dacht hetzelfde. Tot hij in een flits van zijn xenonlicht aan de zijkant van de man zijn hals iets bijzonders zag. Hij rolde hem half op zijn zij en streek zijn donkere haar weg.

'Niet helemaal voor niets,' zei Paul, terwijl hij zijn helmlicht op een donkere plek in de nek van de man richtte. Hij tastte naar de wervelkolom en voelde geen verstijving.

'Wat is er?'

Paul stak zijn hand uit en schakelde Marchetti's radio uit, waarna hij hetzelfde bij zijn radio deed. Marchetti leek niet te begrijpen wat de bedoeling was.

Nu er niemand meeluisterde kon Paul vrijuit spreken. Normaal gesproken was hij niet geneigd snelle conclusies te trekken. Hij dacht liever eerst rustig na terwijl anderen vaak meteen met samenzweringstheorieën kwamen aandragen, maar na alles wat er was gebeurd, kon hij maar tot één conclusie komen. Hij keek Marchetti recht aan en sprak zo hard dat hij hem door hun maskers heen kon horen. 'Deze man is niet door de rook of de hitte omgekomen. Zijn nek is gebroken.'

'Gebroken?'

Paul knikte. 'Deze man is vermoord, Marchetti. Je hebt een saboteur aan boord.'

Marchetti keek hem verbijsterd aan.

'Het is de enige verklaring voor de brand en al die systemen die niet meer werken. Aangezien jij hier bent, mag ik aannemen dat jij het niet bent. Maar verder kan het iedereen zijn. Een van de bemanningsleden of mogelijk zelfs een verstekeling. Waarschijnlijk is het iemand die heimelijk banden heeft met Otero of Matson. Het lijkt me beter dat dit onder ons blijft tot we weten wie het zou kunnen zijn.'

Marchetti keek naar de dode man naast hen en toen weer naar Paul. Hij knikte.

Paul zette zijn radio weer aan en hees de dode man op zijn schouder. Ook Marchetti zette zijn radio weer aan. 'We gaan op weg naar de hoofdingang,' zei hij tegen de brug.

Beneden, op het laagste dek, liepen Gamay, Leilani en de chief naar de arrestantenruimte. De chief gebruikte zijn sleutels om de celdeur open te maken. Gamay ging naar binnen. Otero keek haar vanuit zijn stoel aan, een norse blik in zijn donkere ogen.

'We weten dat je met het computersysteem hebt geknoeid,' zei ze. 'Mijn man zit opgesloten in de machinekamer na daar een brand te hebben geblust. Jij moet zorgen dat de deuren weer opengaan zodat hij eruit kan.'

'Waarom zou ik dat doen?'

'Omdat, als hij sterft, dat moord betekent en dat is heel wat erger dan wat je tot nu toe hebt gedaan.'

Otero wiegde zachtjes heen en weer met zijn hoofd alsof hij de voors en tegens van haar verzoek tegen elkaar afwoog.

'Godverdomme!' riep Gamay, terwijl ze een stap naar voren deed en hem een klap in zijn gezicht gaf. 'Er zijn hier mensen die je alleen om wat je nu al hebt gedaan, zouden willen vermoorden. Ik heb tegen ze gezegd dat dat niet nodig was, dat het niet juist was.'

Ze griste de hoofdwerktuigkundige een laptop met een wifi-verbinding uit handen en stak die Otero toe.

Otero keek ernaar, maar deed niets.

'Ik zei toch dat hij een waardeloos figuur was,' zei Leilani.

De chief liep met een woedende uitdrukking op zijn gezicht langs Leilani en kwam naast Gamay staan. 'Jij hebt het op jouw manier geprobeerd, laat mij nou maar eens even.'

Hij boog zich dreigend over Otero. 'Maak verdomme die deuren open, of ik geef je zo verschrikkelijk op je sodemieter dat je je eigen naam niet meer weet.'

Otero deinsde een beetje terug, maar leek toch minder bang te zijn dan Gamay gezien het postuur van Marchetti's chief zou hebben verwacht. Een seconde later begreep ze hoe dat kwam.

Achter hen klonk het onmiskenbare geluid van een pistool dat werd gespannen en Gamays hart stond even stil.

'Niemand geeft vandaag iemand op zijn sodemieter,' zei Leilani achter hen.

Gamay draaide zich heel voorzichtig om. Leilani had opnieuw een pistool in haar handen, maar dat was een ander dan die Kurt haar had afgenomen.

'Bedankt dat je langs me heen bent gelopen,' zei ze. 'Ik vroeg me al af hoe ik het aan moest pakken om jullie beiden gelijktijdig onder schot te houden.'

Paul en Marchetti stonden bij de deur van de machinekamer te wachten. De tijd begon te dringen.

'Dertig seconden,' zei Marchetti. 'Kan iets meer, maar ook iets minder zijn.'

Paul probeerde zo beheerst mogelijk adem te halen. Hij had bij het blussen van de brand ongetwijfeld veel zuurstof verbruikt en hij kon alleen maar hopen dat het nu zou helpen als hij kalm bleef.

'Het kan nu elk moment zover zijn,' zei Marchetti.

Paul maakte zich zorgen over het feit dat ze al een poosje niets van de brug hadden gehoord. De laatste paar ademhalingen waren aardig muf geweest. Instinctmatig wilde hij zijn masker afzetten omdat hij het gevoel kreeg dat dat hem smoorde. Uiteraard wist hij wel beter. De giftige dampen van de brand waren vele malen erger dan een beetje muffe lucht. Maar het kon nu elk moment helemaal afgelopen zijn met die lucht.

'Is daar iemand?' schreeuwde Marchetti. Hij begon op de deur te bonken.

'Spaar je lucht,' waarschuwde Paul.

'Er is iets mis,' zei Marchetti. Hij bleef met zijn vuisten op de deur hameren, tot opeens het waarschuwingslampje op het paneel naast de deur van rood op geel sprong. Overal om hen heen klonk het geluid van ventilatoren die op toeren kwamen en automatisch gesloten ventilatiekleppen die nu weer openklapten.

'Of misschien toch niet,' zei Marchetti opgetogen.

De rook en de stoom en de dampen werden afgezogen en het lampje naast de deur sprong op groen.

Het handwiel van de deur werd snel omgedraaid en de deur ging op een kier open waardoor de warme lucht uit de machinekamer sissend ontsnapte.

Direct daarop sloeg de blijdschap om in diepe verslagenheid. Achter de deur lagen Gamay en zeven bemanningsleden, waaronder de chief, op hun knieën met hun handen achter hun hoofd vastgebonden. Vlak achter hen stonden twee andere bemanningsleden samen met Otero en Matson, met in hun handen een combinatie van geweren en machinepistolen met korte loop die eruitzagen als Uzi's, en naast ze stond Leilani Tanner.

'Ik geloof dat we weten wie de saboteur is,' zei Paul. 'Jij bent Kimo's zuster helemaal niet, hè?'

'Ik ben Zarrina,' zei ze. 'Doe wat ik zeg, dan hoef ik je niet te doden.'

31

Kurt lag voor de zoveelste keer plat op zijn buik in het zand en tuurde in de vallende schemering naar de bodem van een drooggevallen meer in de woestijn. Krap een kilometer van hen verwijderd stonden de twee vreemd uitziende vliegtuigen die over ze heen waren gevlogen, plus nog een derde van hetzelfde type, dat ze niet hadden zien naderen. Alle drie stonden ze stil aan de rechterkant van wat voor de landingsbaan moest doorgaan.

Hij haalde de kleine verrekijker die hij op de bodem van de put van Jinns dode soldaat had afgepakt uit zijn borstzak. Hij veegde het zand van de lenzen en zette de kijker aan zijn ogen.

'Je hebt gelijk,' zei hij. 'Het is nou niet direct JFK. Meer iets zoals Edwards Air Force Base in Californië.'

'Een drooggevallen meer als landingsbaan,' zei Joe. 'Maar waar zijn ze daar in godsnaam mee bezig?'

Kurt zag Jinns mannen als kwaaie mieren uit gaten in de grond tevoorschijn komen. Ze scharrelden schijnbaar lukraak rond de drie vliegtuigen. Even verderop stonden twee trucks met stationair draaiende motoren, wat bleek uit de zwarte dieselrook die uit de uitlaten omhoog kringelde. Drie heftrucks leken bezig een enorme hoeveelheid materiaal klaar te zetten en een tankwagen kwam met een slakkengangetje uit een tunnel in de rotswand. Joe's vergelijking met een mierenboerderij leek met de minuut beter te kloppen.

'Ze moeten overal tunnels en inritten hebben,' zei Kurt, die her en der mannen vanuit het niets zag verschijnen en even snel weer verdwijnen.

'Kun je zien wat die vliegtuigen komen brengen?' vroeg Joe.

Kurt zag de grote ladingdeuren aan de achterkant van de vliegtuigen opengaan, maar er kwam niets uit.

'Die komen niets brengen,' zei Kurt. 'Ze komen iets halen. De piloten staan te praten met iemand, ik denk een laadmeester.'

'Het is vandaag dus verhuisdag.'

'Of D-day, dat kan ook,' zei Kurt.

'Kun je de staartnummers van die jets zien?' vroeg Joe. 'Dat zou ons misschien op weg kunnen helpen.'

De zon was intussen ondergegaan en het werd snel donker. Kurt zoomde in op het dichtstbijzijnde vliegtuig en tuurde door de kijker. 'Witte staartvlakken,' zei hij. 'Nergens een registratienummer of ander merkteken. Maar ik ben er vrijwel zeker van dat ze in Rusland gebouwd zijn.'

'Kan je geen type ontdekken?'

'Volgens mij zijn het aangepaste modellen. Ze hebben het zeswielige hoofdlandingsgestel van een An-70, een grote laadklep onder de staart zoals een C-130 en andere militaire transportvliegtuigen, maar de vorm van iets anders. Het lijken bijna...' Opeens wist hij het. Hij had deze vreemd gevormde vliegtuigen twee jaar eerder bezig gezien bij het blussen van bosbranden in Portugal. 'Het zijn aangepaste Altairs,' zei hij. 'Beriev Be-200's. Het zijn vliegboten met straalmotoren. Ze landen op het water, scheppen een plens van tienduizend liter op, stijgen weer op en droppen dat boven de brand.'

Dit nieuws leek Joe alleen nog maar meer te verbazen. 'Wat moet Jinn nou toch met een brandweervliegtuig dat op het water landt? Hier is niet zo erg veel dat in brand kan vliegen en als dat wel zo was, dan zou er verdomd weinig water zijn om op te scheppen en brand mee te blussen.'

Terwijl Kurt de tankwagen naar het eerste vliegtuig zag rijden, dacht hij het te begrijpen. 'Zo brengen ze de microbots naar zee,' zei hij.

'In de watertanks,' zei Joe.

Kurt knikte. 'Er is een tankwagen bij een van de vliegtuigen bezig, maar tenzij iemand de tankdop op de verkeerde plaats heeft gezet, pompt die er vast geen Jet A of JP-4 in.'

'Dus ze spoelen hiervandaan niet naar zee en ze ontsnappen ook niet,' zei Joe. 'Maar hoe zit het dan met dat model van die dam?'

Kurt gaf Joe de kijker. 'Kijk eens naast die trucks die daar staan.'

Joe hield de kijker voor zijn ogen. 'Ik zie gele drums op pallets,' zei hij.

'Komt je dat niet bekend voor?'

Joe knikte. Hij richtte zijn kijker weer op de vliegtuigen. 'Ik zie die gele vaten nergens in de vliegtuigen gaan. Zo te zien laden ze wapens en munitie in het toestel dat hier het dichtst bij staat en daar verderop, waar ze materiaal klaarzetten, zie ik een paar rubberboten, Zodiacs, zoals de SEAL-teams die gebruiken.'

'Het lijkt erop dat onze vrienden ergens naartoe gaan waar het natter is dan hier,' zei Kurt. 'Wat natuurlijk geen slecht idee is.'

Joe gaf de kijker weer terug aan Kurt. 'Kijk eens of je daar beneden soms ergens een drinkfonteintje ziet.'

'Sorry, kerel,' zei Kurt. 'Ik denk dat we zojuist ontsnapt zijn uit de enige drinkwaterbron in deze omgeving. En die werkte niet eens.'

'Net als in het winkelcentrum,' zei Joe met een keel vol met stof en zand.

Kurt probeerde niet aan zijn dorst en het droge gevoel in zijn keel te denken.

'Ik vraag me af of wij soms de verkeerde conclusies trekken,' zei Kurt. 'Misschien heeft dat model van die dam die ze lieten instorten helemaal niets te maken met die stroomkaarten die je in die teken-kamer zag of met wat er in de Indische Oceaan gebeurt.'

'Twee doelen?'

Kurt knikte. 'Twee transportmethodes. Twee verschillende manieren om die microbots te vervoeren. Misschien zijn ze met twee verschil-lende operaties bezig.'

'Hebben we onze maniakale kleine vriend soms onderschat?'

'Misschien wel,' antwoordde Kurt.

'Wat ben je van plan?'

'Mijn oorspronkelijke idee was om per vliegtuig hiervandaan te ver-trekken,' zei Kurt, 'maar nu lijken we een keus te hebben voor wat de vervoersgelegenheid betreft. Wat stel jij voor: trucks of vliegtuigen?'

'Trucks,' zei Joe.

'Meen je dat nou?' zei Kurt, verrast. 'Vliegtuigen zijn sneller. En we weten allebei het een en ander van vliegen.'

'Niet met die dingen.'

'Dat is allemaal hetzelfde,' zei Kurt stellig.

Joe tuitte zijn lippen. 'Heb jij ooit uitgerekend hoeveel problemen dat eeuwige optimisme van je ons al heeft bezorgd?' vroeg Joe. 'Dat is níét allemaal hetzelfde. En zelfs als dat zo zou zijn, waar wil je dan heen als je eenmaal een vliegtuig in handen hebt? We zijn hier in het Midden-Oosten. Vliegtuigen die zonder toestemming grenzen oversteken, leven hier niet lang. De Saudiërs, de Israëliërs, de Zevende Vloot, die kunnen ons stuk voor stuk uit de lucht hebben geschoten voordat we zelfs maar de kans hebben gekregen om uit te leggen waarom we hun no-flyzone schenden.'

Het speet Kurt dat hij het moest toegeven, maar Joe had een punt.

'Daar komt nog bij,' vervolgde Joe, 'dat die vliegtuigen mogelijk ergens terechtkomen waar het nog erger is dan hier, terwijl trucks de gebaande paden moeten volgen en dicht bij de beschaafde wereld blijven. Er zijn maar zoveel wegen en zoveel plaatsen waar een truck hiervandaan naartoe kan gaan. Ik stel voor dat we in een truck kruipen.'

'Achterin?' zei Kurt. 'Samen met tien miljard kleine vretertjes?'

Joe pakte Kurt de kijker uit handen en richtte hem op de drums naast het rijtje gesloten vrachtwagens. 'Gezien de manier waarop Jinns mannen uit de buurt van die vaten blijven, zou ik denken dat ze zo ongeveer weten wat erin zit. Dat werkt in ons voordeel. Dat houdt ze op afstand en vermindert de kans dat we worden ontdekt en opnieuw in die put worden gegooid.'

Kurt zweeg.

'En,' vervolgde Joe, die voelde dat de overwinning binnen handbereik lag, 'als we in die trucks worden gevonden, kunnen we eruit springen en ervandoor gaan. Dat is op dertigduizend voet een stuk moeilijker.'

Kurt kon zich niet herinneren dat Joe ooit eerder zulke sterke argumenten naar voren had gebracht. 'Je hebt me overtuigd.'

'Echt waar?'

'Als je gelijk hebt, heb je gelijk,' zei hij. Hij veegde wat stof van zijn uniform en trok het recht. 'En in dit geval heb je helemaal gelijk, beste kerel.'

Stralend van tevredenheid gaf Joe de kijker terug aan Kurt en probeerde zijn eigen uniform ook wat te fatsoeneren.

'Zullen we dan maar?'

Kurt stopte de kijker weer in zijn borstzak. 'Ja.'

Terwijl de duisternis en de maanloze nacht zich over de woestijn uit-spreidden, ging het laden en het gereed maken van de in Rusland ge-bouwde jets verder. De verlichting bestond uit een paar geïmprovi-seerde schijnwerpers en de grote lichten van een aantal geparkeerde jeeps en Humvees.

Deze merkwaardige opstelling maakte het voor Kurt en Joe makke-lijk om het terrein te naderen omdat de mannen binnen de verlichte zone vrijwel verblind waren en in de duisternis van de woestijn daar-buiten niets konden onderscheiden.

Toen ze het gedeelte waar gewerkt werd bereikten, trokken Kurt en Joe hun keffiyeh over hun hoofd en voor hun gezicht. Behalve dat ze er vuil en slordig uitzagen, verschilden hun uniformen niet van die van de mannen die met de belading bezig waren.

'Pak iets,' fluisterde Joe, terwijl hij zelf een klein krat met spullen oppakte. 'Als je iets draagt en stevig doorloopt, zie je er geloofwaardig uit.'

Kurt deed hetzelfde en samen liepen ze het terrein op zonder dat ook maar iemand ze een blik waardig keurde. Ze begonnen zich onopvallend te oriënteren.

Kurt zag de rij gele vaten. Van de oorspronkelijke zestig stonden er nu nog twaalf.

Hij wees en samen liepen ze die kant op. Terwijl ze dichterbij kwa-men, begon er iemand in het Arabisch tegen ze te schreeuwen.

Kurt draaide zich om en zag de man met de baard die Sabah heette bij de rij trucks staan. Kurt herkende een paar woorden, iets over luie donders.

Sabah wees en schreeuwde nog wat en zwaaide driftig met zijn hand. Hij leek naar een ongebruikte heftruck te wijzen.

Kurt stak zijn hand op en liep die kant uit.

'Ik geloof dat hij wil dat we met dat ding gaan rijden.'

Joe volgde. 'Kun jij met een heftruck rijden?'

'Ik heb het een paar keer gezien,' zei Kurt. 'Hoe moeilijk kan dat nou helemaal zijn?'

De schrik sloeg Joe om het hart, maar hij liep met Kurt mee naar de in grijs en oranje geschilderde heftruck. Hij zag hoe Kurt op de vier-wielige machine klom en zich vertrouwd probeerde te maken met de bediening.

Sabah begon weer te schreeuwen.

'Ik zou in elk geval de motor maar vast starten,' fluisterde Joe.

Kurt vond de sleutel, draaide hem om en de motor kwam grommend tot leven. 'Kom,' zei hij.

Joe klom op de zijkant van de heftruck en hield zich vast als een brandweerman op een ouderwetse ladderwagen.

Kurt vond de koppeling en de versnellingshendel. De truck had drie versnellingen: laag, hoog en achteruit. Kurt trapte de koppeling in, zette de hendel in de eerste versnelling en gaf een beetje gas.

Er gebeurde niets.

'We gaan niet vooruit,' fluisterde Joe.

'Dat heb ik ook in de gaten.' Kurt liet de koppeling wat verder op-komen en gaf nog iets meer gas. De motor brulde, de koppeling pakte en de grote machine schoot naar voren als de lesauto van iemand die al drie keer gezakt was.

'Kalm aan,' zei Joe.

'Fluitje van een cent,' zei Kurt.

Sabah zwaaide ongeduldig en wees naar de partij gele drums die allemaal op een eigen pallet stonden.

Kurt reed die kant op. Verderop schoof een heftruck de vork onder een pallet met een gele drum. Terwijl hij de lading optilde, sjorde een tweede man het vat met een stalen kabel vast. Klaarblijkelijk wilde nie-mand met de inhoud van deze vaten knoeien.

De heftruck reed achteruit weg met de tweede man nog steeds op de pallet.

'Dat is jouw werk,' zei Kurt.

'Geweldig.'

'Je moet maar even zorgen dat we een sjorkabel krijgen.'

Joe zag een staaldraad aan de dakbeugel van de heftruck hangen. Hij maakte hem los en sprong op de grond.

Joe liep naar de gele drums en Kurt worstelde met de grote machine. Hij draaide hem in de goede richting en reed vooruit. Hij greep de hen-del die de vork bediende met de bedoeling de vork te laten zakken, maar de hendel werkte precies andersom dan hij zich meende te herin-neren. De vork ging omhoog en dreigde dwars door de drum te steken.

Hij ging op de rem staan en de heftruck stopte met een ruk.

Terwijl hij de vork liet zakken, zag hij Joe staan. Die had grote ogen van schrik. Kurt kon het hem niet echt kwalijk nemen. Nadat hij de vork op de juiste hoogte en onder de goede hoek had gebracht, reed Kurt heel voorzichtig naar voren en tilde de pallet op.

Joe stapte naar voren, sjorde de drum stevig vast en stak zijn duim naar Kurt op.

Uiterst voorzichtig reed Kurt achteruit en draaide om. Toen hij vervolgens weer vooruit reed, merkte hij dat de truck met het gewicht van de gele drum en Joe die de voorkant naar beneden drukten veel beter in balans was.

Hij reed langzaam en in het spoor van de andere heftruck naar de rij vrachtwagens.

Dat waren er vijf in totaal. Het waren opleggers met een vlakke laadvloer en een overkapping van zeildoek. Zo te zien was de voorste truck beladen, want die werd afgesloten. De andere vier waren nog bezig.

Sabah gebaarde naar de laatste truck in de rij en daar reed Kurt naartoe. Hij reed recht op de achterbumper af en liet de vork omhoog komen. Toen die op gelijke hoogte was met de laadvloer van de truck, maakte Joe de sjorring los waarna Kurt de pallet voorzichtig naar voren liet glijden, op een stel rollen die in de laadvloer waren ingebouwd.

Joe duwde de pallet over de rollen op zijn plaats en sjorde hem net zo vast als de andere vaten. Toen hij klaar was, klom Joe weer op de zijkant van de heftruck.

'Je begrijpt natuurlijk dat dit zou kunnen worden opgevat als het verlenen van hulp en bijstand aan de vijand,' zei Joe terwijl Kurt de heftruck terugreed naar de plaats waar de vaten stonden te wachten.

'We zouden het simpelweg niet in het rapport kunnen opnemen,' zei Kurt. 'Gewoon een slordigheidje.'

'Zo is het. Dat kan iedereen overkomen.'

'Precies,' zei Kurt. 'Als we het laatste vat hebben geladen, blijf jij in de truck achter. Ik zet dit ding weg en als er even niemand kijkt, kom ik bij je terug.'

Het klonk als een goed plan en het leek ook te werken. Alles ging goed tot ze bijna klaar waren om het ook uit te voeren. Terwijl ze stonden te wachten om het laatste vat op te pakken, kwamen Jinn en een aantal van zijn mannen uit de tunnel.

Sabah stak zijn hand op als een verkeersagent waarop alle activiteiten werden gestaakt terwijl hij met zijn baas ging praten.

Kurt stopte de motor, in de hoop iets te kunnen opvangen.

Een ander groepje mannen voegde zich bij Jinn. Ze hadden de jonge vrouw bij zich van wie Kurt dacht dat ze de werkelijke Leilani was.

'Neem je haar mee?' vroeg Sabah.

'Ja,' zei Jinn, 'dat doe ik. Dit complex is niet langer veilig.'

'Ik zal contact opnemen met Xhou,' zei Sabah. 'De Chinezen zijn niet te vertrouwen, maar het gaat ze er vooral om dat ze geen gezichtsverlies lijden. Daarom heeft hij Mustafa gestuurd. Hij zal zijn inspanningen verdubbelen en meer geld beschikbaar stellen. Hij zal geen probleem vormen tot de ergernis over zijn mislukking verdwenen is. En dat zal voor ons lang genoeg zijn om de volledige controle te krijgen.'

'Ik maak me geen zorgen over de Chinezen,' zei Jinn. 'Die Amerikaan had gelijk. Zijn regering zal zeer agressieve maatregelen nemen. Die trekken zich niets meer van grenzen aan. We zijn hier niet veilig.'

'We zullen zien,' zei Sabah.

'Ik moet een ander hoofdkwartier hebben,' hield Jinn vol. 'Eentje waar ze niet zo snel aan zullen denken. En ik moet meer doen om ervoor te zorgen dat ons plan in werking kan treden, dingen die ik van hieruit niet kan doen.'

Hij wees naar de vrouw. 'Hou haar uit de buurt tot de belading helemaal klaar is. Daarna zet je haar in het derde vliegtuig, maar hou haar bij de mannen weg. Ik wil niet dat er iemand bij haar in de buurt komt.'

'Ze moet bewaakt worden,' zei Sabah.

'Haar wil is gebroken,' zei Jinn. 'Ze doet straks wat ik wil, maar ze moet wel in de gaten worden gehouden. Stuur twee bewakers mee, niet meer. En waarschuw ze, Sabah. Als ze haar aanraken, spies ik ze op de grond vast en steek ze in brand.'

Sabah knikte. Hij wees twee mannen aan die Leilani meenamen naar een van de wachtende transportvliegtuigen. Terwijl ze werd weggesleept, wisselden Kurt en Joe een blik.

Kurt startte de motor weer en reed zwijgend naar het laatste gele vat. Hij was intussen een ervaren heftruckchauffeur geworden en hij tilde het behendig op. Joe sjorde het vast en klom terug op de heftruck.

'Ik weet wat je denkt,' zei hij.

'Probeer me er niet vanaf te brengen.'

'Zelfs als ik dat kon, zou ik het niet willen,' antwoordde Joe. 'Heb je soms hulp nodig?'

'Dat zou ik maar wat graag willen,' zei Kurt. 'Maar iemand moet uitzoeken waar deze vaten naartoe gaan en degene waarschuwen voor wie ze zijn bedoeld. Op deze manier zetten we niet alles op één kaart.'

Ze kwamen bij de truck en Kurt liet het vat omhoog komen.

'Zodra je in de beschaafde wereld komt, moet je contact opnemen met Dirk. We moeten Paul en Gamay laten weten dat ze een mol in hun midden hebben.'

Joe knikte. 'Zodra je dat meisje te pakken hebt, moet je maken dat je uit dat wespennest komt. Neem niet te veel hooi op je vork.'

Het vat was op gelijke hoogte gekomen met het laadvlak en de rollers.

'Wespennest? Ik dacht dat we hadden vastgesteld dat dit een leeuwenkuil was?'

'Leeuwen vliegen niet,' zei Joe. 'Zodra je in de lucht zit, is het een wespennest.'

'Nu begin je te begrijpen hoe dit werkt.'

Even keken de twee mannen elkaar aan, vrienden die elkaar talloze malen uit netelige situaties hadden gered. Nu uit elkaar gaan, druiste tegen al hun instincten in. Samen vechten, samen overleven, hadden ze vaak gezegd. Maar in dit geval zou dat betekenen dat ze een jonge vrouw aan een ellendig lot zouden overlaten en de kans halveren om de wereld en hun vrienden te waarschuwen voor dreigend gevaar. Daarvoor stond er te veel op het spel.

'Je weet het heel zeker?' vroeg Joe.

'Het is net als bij het schone lied over *Loch Lomond*,' zei Kurt. '*You take the low road, and I'll take the high road, and I'll be in civilization before you.*'

'Wat versta jij onder de beschaafde wereld?' zei Joe, terwijl hij de sjorring losmaakte en het vat over de rollers naar voren schoof.

'Ergens waar ze ons niet dood willen maken en waar je een ijskoude Coke kunt krijgen als je daar trek in hebt. De laatste die dat doel bereikt, betaalt een etentje voor het hele team bij Citronelle.'

Joe knikte, en dacht aan het menu en de ambiance van het bekende restaurant in Washington DC. 'Dat staat,' zei hij en hij sjorde het vat op zijn plaats vast.

Kurt keek om zich heen met een mengeling van bezorgdheid en opluchting. De trucks waren niet gebouwd voor terreinritten; ze moesten de normale wegen volgen en zelfs in een land als Jemen zou ze dat al spoedig in de bewoonde wereld brengen. Met een beetje geluk zou Joe nog voor het aanbreken van de dag zijn dorst kunnen lessen en NUMA bellen. Kurt wist dat zijn eigen vooruitzichten veel minder zeker waren.

Joe pakte een dekkleed waarmee de laadruimte van de truck afgedekt werd. Hij keek Kurt aan. '*Vaya con Dios, my friend.*'

'Jij ook,' zei Kurt.

Joe verdween onder het dekkleed en Kurt reed de heftruck achteruit en keerde hem, zonder nog een blik achter zich te werpen. Het enige wat hij nu nog moest doen, was uitvinden in welk vliegtuig Leilani zat en daar aan boord sluipen zonder ontdekt te worden.

32

Joe zat helemaal voor in de laadruimte van de truck, in elkaar ge-doken tussen de gele drums en het kopschot. Niemand had hem ge-zien. Afgezien van een vluchtige blik vanaf de achterkant om het aan-tal vaten te tellen, had niemand zelfs maar de moeite genomen om beter te controleren. Toen het aantal bleek te kloppen, werd het dekzeil goed vastgezet. De deuren van de cabine werden geopend en met een klap weer gesloten, waarna de grote truck zich in beweging had gezet. Even later reden ze ronkend door de woestijn.

Zo nu en dan had Joe even voorzichtig gekeken waar ze waren. Hij had alleen maar duisternis en zand gezien en de andere wagens in het konvooi. Hij vroeg zich af waar ze eigenlijk heen gingen.

Na vier uur minderden ze eindelijk vaart.

'Ik hoop maar dat we gauw op een parkeerplaats stoppen,' mompelde Joe in zichzelf. Hij gluurde onder het zeildoek door, maar zag nergens iets wat op de beschaafde wereld leek. Uiteindelijk stopten ze toch, hoewel de motor stationair bleef draaien.

Joe vroeg zich af of dit een geschikt moment zou zijn om ervandoor te gaan. Hij had niet echt overwogen om uit de truck te springen ter-wijl ze door de woestijn reden omdat hij geen idee had waar ze waren en hij voelde er weinig voor om zonder water te voet verder te gaan. In elk geval niet tot hij ook werkelijk ergens heen kon lopen.

Hij overwoog om het nu dan maar te wagen, maar intussen was er nog een tweede probleem bij gekomen. Op de een of andere manier reed zijn truck nu als eerste in de colonne. Alle andere trucks zaten er achter, met hun grote lichten aan. Als hij nu probeerde te ontsnappen, was dat ongeveer hetzelfde als proberen om op klaarlichte dag over de muur van de gevangenis te klimmen. Hij moest wachten en hopen dat er zich later een betere gelegenheid zou voordoen.

In het donker werden bevelen geschreeuwd. De grote truck schokte even toen hij in de versnelling werd gezet en begon heel langzaam te rijden. Ze reden ergens overheen dat als een drempel aanvoelde en het laadvlak draaide en wrong terwijl de wielen paarsgewijs ergens overheen reden. De gele drums zwaaiden heen en weer en Joe stak zijn hand uit om de voorste tegen te houden.

'Beetje rustig aan op die verkeersdrempels, alsjeblieft,' mompelde hij.

De neus van de truck ging naar beneden alsof ze een helling af reden. De vaten helden naar voren en hingen in hun sjorrings, zijn kant op. Joe werd steeds ongeruster.

Na hooguit vijftien meter te hebben gereden, kwamen ze weer horizontaal en reden nu over veel vlakker terrein. Toen stopten ze weer. De chauffeur en de bijrijder stapten uit en gooiden de deuren achter zich dicht. De lichten van de tweede vrachtwagen kwamen dichterbij en schenen dwars door het dekzeil.

Terwijl Joe naar het geluid van de motor en de schreeuwende stemmen luisterde, meende hij een echo te horen. Na zo lang over de woestijnweg te hebben gehobbeld, viel het hem onmiddellijk op dat de ondergrond hier veel egaler was en ook werden de motoren voor het eerst helemaal afgezet.

Ik ben in een pakhuis, dacht hij. Dat betekende de beschaafde wereld: computers, telefoons en stromend water. Misschien zelfs een frisdrankautomaat ergens in een schaftlokaal. Er gleed een glimlach over zijn gezicht.

Toen ook de lichten van de volgende truck vlakbij kwamen en vervolgens werden uitgeschakeld, wist Joe het zeker. Hij hoefde alleen maar te wachten tot alle trucks geparkeerd waren en afgesloten voor de nacht en dan kon hij waarschijnlijk ongezien wegsluipen.

De geur van dieseldampen werd steeds sterker door het gemanoeuvreer van de andere trucks die klaarblijkelijk heel dicht bij elkaar geparkeerd moesten worden. Eindelijk stopte ook de laatste motor. Hij hoorde een hoop gepraat.

'Kom op,' fluisterde hij, 'allemaal de deur uit. Het moet zo langzamerhand toch tijd zijn voor een pilsje.'

Er klonken nog wat stemmen, maar allengs kwamen ze van verder weg. Het geluid van zware deuren die werden dichtgeschoven, gevolgd door een stilte waaruit Joe kon opmaken dat hij waarschijnlijk alleen was.

Joe besloot het zekere voor het onzekere te nemen en wachtte nog wat langer in de stilte. Na een paar minuten besloot hij dat het zo langzamerhand wel veilig moest zijn. Als er wachten waren opgesteld, dan stonden die ergens waar ze mensen konden beletten het pakhuis binnen te gaan, maar niet om eruit te komen.

In het donker zocht Joe zich een weg langs de andere vaten naar de achterkant van de truck.

Kurt had echt met me mee moeten gaan, dacht Joe. Nog even en dan zou hij uit de problemen zijn en kon hij NUMA bellen. Die zouden vervolgens een beschrijving van de Be-200's aan defensie doorgeven, waarna een snelle *satelite sweep* de toestellen als ze eenmaal in de lucht zaten, zou kunnen identificeren en Special Forces in actie kon komen. Leilani Tanner zou heel wat meer kans hebben om door hen te worden gered dan alleen door Kurt en het 9mm pistool dat hij van die dode soldaat had afgepakt.

Bovendien zou Joe op die manier verantwoordelijk zijn voor de redding van zowel Leilani als Kurt. Hij was blij dat hij die kans kreeg en hij verheugde zich op de grote voldoening die het hem zou geven als Kurt de rekening bij Citronelle moest betalen en erkennen dat Joe hem had gered.

Hij kwam bij de achterklep van de truck, tilde het dekzeil een heel klein beetje op en gluurde eronderdoor. Het was pikkedonker in het pakhuis. Het enige wat hij kon onderscheiden was de neus van de andere truck die vrijwel tegen de achterbumper van de zijne stond.

Keurig geparkeerd, vond hij.

Weer luisterde hij naar tekenen die op mogelijke problemen zouden wijzen. Hij hoorde iets. Het klonk als een dof gerommel, ergens ver weg. Bijna alsof er buiten de muren nog een truck stond, of als het geluid van een diesellocomotief in de verte. Treinen betekende rails en rails gingen ergens naartoe. Zijn enthousiasme groeide met de minuut.

Hij maakte de achterflap van het dekzeil los, sloeg zijn benen over de rand en liet zich naar beneden glijden. Toen hij zich omdraaide om zijn lichaam in de nauwe ruimte tussen de twee trucks te wringen, kreeg hij een vreemd gevoel, alsof hij duizelig werd. Misschien had hij te lang gezeten. Misschien was het gebrek aan water van invloed op zijn evenwicht.

Hij legde zijn hand op de motorkap van de tweede truck, wachtte even tot hij zijn evenwicht hervonden had en liet toen weer los. Hij wrong zich opzij, naar de ruimte tussen de twee rijen voertuigen. Ze stonden zo dicht naast elkaar dat ze de buitenspiegels hadden moeten inklappen om te voorkomen dat ze afbraken.

Er was maar net genoeg ruimte om tussen de trucks door te lopen en Joe ging in de richting van het eind van de rij, waar hij vermoedde dat de deur was waardoor ze binnen waren gekomen.

Opnieuw werd hij door een duizeling bevangen en hij voelde zijn knieën bijna knikken. Hij begon te vrezen dat er toch een stuk of wat microbots kans hadden gezien uit de vaten te ontsnappen en in zijn oren waren gekropen. Dat was het probleem met dingen die je met het blote oog niet kon zien: je wist nooit waar ze waren.

'Een wattenstaafje,' mompelde hij, terwijl hij over zijn oren wreef, 'mijn koninkrijk voor een wattenstaafje.'

Hij hervond zijn evenwicht en deed weer een stap. Deze keer kwam het gevoel nog sneller op en was ook sterker, maar op een bepaalde manier ook vloeiender. Joe voelde het in zijn benen en in zijn nek alsof hij heen en weer werd geduwd. Hij hoorde ergens iets kraken.

Hij bleef zo stil staan als maar mogelijk was. Desondanks kwam het gevoel terug. Het was geen verbeelding. Het waren geen duizelingen. Het waren ook de bots niet die zijn evenwichtsorgaan hadden aangetast. Het gevoel was echt en ook buitengewoon bekend.

Zijn hart begon te bonken. Hij ging snel verder, sloop tussen de trucks door, zijn voeten schuifelend over de ijzeren vloer. Toen hij de stalen deur aan het eind van de rij trucks bereikte, voelde hij de vloer onder zich bewegen in een langzaam, telkens herhaald patroon, soepel en regelmatig, op en neer.

Het geluid van een misthoorn ergens ver boven hem bevestigde wat Joe al wist. Hij was helemaal niet in een pakhuis, maar op een schip. Het vreemde gevoel onder zijn voeten kwam van het dek dat onder hem bewoog, het dek van, naar hij aannam, een vrachtschip dat uitvoer, schuin op de deining.

Het dek rees en daalde niet alleen, het slingerde ook heen en weer.

De bewegingen waren niet heftig, net genoeg om hem in het donker uit zijn evenwicht te brengen, maar onmiskenbaar.

Joe vond de kruk van de achterdeur. Die was stevig vergrendeld.

Hij herinnerde zich wat hij tegen Kurt had gezegd. 'Er zijn maar zoveel wegen en zoveel plaatsen waar een truck hiervandaan naartoe kan gaan.'

Ja, dacht hij. Tenzij je die truck op een schip zet. Dan kan hij zo ongeveer overal naartoe gaan.

33

Kurt had zich opgesloten in het toilet. Hij was aan boord geslopen van het vliegtuig met de meeste lading en het minste aantal mannen van Jinn eromheen en had zich verborgen in de kleine ruimte helemaal voor in het laadruim. Na eerst handenvol water te hebben gedronken uit het kleine kraantje, was hij op het deksel van het toilet gaan staan zodat niemand zijn voeten kon zien.

Met het gordijn dicht wachtte en luisterde hij. Er werden kratten en pallets met allerlei gereedschappen en andere spullen geladen en vastgesjord. Er viel iets zwaars en iemand vloekte en toen hoorde hij de stemmen van de piloten die via een korte ladder aan boord kwamen en de cockpit binnengingen.

Weer even later hoorde hij het geluid van ruwe stemmen die iemand bevelen gaven, gevolgd door de stem van een vrouw in Amerikaans--Engels: 'Oké, oké, je hoeft me niet te duwen.'

Kurt wist vrijwel zeker dat het de vrouw was die hij in de gang had gezien en van wie hij geloofde dat het Kimo's zuster was. Hij had in elk geval het juiste vliegtuig uitgezocht.

Een paar minuten later kwam het vliegtuig tot leven. Terwijl Kurt zich vastklampte en zijn uiterste best moest doen om niet te vallen, taxiede de Russische kruising tussen een vliegboot en een transportvliegtuig naar de startbaan, voerde de motoren op tot volle kracht en reed met steeds toenemende snelheid over de verrassend ruwe bodem van het drooggevallen meer. Er leek geen einde te komen aan de start en Kurt was blij toen het toestel zich uiteindelijk de lucht in klauwde.

Afgaande op de trage klim en de lengte van de start, moesten ze helemaal afgeladen zijn en vol met brandstof zitten. Dat wees op een lange vlucht.

In zekere zin werkte dat in zijn voordeel. Vroeg of laat zou er iemand naar het toilet moeten. Als het Leilani was, zou hij een kans krijgen om met haar te praten. Als het een van de piloten was, zou hij de man het pistool tegen zijn hoofd zetten en het vliegtuig overnemen. Als het een van Leilani's bewakers was, zou het tevens het laatste zijn wat de man ooit zou doen.

Het bleek een van Jinns mannen te zijn die als eerste nodig moest. Ze zaten ongeveer twee uur in de lucht toen Kurt de man van achter uit het toestel naar voren hoorde klossen. Hij stak het pistool weg, trok het mes en drukte zich in de kleine ruimte zo dicht mogelijk tegen de zijkant.

De man trok het gordijn open, maar stapte niet meteen naar binnen.

Kurt had het mes gereed en was klaar om toe te slaan, maar de man keek achterom en riep een of andere grap naar zijn kameraad en moest om zichzelf lachen.

Toen draaide hij zich om en stapte naar binnen. Kurt greep hem vast, sloeg een hand voor zijn mond en stak hem het mes net onder zijn nek in de rug.

Met zijn ruggengraat doorgesneden, werd de man onmiddellijk slap. Kurt hield hem overeind en draaide hem om, zijn hand nog steeds voor de mond van de man tot hij geen adem meer voelde. Heel zachtjes zette hij hem op het deksel van het toilet en keek in zijn ogen. Het licht was eruit verdwenen.

Hij trok het mes eruit. Geen reactie.

Kurt hield niet van doden, maar in dit geval was er geen ruimte voor genade. Eén partij zou maar levend uit dit vliegtuig komen: Jinns mannen, of hij en Leilani.

Toen hij zag dat het dezelfde vent was die de truck had bestuurd waarmee Joe en hij door de woestijn waren gesleurd, voelde hij minder wroeging. De volgende stap van het plan was iets gecompliceerder. Om te beginnen zat alles onder het bloed. Kurt gebruikte de hoofddoek van de man om het weg te vegen, zette hem met zijn rug tegen het schot en zorgde dat hij klemvast zat.

Hij schatte dat de man ruwweg net zo groot was als hijzelf en ook ongeveer dezelfde bouw had. Ook droegen ze hetzelfde uniform, maar er was één opvallend verschil: de man had dun zwart haar, terwijl

Kurts haar dik en staalgrijs was. Hij had geen andere keus dan zijn haar nat te maken en plat op zijn hoofd te drukken. Het was donker en koud en verschrikkelijk lawaaiig in het vliegtuig. En wie zou er bovendien op dertigduizend voet hoogte problemen verwachten?

Hij nam aan dat de andere kerel zijn vriend naar het toilet had zien lopen. Hij zou wel heel goed moeten kijken om een paar minuten later iemand anders dan zijn vriend terug te zien komen.

Kurt schoof het gordijn opzij en bereidde zich voor op zijn openingszet, het mes verborgen in zijn hand voor het geval dat. Hij kwam het toilet uit en liep zelfverzekerd naar achteren, naar Leilani en de overgebleven bewaker. Het ging gemakkelijker dan hij had verwacht. Het laadruim stond vol materiaal. Minstens twee rubberboten van het type RIB, Rigid Inflatable Boats, die hij eerder had gezien en, veel dreigender, rekken met wat op het eerste gezicht vanaf de schouder lanceerbare luchtdoelraketten waren.

Het toestel was zelfs zo volgeladen, dat er maar heel weinig ruimte voor de passagiers was overgebleven. Leilani en de bewaker zaten tegenover elkaar op uitklapbare stoeltjes tegen de wand van het vliegtuig.

De bewaker gunde hem niet meer dan een heel vluchtige blik. Toen leunde hij weer met zijn hoofd tegen de wand en sloot zijn ogen. Zelfs Leilani had haar ogen dicht.

Het was tenslotte ook midden in de nacht en hoewel het laadruim onder druk stond, was de lucht ijl en droog, waarschijnlijk afgesteld op een hoogte van ongeveer negenduizend voet. Van dat soort lucht werden mensen vaak doezelig, zelfs al was het onmogelijk om onder die omstandigheden ook echt te slapen.

Kurt ging krap een halve meter naast de bewaker zitten, recht tegenover Leilani. Hij verwisselde het mes voor het pistool en stak zijn voet uit om haar voorzichtig aan te stoten.

Ze deed haar ogen open en zag hem zitten, met een vinger tegen zijn lippen.

Het enige wat Kurt zich herinnerde van wat Kimo over zijn zuster had verteld, was dat ze met dove kinderen werkte. Kurt kende Amerikaanse Gebarentaal. Dat was althans vroeger zo geweest. Met grote moeite vormde hij de woorden *Ik... ben... een... vriend.*

Ze leek niet te begrijpen wat ze hiervan moest denken, maar in haar ogen was hoop te lezen. Voor het geval hij een enorm zootje van de zin

had gemaakt, gebaarde hij iets dat ze ongetwijfeld zou begrijpen: N...
U... M... A...

Haar ogen werden groot en weer legde hij zijn vinger tegen zijn lippen.
Hij knikte naar de bewaker, haalde het pistool uit zijn zak en spande
het. Bij dat geluid opende de man zijn ogen.

'Geen beweging,' zei Kurt. Hij hield het pistool in zijn rechterhand
en greep met de linker het pistool van de man. Die verroerde geen vin.

Kurt wees naar de achterkant van het vliegtuig. Toen de bewaker die
kant op keek, gaf Kurt hem een klap met het pistool tegen zijn slaap.
De man ging neer als een zak aardappelen, maar bewusteloos was hij
niet. Een tweede klap loste dat op.

Tegen de tijd dat hij weer wakker werd, lag hij gekneveld en met een
prop in zijn mond vastgebonden aan de bodemplanken van een van de
boten helemaal achter in het vliegtuig.

Toen Kurt met hem klaar was, deed Leilani eindelijk haar mond
open. 'Wie bent u?' vroeg ze.

Kurt glimlachte. 'Je moest eens weten hoe blij ik ben dat je dat niet
weet.'

Ze had natuurlijk geen flauw idee waar hij het over had, maar Kurt
nam zich op dat moment voor om altijd wantrouwig te zijn tegenover
iedereen die wist wie hij was voordat hij zich had voorgesteld.

'Ik ben Kurt Austin,' zei hij. 'Ik kende je broer. Ik ben in dienst van
NUMA. We hebben geprobeerd erachter te komen wat er met hem gebeurd is.'

'Hebben jullie hem gevonden?'

Kurt schudde zijn hoofd. 'Nee,' zei hij. 'Het spijt me.'

Ze onderdrukte een golf van emotie en haalde een keer diep adem.
'Dat had ik ook niet verwacht,' zei ze zacht. 'Ik kan gewoon voelen dat
hij er niet meer is.'

'Maar die zoektocht heeft ons bij Jinn gebracht en bij toeval naar
jou,' zei hij.

Ze wierp een nerveuze blik in de richting van de cockpitdeur.

'Maak je geen zorgen,' zei Kurt. 'Die komen hier voorlopig niet en
als ze dat wel doen, zien ze alleen jou maar en een van je bewakers.'

Dat leek ze te accepteren.

'Wanneer hebben die kerels je gepakt?' vroeg hij.

'In Malé. Direct nadat ik in mijn hotel was aangekomen,' zei ze.

Ze leek opnieuw bang te worden toen ze eraan terugdacht, maar ze vermande zich. 'Ik heb een van die kerels tegen zijn tanden geschopt,' zei ze trots. 'Die eet nog weken soep. Maar de anderen smeten me op de grond.'

Ze was opvliegend, maar toch heel anders dan Zarrina haar had uitgebeeld. Ze was minder lichtzinnig, meer zoals iemand van vijfentwintig jaar behoorde te zijn. Kurt wilde dat hij haar eerder had ontmoet.

'Toen ik weer bijkwam, was ik in de woestijn,' vervolgde ze. 'Ik kon niet ontsnappen. Ik wist niet eens waar ik was. Ze ondervroegen me en kregen alles uit me los, wachtwoorden, telefoonnummers, bankrekeningen. Ze namen me mijn paspoort en rijbewijs af.'

Dat alles verklaarde hoe Zarrina zoveel had geweten en waarom de Amerikaanse ambassade tegenover NUMA had bevestigd dat Leilani Tanner in Malé was.

'Dat hoef je jezelf echt niet kwalijk te nemen,' zei hij. 'Je bent geen getrainde agent van wie verwacht mag worden dat hij een ondervraging zou kunnen doorstaan. Je moet overigens toch iets goed hebben gedaan, want je leeft nog.'

Haar gezicht vertrok in een grimas. 'Ik geloof dat Jinn me ongeveer net zo ziet als een paard dat getemd moet worden,' zei ze. 'Hij zit telkens aan me en dan vertelt hij me hoe fijn ik het zal vinden om samen met hem te zijn.'

'Hij zal er nooit achterkomen hoe hij zich daarin vergist heeft,' zei Kurt. 'Ik haal je hier uit.'

'Uit dit vliegtuig?'

'Dat nou ook weer niet precies,' zei hij en veranderde toen het onderwerp. 'Enig idee waar we naar op weg zijn?'

'Ik had eigenlijk verwacht dat jij dat zou weten,' zei ze. 'Ik ben de gevangene, weet je nog?'

'En ik ben een verstekeling. We zijn een mooi koppel.'

Kurt ging naar een van de kleine ronde raampjes. Buiten was het nog steeds donker, maar toen hij omlaag keek, zag hij een egaal grijs oppervlak dat een beetje schitterde.

'We vliegen boven water,' zei hij. 'De maan is opgekomen.'

Hij keek op zijn pols om te zien hoe laat het was. Nooit, maar dan ook nooit meer zou hij zijn horloge als onderpand afstaan. Misschien een nier, of de eigendomsakte van zijn botenhuis, maar niet zijn horloge. In elk geval niet zonder dat hij ergens een ander vandaan had gehaald.

'Je weet zeker niet toevallig hoe laat het is?'

Ze schudde haar hoofd.

Joe en hij waren zo rond acht uur die avond aangekomen bij de plek waar de vliegtuigen en de trucks werden geladen. Dat laden had ongeveer drie uur in beslag genomen. Daarna was het vliegtuig nog een paar uur blijven staan, dus ze moesten rond één uur die nacht gestart zijn.

Hij liep naar een raampje aan stuurboordzijde om te kijken of hij daar soms iets kon zien. Daar was het uitzicht hetzelfde: alleen maar water.

Het was mogelijk dat ze boven de Middellandse Zee vlogen, in een paar uur zouden ze over Saudi-Arabië gevlogen kunnen hebben, maar alles wat er gebeurd was in aanmerking genomen, dacht Kurt eerder dat ze naar het zuiden vlogen, over de Indische Oceaan, met een lading microbots in de tanks onder zijn voeten. Tweeënhalf uur vliegen vanuit Jemen betekende dat ze zich nu ergens midden boven diezelfde Indische Oceaan bevonden.

Hij vroeg zich af waar ze naartoe gingen. Hij vroeg zich af of Jinn soms een geheime basis had, ergens op een onbewoond eiland. Weer keek hij uit het raampje en probeerde nu zo ver mogelijk naar voren te kijken, maar alles wat hij zag, was alleen maar meer water.

Leilani zag hem heen en weer lopen. 'Wat gaan we doen?' vroeg ze. 'Parachutes zoeken? Daar heb ik ze over horen praten.'

Kurt had de parachutes die ze bedoelde al gezien. 'Die zijn niet voor mensen,' zei hij. 'Die zitten aan de boten zodat ze laag kunnen vliegen en ze eruit gooien zonder te hoeven te landen. Dat noemen ze LAPES, het Low Altitude Parachute Extraction System.'

Ze keek hem niet-begrijpend aan.

'Heb je wel eens een dragrace gezien?'

Ze knikte.

Hij wees naar de nylon pakketten die naast elke boot lagen. 'Dat zijn remparachutes,' zei hij. 'Die gaan aan de achterkant van de boot open, net als de parachutes die worden gebruikt om de auto's bij een dragrace af te remmen, of de spaceshuttle bij een landing. Die zijn niet bepaald geschikt om mee te springen.'

'Ik begrijp het,' zei ze. 'Heb je een ander plan?'

Hij lachte. 'Je klinkt net als iemand anders die ik ken. Een goede vriend van me.'

'Is hij ook aan boord?' vroeg ze hoopvol.

'Nee,' zei Kurt. 'Die zit inmiddels waarschijnlijk in de eersteklas lounge op Doha. Die bekijkt het menu van Citronelle en krijgt met de minuut meer honger.'

Ze hield haar hoofd een beetje scheef zoals een kind of hond dat kon doen. 'Het kan aan mij liggen,' zei ze, 'maar ik snap er geen bal van.'

'Laat ik duidelijker zijn,' zei hij. 'We springen niet uit het vliegtuig, we nemen het over. We dringen de cockpit binnen, zeggen tegen de piloten dat ze ons naar een veilige plek moeten brengen en zodra we daar geland zijn, reserveren we een tafel onder de naam Zavala bij een restaurant dat Citronelle heet.'

'Kun jij dit toestel vliegen?'

'Niet echt.'

'Dus we dwingen ze om te vliegen,' zei ze met een glimlach. 'Alsof we kapers zijn.'

'Precies.'

Ze keek naar voren. 'Ik heb geen gepantserde deur of zoiets gezien,' zei ze. 'Alleen maar een trapje. Het is vast niet moeilijk om daar binnen te komen.'

'De problemen beginnen aan de andere kant van de deur,' zei Kurt. 'We vliegen hoog. Het vliegtuig heeft een drukcabine en die cockpit is een en al glas. Als er een worsteling ontstaat en er valt een schot, kan die druk in een keer wegvallen.'

'Wat gebeurt er dan?'

'Een gecontroleerde explosie naar buiten.' zei Kurt. 'Waar het in het kort op neerkomt, is een reusachtig zuigend geluid, waarna wij door de kapotte ramen naar buiten vliegen om vervolgens een vrije val van ongeveer tien minuten naar de oceaan te maken. Dat zal best een aangename ervaring blijken te zijn vergeleken bij het neerkomen in diezelfde oceaan.'

'Dat lijkt me niks,' zei ze.

'Mij ook niet,' antwoordde hij. 'Als we het vliegtuig willen overnemen, moeten we ons wapenarsenaal upgraden.'

Met Leilani op zijn hielen liep hij naar de lading pallets in de hoop iets te vinden wat dodelijker zou zijn.

Terwijl hij in de eerste pallet begon te spitten, veranderde het geluid van de motoren. Het werd twee octaven lager en direct daarna kreeg hij dat vreemde, enigszins gewichtloze gevoel wanneer een vliegtuig zijn kruishoogte verlaat en aan de daling begint. Het was veel sterker dan het gevoel dat je in het gemiddelde lijnvliegtuig krijgt.

'We dalen,' zei Leilani.

'Ik denk dat we er bijna zijn,' zei Kurt. 'We kunnen maar beter voortmaken.'

34

Het drijvende eiland Aqua-Terra stond onder nieuw management. Zarrina was degene die op de brug de orders gaf en zelfs Otero en Matson ontkwamen niet aan de druk.

Vele dekken lager drentelde Paul heen en weer in Marchetti's vijf-sterrenbajes en bekeek zijn nieuwe omgeving. Die was voorzien van plafondhoge ramen, zachte, indirecte verlichting en comfortabele matrassen. Er was zelfs een massagestoel en een sapdispenser.

'Een sápdispenser,' zei Paul ongelovig.

'Goed idee,' zei Marchetti vanuit de massagestoel. 'Geef mij maar een glaasje guave-ananas, als je toch bezig bent.'

Paul keek even naar hun gastheer. Die kromde zijn rug als een kat die langs de meubels strijkt terwijl shiatsurollers langs zijn ruggengraat op en neer gingen.

'Dat is lekker, zeg,' mompelde hij. 'Ja, daar.'

Enerzijds kwam het Paul voor als het toppunt van absurditeit, maar anderzijds kon hij bijna niet wachten tot Marchetti klaar was zodat hij zelf in die stoel kon gaan zitten. Door dat blussen zat zijn rug behoorlijk in de knoop.

Hij tapte drie bekertjes guave-ananassap en liep ermee naar de andere kant van de kamer. Hij zette ze tussen Marchetti, die nog steeds vreemde geluiden van genot maakte, en Gamay die keek als het plaatsvervangend schoolhoofd die iedereen wilde laten nablijven.

Paul bood haar een bekertje sap aan, maar ze schudde vol afkeer haar hoofd. 'Als jullie genoeg genoten hebben van je dagje kuuroord, zouden we dan misschien kunnen proberen een manier te bedenken om te ontsnappen?'

'Ik heb de ramen al geprobeerd,' zei Paul.

'O, daar kom je nooit doorheen.' zei Marchetti. 'Die zijn ontworpen om windkracht 12 te kunnen weerstaan.'

'En de deuren?'

'Daarvoor moet je aan de buitenkant een code intikken,' zei hij, terwijl hij ging verzitten in de massagestoel. 'Van hieruit kun je onmogelijk bij het bedieningspaneel komen. Zoals je ziet zit er aan deze kant niet eens een deurkruk.'

'Dat was me al opgevallen,' zei Gamay.

Marchetti drukte zich nog wat dieper in de stoel en de rollers begonnen te trillen waardoor hij begon te schudden en zijn stem vreemd hortend klonk, alsof iemand zich al pratend op de borst sloeg. 'Ik... denk... dat... we... ons... ge... woon... rustig... moeten... houden...' zei hij. 'Onze... krachten... sparen...'

Paul zag de woede in Gamays ogen opkomen en maakte dat hij uit de buurt kwam toen ze op Marchetti en zijn stoel af stoof. Ze greep de stekker en rukte hem uit het stopcontact. De massage eindigde abrupt.

Marchetti keek verbijsterd. Paul nam aan dat hij zijn eigen massagesessie nu wel kon vergeten.

'Je kunt dit toch maar beter serieus opnemen,' bitste ze. 'Die lui spelen echt geen spelletjes. Dat loeder Zarrina heeft een van je bemanningsleden vermoord en wie weet wie er nog meer. Als wij niet zorgen dat we hier uit komen, worden wij ook vermoord voordat dit allemaal afgelopen is.'

Marchetti keek even naar Paul om hulp, maar toen hij die niet kreeg keek hij Gamay weer aan.

'Sorry,' zei hij toen. 'Ik ontken bij voorkeur de problemen. Als je een miljard dollar bezit, hebben problemen de neiging vanzelf te verdwijnen als je ze lang genoeg negeert.'

'Dit verdwijnt niet vanzelf,' zei Gamay.

Marchetti knikte.

'Heb je geen veiligheidsprotocollen?' vroeg Paul. 'Een noodprocedure of vaste tijdstippen waarop je je moet melden zodat ze je missen als je dat niet doet?'

Marchetti krabbelde eens op zijn hoofd. 'Niet echt,' zei hij, op een toon alsof hij het jammer vond dat hij ze moest teleurstellen. 'Als je al te gemakkelijk bereikbaar bent, komt er niks terecht van het teruggetrokken miljardairsimage dat ik geprobeerd heb te creëren.'

'Maar hoe run je je zaken dan?' vroeg Paul.

'Die runnen zichzelf min of meer.'

'En als je een opdracht moet geven?' zei Gamay. 'Wat als een van je bedrijven een grote aankoop moet doen of een overeenkomst moet sluiten of een fusie aan wil gaan waar alleen jij toestemming voor kan geven?'

'Dat liet ik aan Matson over.'

Dat was werkelijk een probleem, dacht Paul. 'Dus,' zei hij, samenvattend, 'zolang Matson nu maar contact houdt met de buitenwereld, zal niemand ooit in de gaten krijgen dat jij er niet meer bent.'

Marchetti knikte. 'Ik vrees dat het daar wel op neerkomt.'

Gamay keek net zo terneergeslagen als Paul zich voelde. 'In elk geval tot ze met een mooi verhaal komen dat jij tijdens een expeditie of een of andere stunt verdwenen bent.'

'Ja,' zei Marchetti. 'Ik begin te beseffen dat het kluizenaarsbestaan ook nadelen heeft.'

'Verschillende,' zei Gamay. 'Er gingen geruchten dat Howard Hughes jaren voor zijn officiële datum van overlijden al dood was. Dat was waarschijnlijk niet waar, maar het punt is dat hij zo geïsoleerd was geraakt dat niemand het met zekerheid kon zeggen. Jij zit in hetzelfde schuitje. En als je nu durft te zeggen dat het geen schuitje is, maar een eiland, geef ik je een draai om je oren.'

'Schuitje,' zei hij gedwee. 'En aangenomen dat we dit overleven, beloof ik dat ik van nu af aan veel opener zal zijn.'

Dat is prachtig, dacht Paul, maar daar hebben we nu niets aan. 'Wat denk je dat ze met de rest van de bemanning hebben gedaan?'

'Een aantal van hen leek aan Zarrina's kant te staan,' zei Gamay.

'De anderen zullen waarschijnlijk opgesloten zijn, net als wij,' zei Marchetti. 'Er zijn hier beneden vijf cellen.'

'Ze houden ons apart,' zei Paul. 'Om te voorkomen dat we iets ondernemen.'

'Hoe zit het met jullie mensen?' vroeg Marchetti. 'In Washington, bedoel ik. Die verwachten dat jullie je regelmatig melden. Die zullen jullie toch zeker missen.'

Paul wisselde een blik van verstandhouding met zijn vrouw. Na al die jaren samen, waren hun gedachten op de een of andere manier samengesmolten. 'Niet vlug genoeg.'

'Hoe bedoel je dat?'

'We sturen ze elke vierentwintig uur gegevens,' legde Paul uit. 'Alleen zal het voor Zarrina en Otero niet echt moeilijk zijn om die te faken. Ze weet wat we tot nu toe verzonden hebben en wat we zoeken. Ik vermoed dat het wel even kan duren voordat iemand achterdocht krijgt.'

'Misschien belt Dirk ons,' zei Gamay hoopvol. 'Een videogesprek kunnen ze niet faken.'

'Nee,' zei Paul. 'Maar ze kunnen wel met de meest verschrikkelijke gevolgen dreigen als wij zouden proberen de waarheid te vertellen. Wat we natuurlijk ondanks alle dreigementen toch zullen proberen.'

Gamay keek hem aan. 'Hoe vertellen we Dirk of wie dan ook die ons belt, dat we in moeilijkheden zitten zonder dat onze kapers dat merken?'

'We zijn gijzelaars,' zei Paul. 'Dirk heeft een paar keer in dezelfde situatie gezeten. Misschien zouden we tussen neus en lippen door een van die plaatsen kunnen noemen of de naam van een van de boeven die hem toen gevangen hielden. Dat zou hem aan het denken moeten zetten.'

'Dat is een briljant idee, meneer Trout,' zei Marchetti. 'Een geheime code.'

'De Lady Flamborough,' zei Gamay.

'De wat?'

'De Lady Flamborough,' herhaalde ze. 'Dat was een cruiseschip. Dirks vader, de senator, werd daar aan boord gegijzeld. Dat was in Antarctica. Dirk moest hem redden. Als een van ons de kans krijgt om met Dirk te praten, spelen we het spelletje mee en houden voor Zarrina en haar trawanten de schijn op. We zeggen wat ze willen dat we zeggen. Op zeker moment zal Dirk vast wel een algemene vraag stellen over hoe we het maken, of hoe het weer is of zoiets. Dan hoeven we alleen maar te glimlachen en te zeggen dat het allemaal fantastisch gaat, dat het net zoiets is als een cruise maken op de Lady Flamborough.'

'Dat is wel een tikje vaag,' zei Marchetti. 'Wat nou als hij het niet snapt?'

'Jij kent Dirk Pitt niet,' zei Paul. 'Die begrijpt dat onmiddellijk.'

'Mooi zo, dat is goed,' zei Marchetti opgetogen. 'We hebben dus een

222

plan, aangenomen dat zij meewerken en je inderdaad vragen om met hem te praten. Wat als ze dat niet doen?' Marchetti keek Paul vragend aan.

Het enige wat Paul kon doen, was hem uitdrukkingsloos aanstaren. Hij keek naar Gamay, maar die zei ook niets. Naar het scheen hadden ze geen van allen een plan B.

Gamay trok een diepe rimpel, stak toen haar hand uit en duwde de stekker weer in het stopcontact. De massage ging weer verder.

Marchetti keek haar verbaasd aan.

Gamay stak haar handen in een hulpeloos gebaar omhoog. 'Misschien denk je dan beter.'

35

Kurt was een poosje in het laadruim van het vliegtuig aan het rommelen geweest. Tot Leilani's verbazing had hij de geweren, de munitie en de raketten die hij eerder had gezien, gelaten voor wat ze waren.

'Wat doe je?' vroeg ze.

'Neem gereedschap mee van thuis, maar foerageer op de vijand,' zei Kurt.

'Nou heb ik alweer moeite om je te volgen,' zei ze.

'Sun Tzu,' legde Kurt uit. *'De kunst van het oorlogvoeren.'*

'O,' zei ze. 'Daar heb ik van gehoord.'

Uit een van de kratten haalde hij een aantal tiewraps, het soort dat werd gebruikt om de polsen van gevangenen te boeien.

Leilani keek naar de dikke plastic lussen. 'Die heb ik eerder gezien.'

'Onze vrienden zijn van plan nog meer mensen te gijzelen,' zei hij, waarbij hij zich opnieuw afvroeg waar ze eigenlijk naartoe op weg waren. Hij stopte een handvol tiewraps in zijn zak en ging naar het volgende krat.

'Wat zoeken we verder nog?'

'In de cockpit zitten waarschijnlijk twee of drie man. Twee piloten en misschien een boordwerktuigkundige. Mogelijk ligt er zelfs nog een vierde in de kooi boven in de cockpit.'

'Maar we kunnen ze niet neerschieten,' zei ze. 'Hoe kunnen we ze dan overmeesteren?'

'Dat doen we niet,' zei hij.

Ze wees. 'Kijk, dat bedoel ik nou. Dat is zo verwarrend. Ik kon je helemaal volgen en dan opeens... poef.'

Kurt kon een glimlach niet onderdrukken. Hij stak zijn vinger omhoog zoals hij zich dat herinnerde van de meester in oude afleveringen van *Kung Fu*.

'Honderd overwinningen halen in honderd slagen is niet de hoogste uitmuntendheid; het leger van de vijand onderwerpen zonder strijd is de hoogste uitmuntendheid.'

'Is dat ook weer van Sun Tzu?'

Hij knikte.

'Zou je het voor me kunnen vertalen?'

'Maak ze zo bang dat ze zich niet meer durven te verroeren, dan doen ze geen domme dingen,' zei hij. 'Maar om dat te bereiken, hebben we iets nodig wat dodelijker is dan een mes of een pistool, iets wat ze zo veel angst aanjaagt dat de piloten doen wat wij zeggen dat ze moeten doen, zonder zelfs maar aan verzet te denken.'

Hij haalde het deksel van een volgende kist en glimlachte. Op Leilani's gezicht verscheen een angstige uitdrukking.

'Eh, ik weet het niet, hoor,' zei ze.

'Geloof mij nou maar,' zei hij. 'Dit is precies wat we zoeken.'

Ze hoorden het geluid van de landingskleppen die uitgeschoven werden en het toestel begon te schudden door wat turbulentie.

'We gaan landen,' zei Leilani.

Kurt keek uit het raam. Aan de horizon begon het te gloren en de hemel veranderde van kleur. Hij zag nergens land. 'Het ligt er maar net aan wat je onder landen verstaat.'

'Hoe bedoel je?'

'Dit is een watervliegtuig,' zei hij. 'Met andere woorden: een vliegboot. Die landt op het water.'

Kurt stond in tweestrijd. Enerzijds wilde hij graag tot actie overgaan voordat ze te dicht bij kwamen bij waar ze dan ook naar op weg waren, maar anderzijds wilde hij erg graag weten waar dat was. Hij herinnerde zich dat Jinn had gezegd dat hij naar een veiliger locatie moest verhuizen. Het zou mooi zijn als Kurt wist waar dat was zodat hij het aan de bevoegde autoriteiten zou kunnen doorgeven.

Maar toen dacht hij aan de watertanks in de buik van het toestel en de lading microbots die daar volgens hem in moest zitten. Op dat moment besloot hij dat hij beter vroeger dan later in actie kon komen.

Hij ging naar het gedeelte waar ze even eerder hadden gezeten, haalde zijn mes tevoorschijn en begon het voorwerp dat hij uit de kist had gehaald te bewerken.

'Ik ga het niet eens vragen,' zei Leilani, terwijl ze haar hoofd afwendde.

Toen hij klaar was, stak hij het mes weer in zijn laars en verborg het onder zijn broekspijp. Vervolgens pakte hij een van de twee 9mm Lugers en liet het magazijn eruit vallen. Hij haalde alle patronen eruit, ook de patroon in de kamer en sloeg het magazijn terug in de kolf. Hij gaf Leilani het pistool, ontgrendeld.

'Ik hou niet van pistolen,' zei ze.

'Je moet het niet als een pistool zien.'

'Maar het ís een pistool,' hield ze vol.

Hij liep al naar voren. 'Nee, zonder kogels is het geen pistool. Het is gewoon een enorme bluf en je kunt er maar beter mee zwaaien alsof je Dirty Harry bent.' Hij zag de uitdrukking op haar jonge gezicht veranderen en herstelde zich onmiddellijk. 'Als Angelina Jolie.'

'Maar ik ga er helemaal niet mee schieten,' zei ze.

Terwijl hij naar het trapje liep dat naar de cockpit voerde, hoopte Kurt dat zijn eigen bluf voldoende zou zijn omdat hij de indruk had dat ze de bedoeling niet helemaal begreep. 'Blijf nou maar gewoon achter me en een beetje rechts van me en richt dat pistool op ze.'

'Verder nog iets?'

'Ja. Probeer er vooral gevaarlijk uit te zien.'

Kurt liep het trapje op dat zijdelings gedraaid naar de cockpit voerde.

De piloten draaiden hun hoofden met een ruk om toen ze het geluid hoorden en zagen toen Kurt. De gezagvoerder schreeuwde iets. De tweede piloot maakte aanstalten zijn gordels los te maken. En Kurt liet zien wat hij bij zich had.

Ze verstijfden en staarden naar de ananasgranaat die hij in zijn hand had. Hij trok de pen er op een overdreven manier uit en hield de veiligheidshefboom, de lepel, stevig vast.

Leilani dook naast hem op en richtte het ongeladen pistool keurig op de vliegers. '*Freeze!*' riep ze dreigend.

De twee piloten zaten al stijf in hun stoel, maar hij stelde haar bedoeling op prijs.

'Zo is dat,' zei hij. 'Laten we zeggen dat het bordje RIEMEN VAST brandt en dat je dus niet uit je stoel mag komen.'

De gezagvoerder bepaalde zijn aandacht weer tot de besturing, de copiloot keek alleen maar. 'Waar heb je het over?'

'Handen op de stuurknuppel,' beval Kurt. 'Recht voor je blijven kijken.'

'Probeer je haar mee te nemen?' vroeg de gezagvoerder. 'Probeer je haar te redden? Je bent gek om je leven te vergooien voor zo'n miezerig wijf.'

'Bek dicht, lul!' snauwde Leilani. 'Anders schiet ik je vol met lood!' Ze keek Kurt met een trotse glimlach aan. 'Hoe klonk dat?'

'We moeten nog een beetje aan je dialoog werken, maar helemaal niet slecht.'

Kurt keek naar buiten. In het oosten begon de horizon wat scherper te worden, maar de hemel was nog steeds inktblauw en het was nauwelijks te zien waar die ophield en de zee begon. Hij kon de andere twee vliegtuigen voor hen zien, maar alleen omdat ze hun navigatielichten aan hadden. De meest nabije was zo te zien een mijl van hen verwijderd en vloog misschien duizend voet lager. Het voorste vliegtuig lag drie mijl op hen voor en vloog weer duizend voet lager dan de tweede. Het hele squadron was aan een daling begonnen. Hij hoorde geen gesprekken en nam aan dat ze radiostilte in acht namen.

'Waar breng je ons naartoe?' vroeg hij.

'Niks zeggen,' beval de gezagvoerder.

Dat was dan dat, dacht Kurt. Hij kon moeilijk zeggen dat hij het vliegtuig zou opblazen als ze het hem niet vertelden. Hij keek naar de hoogtemeter en zag dat ze op dat moment door de achtduizend voet gingen. Als dat zo nog tien minuten door zou gaan, lagen ze in de plomp. Hij tuurde naar voren, maar zag nergens ook maar een stipje land.

Hij besloot dat het zo wel lang genoeg had geduurd. 'Ik doe jullie een voorstel,' zei hij. 'Als jullie graag willen blijven leven, dan doen jullie wat ik zeg.'

'En als we dat niet doen?' zei de tweede piloot.

'Dan blaas ik het vliegtuig op,' zei Kurt.

'Hij bluft,' zei de tweede piloot. 'Het is een slappe Amerikaan. Hij heeft vast het lef niet...'

Voordat de man zijn zin kon afmaken, gaf Kurt hem een klap tegen

227

zijn slaap. Zijn hoofd vloog opzij en hij stak zijn hand uit om steun te zoeken tegen de wand van de romp.

'Je denkt toch zeker niet dat ik weer in Jinns handen wil vallen?' zei Kurt.

De man drukte zijn hand tegen de zijkant van zijn hoofd en keek Kurt aan als een geslagen hond. De twee piloten wisselden een blik. Kurt rekende erop dat de twee mannen wisten dat Jinn krankzinnig was. Hij nam aan dat de lijken op de bodem van de put niet de enige werknemers waren die hij in de loop der jaren op die manier had ontslagen.

Het tweetal begon in het Arabisch te redetwisten.

Kurt gaf de tweede piloot opnieuw een opdoffer. 'Engels!'

De man keek hem woedend aan en tastte opnieuw naar de gesp van zijn stoelriemen. 'Je hebt gelijk,' zei hij. 'Jinn zal zorgen dat je hem smeekt om je te doden. Maar als we je laten gaan, is dat voor ons nog veel erger.' De stoelriem klikte los, de man draaide zich om kwam overeind, torende hoog op in de kleine cockpit. 'Blaas ons dus maar op,' zei hij. 'Breng ons allemaal naar het paradijs.'

Kurt keek omhoog en bleef de man strak aankijken, maar die gaf geen krimp, en hoewel Kurt dat ook niet deed, was dit een impasse die hij onmogelijk kon winnen.

'Vooruit dan maar,' zei Kurt.

Hij liet de lepel los en gooide de handgranaat naar de tweede piloot. Die raakte hem midden in zijn plotseling verbaasde gezicht. Hij graaide ernaar zoals iemand in de douche een nat stuk zeep probeert te vangen, maar sloeg hem opzij, naar de captain.

Met ogen zo groot als schoteltjes sprong die erachteraan, maar hij werd gestopt door een machtige rechtse uithaal van Kurt. Kurt had zijn hele lichaam achter de zwaai gegooid, draaide vanuit de heup en schouder, zette zich met zijn rechtervoet af en knalde zijn arm naar voren met elk onsje spiervezel in zijn lichaam erachter.

De man verslapte en viel achterover op de captain en de stuurknuppel die hij vastklemde, waardoor het vliegtuig in een steile duikvlucht raakte.

Heel even was Kurt gewichtloos en klapte tegen het plafond. Nadat hij weer naar beneden was gevallen, sprong hij naar voren, greep de bewusteloze copiloot bij zijn riem en trok hem naar achteren. Toen hij aan het dode gewicht van de captain trok, dook het vliegtuig wat minder steil, maar plotseling zag hij een klein pistool in de hand van de gezagvoerder.

Met een zwaai van zijn linkerarm sloeg Kurt de hand van de captain weg en het pistool ging af. De kogel trof de copiloot in zijn zij. Een tweede schot raakte de stoel.

Kurt probeerde de arm van de captain weg te duwen, maar kon niet voldoende kracht zetten. De captain rukte zich los en richtte het pistool opnieuw op Kurt.

Kurt bukte en duwde de stuurknuppel met zijn handpalm opzij. Het vliegtuig draaide scherp toen de gezagvoerder weer een schot loste. Het schot miste Kurt en raakte het instrumentenpaneel boven hen. Het gevolg was een vonkenregen. Waarschuwingslampjes gingen branden en er klonken allerlei alarmbellen. Het vliegtuig raakte in een rollende duikvlucht in de richting van de zee. Het werd moeilijk om iets anders te doen dan alleen maar vasthouden.

Kurt zag kans om de gezagvoerder nog een dreun te verkopen voordat hij door de centrifugale kracht van het draaiende vliegtuig teruggeworpen werd.

Kurt tastte naar zijn laars. Het pistool zwaaide in zijn richting en de captain richtte het wapen voor het fatale schot.

Kurt stootte zijn arm naar voren en de captain stopte midden in die beweging met Kurts mes in zijn hart. Zijn gezicht werd uitdrukkingsloos, het kleine pistool viel uit zijn hand en zijn ogen draaiden weg.

Het vliegtuig rolde verder door en Kurt greep de stuurknuppel en vocht om het toestel uit de spin te halen. Langzaam kwamen de vleugels horizontaal. Maar nu begon het *ground proximity warning system* – het systeem dat de vlieger waarschuwt als het toestel te laag of te dicht bij een obstakel komt – schril te piepen en een computerstem kwetterde '*Pull Up. Pull up. Pull up.*'

Kurt trok de stuurknuppel naar achteren, maar wel voorzichtig om de vleugels er niet af te rukken. Langzaam kwam de neus omhoog, al bleef de hoogtemeter nog steeds teruglopen. Even later zag Kurt eindelijk de horizon weer en de neus van het vliegtuig stak weer bovenuit.

Naarmate de snelheid afnam en ze weer begonnen te klimmen, gingen er ook een aantal waarschuwingslampjes uit en stopten de alarmsignalen. Toen ze tot een hoogte van duizend voet geklommen waren, stopte ook de computer met Kurt te vertellen wat hij moest doen.

Nu het toestel weer stabiel en vlakgetrokken was, keek Kurt rond in de cockpit. Hij deelde zijn stoel met de dode gezagvoerder. De copiloot lag op de vloer tussen de twee stoelen en zag er net zo dood uit. Maar er miste nog iemand.

'Leilani?' schreeuwde Kurt.

'Ik ben hier,' zei ze en ze stak haar hoofd de cockpit in.

'Wat is er met jou gebeurd?'

'Ik ben van de trap gevallen.' Ze kwam verder naar voren en Kurt zag dat ze er een tikje groggy uitzag. Ze boog voorover en raapte iets van de vloer op. Het was de handgranaat. 'Waarom zijn we niet ontploft?'

'Ik had de ontsteking eruit gehaald,' zei Kurt. 'Er zit nog wel springstof in, maar zonder ontsteking kan die niet afgaan.'

Ze zette de granaat voorzichtig in een bekerhouder.'

'Zal ik die mannen vastbinden?'

'Daar is het een beetje laat voor,' zei hij. 'Laten we deze eerst maar eens uit mijn stoel halen.'

Hij stond op en Leilani maakte de gordel van de captain los en trok hem uit de stoel terwijl Kurt de stuurknuppel vasthield.

'Jij bestuurt het vliegtuig,' zei ze alsof dat nu pas tot haar doordrong.

'Min of meer.'

'Ik dacht dat je zei dat je dat niet kon.'

'Ik had wat duidelijker moeten zijn,' zei hij. 'Ik kan het ding heen en weer en op en neer en vlugger en langzamer laten gaan. Ik kan het waarschijnlijk ook nog wel in de goeie richting sturen. Wat moeilijker zal zijn, is landen zonder een grote rokende krater in de grond te slaan of het in duizend kleine stukjes te breken als we het water raken.'

'O,' zei ze en werd opeens wat bleek om de neus.

'Maar ik ben een vlugge leerling,' zei hij, in een poging haar vertrouwen in hem wat op te krikken. 'En nu die twee dood zijn, heb ik ook niet echt veel keus.'

Kurt had wel met kleine vliegtuigen gevlogen, al was het nooit lang genoeg om een brevet of een classificatie te halen, maar hij kende de grondbeginselen. Het was in hoofdzaak een kwestie van instinct. Afgezien van snelle militaire toestellen hadden de meeste vliegtuigen de neiging zichzelf te vliegen. Ze waren ontworpen om stabiel en vergevensgezind te zijn, hoewel hij deze Russische vliegboot een beetje koplastig vond, als een schip met een ballastprobleem.

'En dat LAPES-gedoe?' zei ze. 'Kunnen we niet achter uit het vliegtuig springen?'

'Dat zouden we misschien kunnen proberen als we op de plaats van bestemming komen,' zei hij.

Hij bekeek het instrumentenpaneel, vond de bediening van de achterdeur en de laadklep en prentte de plaats waar ze zaten in zijn geheugen.

Intussen waren ze geklommen tot een hoogte van vijfduizend voet en lagen weer op de oorspronkelijke koers. Enige mijlen verderop zag hij de silhouetten van de twee andere vliegtuigen tegen de steeds lichter wordende hemel afgetekend. Die daalden nog steeds, maar door de duikvlucht en de spin waren Kurt en Leilani ruim beneden hun hoogte geraakt.

'Ze weten niet wat er gebeurd is,' zei Leilani.

'Nee,' antwoordde Kurt. 'Doordat ze radiostilte in acht nemen, geen achteruitkijkspiegels hebben en een radar die alleen maar naar voren kijkt, hebben ze niets gezien. Maar nog belangrijker is dat ze ook niet zien dat wij afzwenken en in de richting van de Seychellen gaan.'

'Wil je daarheen?'

Kurt had een navigatiescherm gevonden. Ze zaten vrijwel boven het midden van de Indische Oceaan. De Seychellen lagen vierhonderd mijl zuidwest van hun positie, ongeveer een uur vliegen.

Kurt glimlachte. 'Dat is het stukje beschaving dat het dichtst in de buurt ligt,' zei hij. 'En met beschaving bedoel ik dan een plek waar ze telefoon hebben en een Coca-Cola automaat en waar de mensen ons niet proberen te vermoorden.'

Leilani glimlachte. 'Dat klinkt goed.'

Kurt vond haar glimlach hartveroverend. Die was vriendelijk en simpel en ongecompliceerd. En op de een of andere manier kwam ongecompliceerdheid hem op dit moment absoluut perfect voor.

Hij maakte aanstalten om de Russische jet in westelijke richting te sturen, ervan uitgaande dat hij minstens honderd mijl weg zou zijn voordat iemand eindelijk de moeite zou nemen om rond te kijken. Maar nog voordat hij al te veel van de koers was geraakt, zag hij iets. Het was een zwarte stip op de zilveren zee.

Leilani had het klaarblijkelijk ook gezien. 'Denk je dat ze naar dat eiland gaan?'

'We zijn heel ver van het dichtstbijzijnde eiland verwijderd,' zei hij.

'Ja, maar het is te groot voor een schip,' antwoordde Leilani.

Kurt staarde naar de stip. Op het moment dat de waarheid met een schok tot hem doordrong, weerkaatsten de stralen van de opkomende zon op een reeks hoge, driehoekige bouwsels rondom de omtrek van het drijvende monster.

'Dat komt omdat het geen schip is,' zei hij. 'Het is een drijvende, stalen kolos die Aqua-Terra heet.'

Er ging een stoot adrenaline door Kurts vermoeide lichaam. Drie amfibievliegtuigen geladen met wapens, opblaasboten en Jinns bandieten lieten geen ruimte voor twijfel. Ze waren niet voor een rondleiding gekomen. Het was een aanvalseenheid die het eiland onder radiostilte naderde met de bedoeling om bij het aanbreken van de dag toe te slaan en het eiland over te nemen.

'Maak je gordels vast,' zei hij.

'Waarom?' vroeg Leilani. 'Wat gaan we doen?'

Kurt stak zijn hand uit en duwde de gashendels helemaal naar voren. 'We gaan onze aanwezigheid bekend maken.'

36

Kurt liet zijn ogen over het instrumentenpaneel dwalen, op zoek naar de radio. Zijn blik bleef rusten op een zendontvanger die afgestemd stond op een merkwaardige frequentie.

COM-1, dacht hij. 'Dat moet Jinns frequentie zijn,' zei hij. 'Kun je een van die headsets voor me zoeken?'

Leilani keek rond, op zoek naar de headset van een van de dode piloten. Ze vond er een en gaf die aan Kurt.

Hij sloot hem aan. Hij vond een tweede zendontvanger en zette de schakelaars zo dat hij nog steeds kon luisteren naar wat er eventueel via COM-1 binnen zou komen, terwijl hij zelf alleen via COM-2 zou zenden. Hij begon in te tunen op de frequentie die Nigel, de helikopterpiloot, had gebruikt bij hun eerste nadering van Aqua-Terra.

'Zou je me alsjeblieft kunnen vertellen waar we mee bezig zijn?' vroeg Leilani. 'Ik dacht dat we van ze weg zouden vliegen, maar we komen steeds dichterbij.'

'Een stel vrienden van me, van NUMA, zit daar aan boord. Ze hebben geprobeerd erachter te komen wat er met je broer is gebeurd. Ze moeten daar aardig in zijn geslaagd, want dat is de reden waarom ze nu op het punt staan te worden aangevallen.'

'Aangevallen?'

'Ik heb Jinns mannen aan boord van de andere vliegtuigen zien gaan,' zei hij. 'Dat zijn commando's. Ik weet vrijwel zeker dat die het eiland zo dadelijk zullen bestormen.'

'Je hebt gelijk,' zei ze. 'We moeten ze waarschuwen.'

Kurt draaide nog wat aan de knoppen tot de frequentie 122.85 in het display verscheen. 'Dat is hem.'

Hij luisterde even, hoorde niets en drukte toen de zendknop in. 'Aqua-Terra, dit is Kurt Austin. Ontvangt u mij?'

Niets.

Terwijl Kurt sprak, hield hij zijn ogen op de dalende transportvliegtuigen gericht, die in zalige onwetendheid leken te verkeren.

'Aqua-Terra, ontvangt u mij?'

'Probeer het eens op een andere frequentie.'

'Nee, dit is de goede.' Opnieuw drukte hij de zendknop in. 'Aqua-Terra, ontvangt u mij? Dit is Kurt Austin. U staat op het punt te worden aangevallen. Neem maatregelen om enterpogingen af te slaan.'

Hij liet de knop los.

'Waarom antwoorden ze niet?' vroeg ze.

Kurt kon een aantal redenen bedenken, waarvan de meest griezelige was dat het te maken had met de bedriegster die ze in hun midden hadden. Zij zou de radio onklaar gemaakt kunnen hebben of mogelijk nog erger onheil kunnen hebben aangericht.

De twee vliegtuigen waren inmiddels tot minder dan tweeduizend voet gedaald. Nog even en dan zouden ze op het water landen en waarschijnlijk de speedboten met behulp van de LAPES-parachutes lanceren. Afgaande op de afmetingen van het laadruim, schatte hij dat elk vliegtuig plaats bood aan ongeveer zeventig commando's zonder volle uitrusting en ook nog eens een stel speedboten. Dertig zou wel het maximum zijn. Maar dat betekende toch altijd nog zestig commando's tegen Marchetti's bemanning van twintig koppen, plus Paul en Gamay. Nu de robots gedeactiveerd waren, hadden ze geen schijn van kans.

Er volgde nog steeds geen antwoord op de radio en Kurt besefte dat verdere waarschuwingen zinloos waren en dat het moment van handelen aangebroken was.

Zarrina stond met Otero en Matson in de communicatieruimte van Aqua-Terra en hoorden hoe Kurt Austin zijn vrienden voor de komende aanval trachtte te waarschuwen.

Otero zag bleek. 'Ik dacht dat Jinn zei dat Austin en Zavala dood waren?'

'Hij was klaarblijkelijk een beetje voorbarig met zijn uitspraak,' zei Zarrina.

'Waarvandaan zendt hij?'

'Dat kan overal vandaan zijn.' Ze keek uit het raam. Ze zag geen schepen aan de horizon, maar wel zag ze de drie vliegtuigen naderen. Een ervan vloog niet in formatie. Dat bevestigde haar grootste angst. 'Hij heeft een van de vliegtuigen gekaapt,' zei ze. 'We moeten Jinn waarschuwen. En we hebben een pressiemiddel nodig. Haal de vrouw hierheen. Nu!'

Kurt duwde de gashendels helemaal naar voren en het drieëndertig meter lange toestel schoot met een verrassende kracht vooruit. Terwijl het accelereerde, begon zich in Kurts hoofd een plan te vormen. Hij zag de andere jets niet alleen steeds lager, maar ook steeds langzamer gaan, bijna tot overtreksnelheid.

Terwijl ze zo laag over het wateroppervlak vlogen om hun commando's te lossen, waren ze kwetsbaar. Het zou Kurt een kans bieden om ze in zee te drukken, ongeveer op dezelfde manier als iemand bij een stockcarrace zijn tegenstander tegen de muur dwingt.

De twee toestellen vlogen nog geen dertig meter boven het water met een tussenruimte van minder dan duizend meter en Kurt en Leilani kwamen snel naderbij. Plotseling hoorde Kurt over com-1 een hoop geschreeuw in het Arabisch.

Beide jets reageerden onmiddellijk. Hun hellingshoek veranderde van neus naar beneden in neus omhoog en de vertekening in de stroom hete lucht die hun motoren achterlieten, versterkte razendsnel.

'Verdomme,' zei Kurt. 'Daar gaat ons verrassingselement.'

De jets begonnen meer snelheid te krijgen, maar Kurt scheurde razendsnel op ze af, met een snelheid die minsten honderd knopen hoger lag. Hij koos het toestel links van hem en stuurde er recht op af, de neus van zijn toestel naar beneden gericht.

Kurts vliegtuig viel aan als een havik die op zijn prooi af duikt. Het andere toestel was bezig moeizaam te klimmen en snelheid te maken als een dikke, trage duif.

Hij werd steeds groter en kwam steeds dichterbij tot hij het hele raam vulde om dan plotseling uit Kurts gezichtsveld te verdwijnen toen het onder hen door flitste.

Jinn zat in het voorste vliegtuig in de stoel van de boordwerktuigkundige en schreeuwde instructies naar de piloot. De gashendels stonden op volle kracht en het vliegtuig zwoegde om hoogte te winnen en snelheid te maken.

'Kijk uit! Hij zit recht boven je!' schreeuwde Zarrina over de radio.

Een golf van donderend geraas en turbulentie deed het toestel schudden. Er schoot een schaduw over de voorruit en de captain duwde instinctief de stick naar voren. Rook, hitte en uitlaatgassen van Kurts motoren geselden de cockpit, maar de vliegtuigen kwamen niet met elkaar in botsing.

Kurt trok in de laatste seconde iets op waardoor ze elkaar op een haar na misten. Anderzijds had de onwillekeurige reactie van de piloot en de turbulentie van het ruim vijftien ton wegende vliegtuig dat zo vlak langs hen raasde, tot gevolg dat ze naar links en naar beneden werden gedwongen, recht op de golven af.

'Trek op!' schreeuwde Jinn. 'Trek op!'

De piloot trok de vleugels recht en de stuurknuppel naar achteren. De jet scheerde over het water, raakte het heel even, ketste als een platte steen en begon weer te klimmen.

'Ze zijn opgetrokken,' zei Leilani, die door het zijraam naar achteren keek. 'Op de een of andere manier hebben ze kans gezien om toch weer op te trekken.'

Heel even overwoog Kurt om terug te gaan voor een tweede poging, maar hij was al op weg naar het tweede vliegtuig. Plan A was mislukt en nu het tweede toestel intussen al tot boven de duizend voet was geklommen en steeds meer snelheid kreeg, zou het deze keer geen effect hebben. Toch moest hij iets doen.

Kurt gebruikte de extra snelheid die hij had om sneller te klimmen dan zijn prooi. Eenmaal op grotere hoogte dan de ander gekomen, stuurde hij wat meer naar hem toe tot ze dezelfde koers voorlagen en hij hem schuin van achteren kon naderen.

Heel even had hij geen flauwe notie wat hij nu verder moest doen. Toen kreeg hij een idee dat zo briljant leek, dat hij zichzelf graag een schouderklopje had willen geven als dat mogelijk was geweest.

Hij keek de cockpit rond. Te midden van de tientallen metertjes, schakelaars en schermpjes zag hij wat hij zocht.

'Pak die hendel vast,' zei hij tegen Leilani en hij wees.

Leilani legde haar hand op een zware metalen stang die omwikkeld was met geelzwarte waarschuwingstape.

'Hou je gereed om daar aan te trekken!'

Naarmate hij zijn prooi naderde, begon het toestel te schudden. De slipstream van de andere jet gaf hem een gevoel alsof hij een waterskiër was die kruislings door het kielzog van een speedboot ging. Hij trok de stuurknuppel iets naar achteren en klom boven de turbulentie uit, maar duwde de neus tien seconden later weer naar beneden en dook op het andere toestel af alsof hij van plan was het met mitrailleurs te bestoken.

Hij raasde over de jet heen, hoger dan de eerste keer.

'Nu!'

Leilani klapte de geelzwarte hendel naar beneden.

Er klonk een enorm geruis en Kurt voelde de neus omhoog gaan en het vliegtuig bijna omhoog springen.

Aan de achterkant van het toestel was een grijze wolk verschenen die naar achteren stoof en tegen de tweede jet aan klapte. Het mocht dan misschien op een wolk lijken, het centrale deel van het gedumpte mengsel vormde nog steeds een geheel. Zesduizend liter water en microbots troffen de cockpit, sloegen de voorruit eruit en vermorzelden de piloten als een vloedgolf.

De rest van de lading stroomde over het vliegtuig en trof de stuurboordvleugel en motor. Door de klap explodeerde de tunnelschroefturbine, en compressorschoepen en andere stukken vlogen door de motorgondel naar buiten.

Het gewicht van het water trof de rechtervleugel harder dan de linker waardoor die naar omlaag en achteruit werd gedwongen, met als gevolg dat het toestel omrolde en naar zee dook. Een paar seconden later raakte de vleugel het water waarna het toestel een paar keer over de kop sloeg. De jet brak door de klap in stukken en mensen, lading en stukken metaal vlogen alle kanten op.

Kurt besefte dat hij zojuist een aanzienlijke hoeveelheid van Jinns microbots in zee had gedumpt, maar het was het enige wapen dat hij tot zijn beschikking had. Hij draaide een bocht naar rechts, zag de wrakstukken en begon onmiddellijk naar de overgebleven jet te zoeken omdat hij bang was dat hem en Leilani eenzelfde lot zou treffen.

Plotseling klonk er een stem over de radio die Kurt als die van Gamay Trout herkende.

Gamay zat in de communicatieruimte van Aqua-Terra achter de console van de radio-officier. De koude loop van een pistool werd tegen haar achterhoofd gedrukt.

'Praat met hem!' zei de rauwe stem van Zarrina gebiedend. 'Zeg hem dat hij zich moet overgeven omdat ik jullie anders allemaal vermoord. Jouw man sterft als eerste.'

Paul was gedwongen om op de grond te gaan liggen. Matson stond met zijn voet op Pauls onderrug. Hij hield een Lugerpistool op zijn nek gericht. Otero stond naast hem, ook met een pistool.

'Vooruit!'

Gamay greep de microfoon die ze voor haar neus hadden gezet. Ze drukte de zendknop in. 'Kurt, dit is Gamay. Ontvang je me?'

Het duurde even, maar toen klonk Kurts stem in haar koptelefoon.

'Gamay, jullie worden aangevallen. Zoek dekking. Laat Marchetti de robots weer activeren.'

'Zeg dat hij zich moet overgeven!' beval Zarrina.

Gamay keek uit het raam. Ze had een van de vliegtuigen zien neerstorten toen de andere twee aan het klimmen en draaien waren, waarbij de een de andere achterna leek te zitten, maar ze had geen idee wie wie was.

Zarrina duwde Gamays hoofd met de loop van het pistool naar voren. 'Ik vraag het niet nog eens.'

Gamay greep de microfoon, maar aarzelde nog steeds.

'Schiet hem dood!' zei Zarrina tegen Otero.

'Wacht!' riep Gamay. Ze drukte de zendknop in.

'Kurt, dit is Gamay,' zei ze. 'Ze hebben ons al te pakken. We zitten in het cachot. Ze gaan ons vermoorden als je niet landt en je overgeeft.'

Er volgde een stilte. Gamay keek uit het raam. Een van de vliegtuigen manoeuvreerde niet meer. Ze nam aan dat dat Kurt was. De andere jet kwam snel naderbij. Ze keek nog een seconde langer en drukte toen weer op de zendknop. 'Kijk uit!' riep ze. 'Ze zitten aan je...'

Verder kwam ze niet, want Zarrina sloeg haar uit de stoel. Ze tuimelde tegen de wand en kwam overeind, klaar om een klap uit te delen, maar kreeg een schop in haar maag die alle lucht uit haar sloeg en ze viel op de grond.

Buiten zag ze de twee vliegtuigen bijna met elkaar in botsing komen.

Ze kruisten elkaars pad, kwamen vrij van elkaar en kruisten elkaar opnieuw. Een van de twee liet een sliert zwarte rook achter.

Kurt reageerde zo snel als hij kon op Gamays waarschuwing. Hij draaide naar links en klapte bijna tegen Jinns vliegtuig aan. Hij duwde de stuurknuppel naar rechts, rolde het vliegtuig naar de andere kant en hoorde kogels in de romp slaan.

Jinns toestel volgde zijn draai. Vanuit een open deur werd er met een kaliber .50 mitrailleur op hen geschoten.

Kurt zwenkte weer naar hem toe. De twee vliegtuigen kruisten elkaar en kwamen voor de derde keer bijna met elkaar in botsing. Terwijl Kurt zich afsplitste en ervandoor probeerde te gaan, gingen er in de cockpit allerlei waarschuwingslampjes branden. Hij richtte de neus naar omlaag om snelheid te maken, hield de gashendels helemaal open en trok de landingskleppen in die nog steeds uitgeschoven waren.

Het vliegtuig vermeerderde snelheid en Kurt draaide naar het zuidwesten. Er bleven verschillende lampjes knipperen, maar er was niets wat direct rampzalig leek.

Hij maakte een schijnbeweging naar links en toen weer naar rechts, waarbij hij aan de regel dacht die hij eens van een oude jachtvlieger had gehoord: 'Degene die rechtuit vliegt, sterft.'

Na die manoeuvres een aantal keren te hebben herhaald, had hij Jinns vliegtuig nog altijd niet gezien. Hij bleef laag vliegen en met volle snelheid. Hij draaide iets meer naar het westen. Tot dat moment ging alles goed, maar nog steeds geen spoor van Jinn.

'Zie jij hem ergens?'

Leilani draaide haar hoofd en keek rond in de hoop het andere toestel op te sporen. Kurt draaide naar rechts om haar zo ruimer zicht te geven.

'Nee,' zei ze. 'Wacht even… ja. Hij zit achter ons,' zei ze opgetogen. 'Zo te zien verliest hij terrein. Hij gaat lager vliegen.'

Dat kon bijna niet kloppen. 'Weet je dat wel zeker?'

'Ja, hij blijft ver achter ons. Ik geloof dat hij gaat landen.'

Kurt kon nauwelijks geloven dat ze zoveel geluk hadden. Hij vroeg zich af waarom Jinn hem zou laten gaan.

Zarrina's stem kwam over de radio. 'Kurt Austin, je moet landen en je overgeven of ik dood je vrienden.'

De lijn bleef open en hij hoorde iemand kermen van pijn en toen gillen. 'Als je ze iets doet, ben je er geweest, Zarrina,' antwoordde hij op haar dreigement.

Kurt had geen andere keus dan ervandoor te gaan. Als hij zich overgaf, zouden ze zijn vrienden ook vermoorden. In dat geval zou er alleen geen getuige zijn die het kon melden. Maar als hij kans zag te ontsnappen, werden de zaken omgedraaid. Dat zou betekenen dat Zarrina en Jinn zich zorgen moesten maken. Dan kwam alles naar buiten en riskeerden ze vergeldingsmaatregelen. Soms konden dergelijke gedachten gevangenen beschermen die anders geen enkele kans meer zouden hebben gehad.

'Als je ze ook maar een haar krenkt, zul je nergens op de wereld een plek vinden waar ik je niet te pakken krijg.'

Boven zijn hoofd gingen steeds meer waarschuwingslampjes branden. De radio begon te storen.

'Daar verheug ik me nu al op,' antwoordde Zarrina. Er klonk een schot. Toen werd het stil en het COM-paneel werd donker. Kurt haalde de schakelaar een paar keer over, maar er gebeurde niets.

'De radio heeft de geest gegeven,' zei hij.

'Wat gaan we doen?' wilde Leilani weten.

'Naar het zuidwesten vliegen en het oorspronkelijke plan volgen.'

Hij hoopte dat hij Paul en Gamay niet opgeofferd had, maar hij had geen keus. Ze moesten proberen de Seychellen te bereiken of toch minstens een schip in de vaarroutes. Ze zouden een schip een seintje kunnen geven en dan vlak in de buurt een noodlanding maken, maar wat het ook werd, hij moest ver bij Aqua-Terra weg zien te komen.

De woede in de ogen van Jinn al-Khalif brandde fel genoeg om staal te laten smelten. De afstand tussen zijn vliegtuig en dat van Austin werd steeds groter. Austin ontsnapte en nam niet alleen een vrouw mee die Jinn voor zichzelf wilde hebben, maar bovendien en veel belangrijker, het geheim van zijn verblijfplaats, een geheim dat hij koste wat kost moest bewaren.

'Waarom zijn ze sneller dan wij?' vroeg Jinn woedend.

'Hij heeft zijn lading gedumpt,' antwoordde de piloot. 'Ze zijn zes ton lichter dan wij. Minstens dertig knopen sneller. Als u ze wilt inhalen, moeten wij onze lading ook werpen. Anders verliezen we een mijl per twee minuten.'

Jinn dacht even na. Hij had al een grote nederlaag geleden. Een vliegtuig was neergestort en een tweede in handen gevallen van een vijand die hij dood wilde hebben. Twee ladingen verloren waarbij niet te zeggen viel hoeveel procent van de microbots de klap had overleefd.

'En zelfs als we de lading dumpen,' zei de piloot, 'vliegen we alleen maar net zo snel als hij. We kunnen hem nooit inhalen.'

Jinn had een beter idee. Hij maakte zijn stoelriemen los. 'Landen,' zei hij. 'Onmiddellijk.'

37

Kurt hield de jet op een koers pal west vanaf Aqua-Terra. Hij trok de stick een klein beetje naar achteren en bracht het toestel in een flauwe klim om ook het laatste beetje snelheid er nog uit te halen. Hij was verbitterd en kwaad en kon nergens anders meer aan denken dan aan ontsnappen en de autoriteiten op de hoogte stellen van Jinns daden. Een branderig gevoel in zijn ogen onderbrak die gedachten.

'Rook,' zei Leilani.

Kurt keek om zich heen. Rook drong de cockpit binnen. Er gingen steeds meer lampjes branden. Het vliegtuig begon te schudden en de besturing werd zwaarder. Kurt worstelde er een poosje mee, maar kreeg het gevoel dat het hydraulisch systeem het begaf.

'*Stall. Stall. Stall.*' De computerstem sprak weer en gaf deze keer een waarschuwing in plaats van advies.

Kurt trok het toestel vlak en het overtrekalarm hield op, maar daarmee waren de problemen niet opgelost. Even later was het alsof elk apparaat in de cockpit ofwel waarschuwend knipperde of piepte of loeide. Kurt had geen idee wat het allemaal te betekenen had, behalve dat het niet in orde was.

'Tijd om te gaan,' zei hij.

Hij drukte de knop van de automatische piloot in en sprong overeind. In een oogwenk waren Leilani en hij de ladder af en renden door het laadruim.

'Stap in de boot!' schreeuwde Kurt, en hij wees naar de RIB helemaal achter in het laadruim. Terwijl het vliegtuig steeds meer begon te schudden, zocht hij de hendel van de achterdeur, vond deze en haalde die over. De laadklep begon te zakken, de wind huilde om hen heen en rook en kerosinedampen wervelden naar binnen.

'Draai je om!' riep hij naar Leilani. 'Voeten naar voren!'

Terwijl Leilani zich omdraaide, begon het vliegtuig te schudden alsof ze in zware turbulentie terecht waren gekomen en Kurt nam aan dat de hydrauliek het nu echt begaf en dat de automatische piloot zijn best deed om dat te compenseren.

Hij maakte de banden los waarmee de boot aan de vloer was vast-gesjord en klauterde aan boord, kwam bovenop Leilani terecht en, tot zijn verrassing, op de bewaker die hij een uur daarvoor bewusteloos had geslagen.

'Hou je vast!' schreeuwde hij. Hij sloeg zijn armen om Leilani en klemde zich vast aan een handgreep aan de hekbalk met een doods-greep waar zijn knokkels wit van werden. Met een snelle polsbeweging trok hij de remparachute open.

Eerst werd er een kleine *pilot chute* naar buiten gezogen. Die trok de andere parachutes uit hun zakken. De boot schoot achteruit en kwam toen met een ruk tot stilstand op nauwelijks tien centimeter van de rand van de laadklep.

Kurt keek op. Een derde sjorband die hij niet had gezien liep vanaf de neus van de boot naar een sjoroog in het midden van het laadruim. Hij stond zo stijf als de riem van een nijdige pitbull en vertoonde geen enkel teken dat hij op het punt van breken stond.

Op het moment dat Jinns vliegtuig het water raakte, was Jinn al in het laadruim. Hij hees een raketwerper op zijn schouder en richtte die op het stipje dat er nog van Kurts vliegtuig te zien was.

Hij activeerde het vizier. Het systeem zocht de hitte op die Kurts vluchtende toestel achterliet. Een groen lampje en hoge pieptoon gaven aan dat het doel herkend was.

'Nee!' zei de piloot waarschuwend.

Jinn haalde de trekker over. De raket sprong uit het omhulsel en schoot over het water. De stuwstof ontbrandde en een oranje vlam raasde bij hen vandaan. Jinn keek de feloranje gloed na, zag de afstand tot Aus-tins vluchtende toestel kleiner worden en telde de seconden.

Kurts vliegtuig stond in brand en was bezig uit elkaar te vallen. De weerspannige sjorband hield ze tegen. Er wachtte ze een val van zeshonderd meter, maar als hij niet snel iets deed, zouden de parachutes die hen veilig naar beneden moesten brengen aan repen worden gescheurd.

Hij kwam overeind, trok het pistool tussen zijn riem uit, zocht met zijn voet een steunpunt onder de geboeide bewaker, hield zich met zijn linkerhand vast aan een van de handgrepen op het drijflichaam en schoot met zijn rechterhand.

De kogel schoot een gat in de nylon sjorband. De band brak en de boot werd als door een reusachtige hand uit het vliegtuig gesleurd.

Heel even waren ze in het daglicht, maar ze werden daarna onmiddellijk verzwolgen door de enorme rookpluim die achter het vliegtuig hing. Toen volgde er een flits en trilde de hemel van een enorme explosie en een schokgolf. Voor hen dijde een gigantische wolk van brandende kerosine naar alle richtingen uit en vervulde de lucht met dikke, zwarte rook.

De boot, die gelukkig nog steeds aan de parachutes vast zat, dook in de rookwolk en schoot als een pijl vooruit en naar beneden.

Jinn zag hoe de raket Austins toestel trof. De eerste klap van de inslag werd gevolgd door nog twee explosies, beide nog zwaarder dan de eerste. Zwarte rookwolken verspreidden zich in alle richtingen. Brandende brokstukken vlogen door de lucht. Ze vielen als kometen in een grote boog naar beneden en trokken rookslierten langs de nog donkere westelijke hemel.

De explosie gebeurde op minstens vijf mijl afstand en het enige wat Jinn speet, was dat hij Austin niet van dichtbij kon zien branden. Hij had graag zijn huid te midden van die vuurzee willen zien blakeren en loslaten. Toch schonk ook deze aanblik hem een grote voldoening en hij was ervan overtuigd dat zelfs Kurt Austin dit niet had kunnen overleven.

Jinn kon geloven wat hij wilde, maar Kurt leefde nog. Hij had de hitte van de explosie gevoeld en begreep onmiddellijk dat het vliegtuig was ontploft, maar hij wist niets van Jinns raket. Zijn enige zorg was nu zich vast te klampen terwijl hij, Leilani en hun gevangene in een opblaasboot uit de lucht vielen.

Nadat de boot uit het laadruim was gesleurd, was ze aanvankelijk vrijwel recht vooruit gevlogen, plat op haar kiel, als een pijltje dat naar het dartbord werd gegooid. Maar de parachutes zaten aan de achterkant van het vaartuig vast en waren alleen maar bedoeld om de boot af te remmen als die op nog geen meter boven het water werd gelanceerd, niet om hem vanaf grote hoogte veilig te laten landen. Naarmate de voorwaartse snelheid afnam, begon de neus te zakken.

Toen ze in de rookwolk terechtkwamen, gingen ze onder een hoek van ongeveer vijftien graden naar beneden, met de parachutes als de *flights* van een dartpijltje erachteraan. Het leek in niets op een gewone parachutesprong, maar eerder alsof ze met een rodelslee een zwarte piste afdaalden.

De boot schudde en trilde en de hoek werd steiler. Achter hen moest een van de parachutes door een rondvliegend stuk metaal zijn geraakt want die begon in het midden te rafelen. Naar voren zag Kurt alleen maar rook en duisternis.

Plotseling kwam het wateroppervlak in zicht en direct daarop doken ze in de golven. Even ging de boot helemaal onder, maar schoot ook direct weer uit het water omhoog. Kurt werd werkelijk in de lucht gegooid, maar klemde zich als een rodeorijder aan de handgreep vast en belandde weer in de boot. Ze schoten nog een meter of veertig door voordat ze stil kwamen te liggen en de parachutes achter hen op het water neerkwamen.

Ze waren te midden van de brokstukken van het ontplofte vliegtuig terechtgekomen. Overal om hen heen was rook. Vlammen schoten over het water en vormden grote plassen van brandende kerosine, terwijl overal kleine stukjes metaal en isolatiemateriaal van het vliegtuig als confetti naar beneden dwarrelden.

Seconden lang zei Kurt noch Leilani iets. Ze zaten alleen maar in de boot en klampten zich aan de handgrepen vast. De gevangene, die onmogelijk kon weten wat er allemaal gebeurd was, staarde hen met ogen zo groot als schoteltjes aan.

Uiteindelijk liet Kurt de handgrepen los en keek om zich heen.

'Ik kan haast niet geloven dat we nog leven,' wist Leilani uit te brengen.

Kurt kon het zelf ook nauwelijks geloven. Hij had het stellige gevoel dat hun kansen ten goede begonnen te keren. 'We leven niet alleen,' zei hij, 'we zitten ook nog in een boot met een buitenboord-motor erachter.'

Hij ging erheen en controleerde de brandstofvoorraad. Hij over-woog om de parachutes los te maken, maar bedacht dat als ze een-maal iets kwijt waren, ze het niet terug konden krijgen. Daarbij nam hij het feit in aanmerking dat de open boot geen enkele schaduw bood. Hij greep de lijnen van de parachutes en haalde ze hand over hand binnen.

'Laten we deze opbergen,' zei hij tegen Leilani. 'Misschien hebben we ze later nog nodig. En kijk eens of je iets kunt vinden om al dat water uit de boot te hozen.'

Er klotste zo'n honderd liter water in de boot rond.

Terwijl Leilani de nylon parachutes opdoekte en met de lijnen bij elkaar bond om ze daarna in een ruimte voor in de boot te stoppen, maakte Kurt de buitenboordmotor gereed. Die startte bij de derde po-ging en liep al spoedig regelmatig.

Hij draaide aan de gashendel, stuurde de boot naar het westen en laveerde tussen de rook en de brandende plassen kerosine door. Ze be-reikten de andere kant van het rookveld en de frisse lucht was letterlijk een verademing.

'Waar gaan we heen?' vroeg Leilani.

'Weg van hier,' zei Kurt. Hij hoopte dat de rook en de brandende wrakstukken tussen hen en Aqua-Terra ervoor zouden zorgen dat ze een poosje onzichtbaar waren.

'Maar hiermee halen we de Seychellen niet.'

'Nee. Maar mogelijk kunnen we de scheepvaartroute bereiken en daar de aandacht van een schip trekken.'

Een kort onderzoek toonde aan dat de benzinetank halfvol zat. Zo te ruiken was de rest er tijdens de val uitgestroomd. Hoe ver ze met die halve tank zouden komen, viel met geen mogelijkheid te zeggen. Als ze eenmaal een eind op weg waren, kon hij gas minderen om brandstof te sparen, maar voorlopig hield hij hem helemaal open en de kleine boot stoof als de wind over de vlakke, grijze zee.

Ongeveer veertig minuten lang leek alles goed te gaan, tot Kurt zag dat Leilani in de opgeblazen tube kneep zoals iemand in de supermarkt in een meloen knijpt.

'Wat is er?'

Ze bleef naar het opgeblazen drijflichaam kijken. 'Volgens mij hebben we een lek,' zei ze.

'Een lek?'

Ze knikte. 'Niet dat er water binnenkomt. Lucht... We verliezen lucht.'

38

Kurt hield de boot op een westelijke koers terwijl Leilani het lek probeerde op te sporen en mogelijk een manier om het te dichten verzon.

'Zie je iets?'

'Een stuk of zes hele kleine gaatjes, niet meer dan speldenprikken,' zei ze. 'Ik voel de lucht erdoorheen komen.'

Hij wenkte haar naar achteren. 'Hou de boot even op koers.'

Ze nam het roer van hem over en Kurt ging kijken naar wat ze had gevonden. Acht kleine gaatjes waarvan sommige zo klein waren dat hij ze simpelweg dicht kon knijpen.

'Wat denk je dat er is gebeurd?' vroeg Leilani.

De gaatjes vormden een vreemd patroon van voor naar achter. 'Scherven van het vliegtuig,' gokte hij, 'of mogelijk druppeltjes branddende kerosine. Het rubber lijkt hier en daar geschroeid.'

Kurt streek met zijn handen over de luchtkamers, die in feite opgeblazen rubberen buizen waren van tweeënhalve meter lang en met een diameter van veertig centimeter. De boot had er acht in totaal, twee die aan weerszijden vanuit het midden naar voren liepen waar ze bij elkaar kwamen en de stompe neus van de boot vormden, en twee vanuit het midden recht naar achteren. De achterkant van de boot werd gevormd door een stalen hekplaat waar de buitenboordmotor op gemonteerd was.

Hij vond nog twee speldenprikken, beide in de rechtervoorkamer. Nog erger was dat hij hier en daar kleine plekjes zag die eveneens het gevolg waren van scherven of kerosine. Hij vroeg zich af hoe lang het zou duren voordat ook dit lekken werden.

'Wat denk je?' vroeg Leilani.

De gevangene leek het ook graag te willen weten. Hij had dan misschien een prop in zijn mond, maar zijn oren zaten niet dicht.

'De bakboordkant is zo te zien in orde,' zei Kurt. 'Maar daar hebben we weinig aan als de hele stuurboordkant leegloopt.'

Helemaal voorin zaten twee kleine kastjes. Hij deed ze allebei open, maar vond alleen een zwemvest, een paar noodsignalen, een klein anker en wat touw.

'Een rubberboot zonder pomp en zonder reparatiemateriaal,' mompelde hij. 'Iemand hoort binnenkort van mijn advocaat.'

'Misschien kunnen we beter omkeren,' zei Leilani. 'Teruggaan naar dat drijvende eiland en ons overgeven.'

'Alleen als je graag weer gevangene wil zijn,' zei hij.

'Nee,' zei ze, 'maar ik wil ook niet verdrinken.'

'We verdrinken niet, zelfs niet als ze allebei leeglopen.'

'Maar dan hangen we wel als een stelletje schipbreukelingen aan de andere kant,' zei ze.

'Altijd nog beter dan dat we wachten tot Jinn ons overhoop schiet,' zei hij. 'Bovendien moet ik een weddenschap winnen. Het enige wat we moeten doen, is doorgaan tot we hulp vinden.'

'En als we geen hulp vinden?'

'Die vinden we,' zei Kurt, vol zelfvertrouwen.

Hij haalde de noodseinen uit het kastje en stak die in zijn borstzak, bij de kleine kijker. Hij pakte het zwemvest en gaf dat aan Leilani.

'Trek aan,' zei hij. 'Maak je geen zorgen, het is alleen maar uit voorzorg.'

Vervolgens haalde hij het anker tevoorschijn, een vloeianker van zeven kilo dat met een grote karabijnhaak aan een ankerlijn vastzat. Hij maakte het los van de lijn en haakte het aan het koord waarmee hij de voeten van de gevangene had vastgebonden. De man keek Kurt met grote ogen van schrik aan.

'Ook alleen maar uit voorzorg,' zei Kurt tegen hem.

Uit de uitdrukking op zijn gezicht viel op te maken dat de man weinig vertrouwen in die opmerking had.

Kurt trok de prop uit zijn mond. 'Ik weet dat je ons begrijpt als we praten,' zei hij. 'Spreek je ook Engels?'

De man knikte. 'Ik spreek... een beetje.'

'Dat verhaal van dat Hollandse jongetje ken je waarschijnlijk niet?'
De man keek hem niet-begrijpend aan.

'Deze boot is zinkende,' zei Kurt. 'We verliezen lucht. Ik kan je overboord gooien om de boot lichter te maken, maar je kunt ons ook helpen.'

'Ik zal helpen,' zei de man. 'Ja, ja, ik wil helpen.'

'Dat anker zit aan je voeten om ervoor te zorgen dat je geen domme dingen doet,' zei Kurt en hij wees naar voren. 'Jij moet die twee gaten dichthouden en de lucht binnen houden.'

De man knikte. 'Dat kan ik. Zeker weten.'

Mooi zo,' zei Kurt. 'Want als je dat niet doet, ben je veel eerder op de bodem van de zee dan wij.'

Kurt maakte het touw om de polsen van de man los. 'Hoe heet je?'

'Men noemt mij Ishmael,' zei de man.

'Geweldig,' mompelde Kurt. 'Alsof we nog niet genoeg zorgen hebben. Laten we hopen dat we geen kwaaie witte walvis tegenkomen.'

Met zijn benen nog steeds aan elkaar gebonden en het anker eraan gehaakt, wrong en gleed Ishmael een halve meter naar voren tot hij in de neus van de boot zat. Hij legde zijn handen op de twee lekken die Kurt hem gewezen had.

'Drukken en blijven drukken,' zei Kurt.

Ishmael legde zijn vingers op de twee plekken en drukte. Na een paar seconden keek hij lachend om.

'Perfect.'

'En de andere lekken?' vroeg Leilani.

'Ik neem de eerste torn,' zei Kurt en hij spreidde zijn vingers alsof hij piano ging spelen. 'Hou jij ons op een westelijke koers.'

In de daaropvolgende drie uur wisselden Kurt en Leilani twee keer van plaats, maar de achterste luchtkamer liep steeds verder leeg en de boot begon naar stuurboord over te hellen terwijl de achterste hoek steeds dieper inzonk. Zo nu en dan spoelde het water over de bovenkant en maakte niet alleen degene doornat die op dat moment probeerde het lek te stoppen, maar was er tevens de oorzaak van dat ze steeds dieper kwamen te liggen.

Gelukkig was de Indische Oceaan de kalmste van de grote wereldzeeën en stond er maar weinig deining van nog geen halve meter hoog. Om zo min mogelijk water te krijgen, verminderde Kurt bovendien de vaart enigszins.

Tegen de middag hadden ze nog altijd niets gezien wat op hulp kon wijzen, zelfs geen rookpluim aan de horizon. Toen de zon zijn hoogste punt naderde, begon de motor te sputteren en had Kurt geen andere keuze dan hem af te zetten.

'Geen benzine meer,' zei Leilani.

'We hebben nog een liter of acht in de reservetank,' zei Kurt, en hij wees op een kraantje in de benzineleiding. 'Maar dat moeten we bewaren.'

'Waarvoor dat?'

'Stel dat we een schip aan de horizon zien,' zei hij. 'Dan moeten we dat proberen te onderscheppen, er voor zien te komen of toch op zijn minst langszij.'

Ze knikte. 'Ja, natuurlijk. Neem me niet kwalijk.'

Hij glimlachte. 'Het geeft niet.'

De stilte die volgde toen het eentonige gebrom van de buitenboordmotor was opgehouden, was even drukkend als onheilspellend, als een voorteken van hun uiteindelijke ondergang. Er was geen wind. Het enige geluid was het zachte geklots van het water tegen de zijkanten van de boot.

Verzonken in stilte dobberden ze op en neer, zachtjes slingerend op de lage deining, drie mensen in een zestienvoets opblaasboot op een oceaan van een miljoen vierkante mijl.

'En nu?' vroeg Leilani.

'Nu wachten we,' zei Kurt geduldig. 'We wachten af en zullen zien wat het lot voor ons in petto heeft.'

39

Joe zat al vijftien uur in het laadruim van een onbekend schip met alleen een stel trucks en onnoemelijke miljarden microbots als gezelschap. Iemand anders was misschien ongedurig geworden en mogelijk een beetje claustrofobisch waardoor hij zich zou hebben verraden door op deuren te bonken om er maar uit te komen, maar Joe had zijn tijd zinvol gebruikt.

Hij had elke truck grondig doorzocht. Hij had drie flessen water gevonden waarvan hij er twee had leeggedronken, en de derde had hij bewaard. Verder had hij een afsluitbare plastic zak met reepjes gedroogd vlees gevonden. Het was geen rundvlees, maar geit of kameel, of lamsvlees, dat kon ook. Hij had zoveel gegeten als hij op kon en de rest teruggelegd.

Verder had hij de ruimte opgemeten, had hier en daar onder de motorkap van een truck gekeken en had verschillende plannen bedacht. Hij had zelfs overwogen om de motoren te saboteren, brandstofleidingen los te trekken en brandstofpompen onklaar te maken of te proberen de oliepluggen los te draaien, zodat de grote combinaties niet wilden starten of kort nadat ze waren gaan rijden in de soep zouden lopen.

Hij besloot dat toch maar niet te doen. Als de trucks niet konden rijden, kwam hij niet van het schip. Als ze wel konden rijden, maar na dertig kilometer de geest gaven in het land waarheen ze op weg waren, zou het kunnen gebeuren dat Joe ergens zat waar het nog erger was dan in Jemen en waarbij hij dan ook nog midden tussen een stel woedende militanten zou zitten.

Hij overwoog uit te breken. De grote deuren zaten nog steeds dicht, maar Joe wist vrijwel zeker dat hij die, met alle paardenkrachten die hij tot zijn beschikking had, wel open kon krijgen. Maar hoe dan verder? Afgaande op wat hij zich herinnerde van toen ze het schip binnen waren gereden en de vele bandensporen op het dek, moest hij zich achter in een speciaal voor dit doel bestemd schip bevinden. Het had veel van een autoferry.

Het was geen roroschip want het had aan de voorkant geen uitgang, maar het was zonder enige twijfel ontworpen voor voertuigen. Uit de manier waarop het slingerde en stampte, kon hij opmaken dat het niet zo'n erg groot schip was, wat inhield dat ze hem waarschijnlijk niet al te ver weg brachten.

Hij besloot uiteindelijk geen uitbraakpoging te doen. Dat zou alleen maar tot gevolg hebben dat hij overboord zou gaan. In plaats daarvan wachtte hij af, deed een dutje in het bed van de voorste truck en werd gewekt door een hoop geschreeuw op de dekken boven hem.

Het schip leek vaart te hebben geminderd en in een nauwer vaarwater te manoeuvreren. Het geluid van toeters en hoorns van andere schepen duidde erop dat ze zich ergens in een baai of haven bevonden. Joe voelde dat het moment om in actie te komen, naderde. Als het schip in deze nu nog onbekende haven afmeerde, zou hij hier ongezien van boord proberen te komen, zelfs als dit niet de eindbestemming van de trucks was.

Eindelijk klonk er een hoop gerammel bij de achterdeur. Iemand was bezig een ketting met een zwaar hangslot los te maken. Even later schoven de deuren open en viel er licht in het laadruim.

40

Het was laat in de namiddag. Jinn had het drijvende eiland in bezit genomen door dertig man met zware mitrailleurs granaatwerpers en zelfs twaalf draagbare luchtdoelraketten aan boord te brengen – elf, om precies te zijn, want een ervan was gebruikt om het vliegtuig van Kurt Austin uit de lucht te schieten.

De vliegboot lag afgetankt en klaar voor vertrek in de jachthaven voor het geval hij overhaast weg zou moeten. Hij voelde zich veilig, hij voelde zich zeker. Hier hoefde hij zich geen zorgen te maken over Xhou of de andere leden van het consortium en hoefde hij evenmin bang te zijn voor repercussies van de Amerikanen die nog altijd in het duister tastten over zijn methodes en doelstellingen.

Dit succes had hem hoogmoedig gemaakt. Hij stond op het observatie-dek dat een uitbouw vormde van de controlekamer van Aqua-Terra. De hinderlijke Amerikanen en de Italiaanse miljardair stonden aan de rand ervan, met hun handen aan de reling geboeid. Zarrina en een paar van Jinns mannen stonden achter hen. Otero zat net binnen de deur van de controlekamer met zijn vingers op de toetsen van een laptop.

'Ik neem aan dat jullie je afvragen waarom jullie nog steeds leven,' zei hij tegen de drie belangrijkste gevangenen.

'Wij leven nog omdat je ons nodig hebt om de schijnvertoning op te houden,' zei de lange man die klaarblijkelijk ook voor de anderen sprak. 'Om als er soms iemand belt, te doen voorkomen alsof alles hier gesmeerd loopt. Dat gaat binnen niet al te lange tijd gebeuren en dan gaan we je echt niet helpen.'

Er verscheen een zelfgenoegzame grijns op Jinns gezicht. Ze waren niet gek, maar ze waren duidelijk niet op de hoogte van de jongste ontwikkelingen. Jinn ging achter de lange man staan.'

'Paul, zo heet je toch?'

'Dat klopt.'

Het ergerde Jinn dat deze man, Paul, zoveel langer was dan hij. Hij herinnerde zich dat Sabah hem eens had verteld dat de troon van de koning altijd de hoogste stoel in de zaal was en dat de sjah van Perzië altijd hof hield in een zaal met maar één stoel, de zijne. Alle andere aanwezigen moesten staan waarbij hij, zittend, ruim een hoofd boven hen uit stak.

Jinn haalde uit met zijn been en schopte de Amerikaan met de punt van zijn laars in zijn knieholte waardoor hij als een blok neerging.

De man slaakte een kreet van pijn en verrassing. Hij zakte door zijn benen en viel met zijn kin op de reling. Hij beet een stukje uit zijn lip en het bloed stroomde uit zijn mond.

'Dat is beter,' zei Jinn. 'Doe vooral geen moeite om op te staan.'

'Vuile schoft,' zei de vrouw.

'Ach, de loyale echtgenote,' zei Jinn. 'Daarom weet ik zeker dat jullie zullen doen wat ik zeg, want als een van jullie ongehoorzaam is, bezorg ik de ander ondraaglijke pijn.'

'Dit hoeft allemaal niet,' zei Marchetti smekend. 'Ik zal u betalen voor onze vrijlating en die van mijn bemanning. Ik kan u een fortuin betalen. Ik heb miljoenen, bijna honderd miljoen in liquide middelen, geld waar Matson en Otero niet aan kunnen komen. U hoeft ons alleen maar te laten gaan.'

'Heel lang geleden hoorde ik iemand een soortgelijk voorstel doen,' zei Jinn. "Alles wat ik bezit voor één kind." Nu begrijp ik waarom dat aanbod werd afgewezen. Je bod is een druppel op een gloeiende plaat. Het betekent helemaal niets voor me.'

Jinn draaide zich om naar de controlekamer en maakte oogcontact met Otero. 'De tijd is daar. Geef de horde het teken, breng ze naar de oppervlakte.'

'Weet je dat wel zeker?' vroeg Zarrina.

Jinn had al veel te lang gewacht. 'Ons vermogen om het weer te beïnvloeden is steeds beperkt door het feit dat we de horde onder de oppervlakte hielden. Om onze bestemming te bereiken, om nog maar te zwijgen van onze beloften die we gestand moeten doen, moeten we de oceaan sneller afkoelen.'

'En hoe moet dat dan met de Amerikaanse satellieten? Als het effect opgemerkt wordt, krijgen we veel grotere problemen dan we nu met die lieden van NUMA hebben.'

'Otero heeft de baan, de hoogte en de passage van alle spionage- en weersatellieten die over dit deel van de oceaan passeren, geplot. We kunnen de horde van hieruit met een veel grotere precisie opdracht geven om omhoog te komen of juist weer dieper te gaan dan we dat vanuit Jemen konden doen. Ze verschijnen alleen als er niemand toekijkt. Ze verdwijnen weer voordat de ogen van de wereld ooit deze kant op kijken.'

'Dat klinkt gecompliceerd,' zei Zarrina.

'Veel minder dan je zou denken,' hield Jinn vol. 'We zitten hier midden op de oceaan. Afgezien van zo nu en dan een oorlogsschip, passeert hier niets wat de moeite van het bekijken waard is. De spionagesatellieten van de wereld zijn vijftienhonderd kilometer meer naar het noorden gericht om de legers en de olie van het Midden-Oosten in de gaten te houden. Ze bekijken Syrië en Iran en Irak, ze tellen Russische tanks en vliegtuigen in de buurt van de Kaspische Zee of Amerikaanse gevechtseenheden in de Perzische Golf.'

Hij keek naar Otero. 'Hoe lang hebben we?'

Otero keek op zijn computerscherm. 'We hebben drieënvijftig minuten voordat de volgende satelliet binnen bereik komt.'

'Doe dan nu wat ik gezegd heb,' beval Jinn.

Otero knikte, opende het besturingsscherm en tikte Jinns negencijferige code in. Het directe commando reikte tot aan de horizon. Van daaruit zouden de bots het signaal als dominostenen aan elkaar doorgeven.

Hij drukte op de entertoets. 'Het signaal wordt verwerkt.'

Jinn staarde over het water en wachtte tot het schouwspel zou beginnen. Het duurde een minuut voordat de eerste tekenen zichtbaar werden, maar toen begon het zeeoppervlak snel te veranderen.

Er was de hele dag nauwelijks wind geweest en de zee om hen heen was vrijwel spiegelglad. Maar toen de bots aan de oppervlakte kwamen, werd de aanblik korrelachtig, te vergelijken met een afgelegen baai vol met algen.

Jinn zag hoe het verschijnsel zich in alle richtingen verspreidde, steeds verder weg. Het duurde niet lang of hij kon niet meer zien

hoe ver dat was, maar hij wist dat het zich tot heel ver buiten zijn gezichtsveld uitstrekte, minstens vijftig zeemijl in alle richtingen. Dun-
nere slierten van zijn schepping strekten zich nog minstens honderd
mijl verder uit en verspreidden zich als de spiraalarmen van een melk-
wegstelsel.

'Geef ze opdracht hun vleugels te spreiden.'

Opnieuw begon Otero driftig te tikken. 'Commando gedecodeerd,'
zei hij. 'Wordt... nú uitgezonden.'

Jinn haalde een dure zonnebril uit zijn zak. Hij wist dat hij de
donkere glazen over enkele ogenblikken nodig zou hebben. Hij zette
de bril op en weer begon het zeeoppervlak te veranderen. Er leek een
golf doorheen te gaan, een siddering bijna. De kleur veranderde van
loodgrijs in een doffe glans en begon toen lichter te worden tot de zee
om hen heen glinsterde als een spiegel. De namiddagzon stond nog
steeds hoog aan de hemel waardoor het effect verblindend was, ondanks de bescherming van zijn gepolariseerde brillenglazen.

Jinn zag de gevangenen eerst verwonderd kijken, maar al spoedig
moesten ze hun hoofd afwenden omdat het felle licht pijn aan hun ogen
deed. Hij keek er met half toegeknepen ogen naar en zijn borst zwol
van trots. Miljarden en nog eens miljarden van zijn uiterst kleine
machines hadden aan de oppervlakte hun spiegelende vleugels ge-
spreid die tot dat moment zoals bij een kever onder hun schilden verborgen hadden gezeten. Het oppervlak van iedere microbot was daardoor verdrievoudigd. Het reflecterende oppervlak van de vleugels
verviervoudigde de hoeveelheid zonlicht die werd teruggekaatst naar
de bovenste lagen van de atmosfeer en weg van het zeeoppervlak.

Gamay was de eerste die het een met het ander in verband bracht.

'De temperatuurverandering,' zei ze. 'Die komt hierdoor.'

'Ja,' zei Jinn. 'En de dalende tendens zal nu nog worden versterkt.
Deze wateren zijn nu al vier graden kouder dan de laagste temperatuur
die hier in deze tijd van het jaar ooit is gemeten. Volgens mijn berekeningen zal de oppervlaktetemperatuur tegen de avond nog eens een
volle graad gedaald zijn. Elke dag zal het effect groter worden. Binnenkort zal zich in het centrum van deze tropische oceaan een gigantische
bel koud water hebben gevormd terwijl de microbots in een ander gedeelte van de oceaan precies het tegenovergestelde doen: hitte absorberen en de oceaan warm houden. Door het temperatuurverschil ont-

staat wind die voor sommigen zware regenbuien met zich mee zullen voeren, terwijl anderen alle hoop op het voorkomen van een monsterachtige hongersnood kunnen opgeven.

'Je bent gek. Je bent straks verantwoordelijk voor de dood van miljoenen mensen.'

'Ik niet, maar de hongersnood,' verbeterde hij haar.

Ze zei niets meer. De andere twee zwegen ook. Alle drie hielden ze hun ogen afgewend van de verblindende weerschijn.

Jinn baadde zich in de kristallijnen glans alsof het de heerlijkheid zelf was. Dit was ongetwijfeld een bevestiging en een bewijs van de goddelijke krachten die hij nu binnen handbereik had.

'Hier kom je van zijn leven niet mee weg,' zei Paul.

'En wie zal me dan wel tegenhouden?'

'Mijn regering, om te beginnen,' zei Paul. 'De regering van India, de NAVO, de VN. Niemand zal toelaten dat jij een half werelddeel uithongert. Dat kleine legertje dat je hier hebt, zal het niet lang uithouden tegen een squadron F-18's.'

Jinn staarde Paul aan. 'Jij redeneert vanuit een fundamenteel onbegrip over wat macht eigenlijk is,' zei hij. 'Ik geef toe dat ik en mijn volk in het grote wereldgebeuren totaal onbeduidend zijn. Maar het is niet alleen uw land dat macht heeft. Er is een machtsevenwicht in de wereld. Als de regens er eenmaal voor zorgen dat alle Chinese monden gevuld worden, zal China de VN of jouw regering of de mannen in New Delhi niet toestaan hun dit pas verworven geschenk weer af te nemen. Ze zullen hun veto uitspreken over elke resolutie om er iets aan te doen en uw plannen om in actie te komen daarmee dwarsbomen. Ze zullen daarin worden bijgestaan door de landen in het Midden-Oosten en Pakistan en ook door de Russen die allemaal zullen profiteren van wat ik tot stand heb gebracht, en die mij zullen betalen en beschermen voor wat ze krijgen. Ze zullen heel gemakkelijk tegen jouw land uitgespeeld kunnen worden. Als je dat niet gelooft, ben je hopeloos naïef.'

'Je riskeert een oorlog,' zei Gamay. 'Een wereldoorlog waar je zelf ook bij betrokken raakt.'

'Ik verwacht eerder dat het een prijzenoorlog zal worden.'

Hij genoot van het moment. Nog ruim vierentwintig uur en dan zou hij zijn vijanden hebben verslagen, zowel de binnenlandse als de buitenlandse. Hij had zijn genialiteit bewezen en nu zou hij de beloning daarvoor opstrijken. Het geld zou binnenstromen vanuit China en van de nieuwe partners die hij in Pakistan en Saudi-Arabië had gevonden. India en ook andere landen zouden met een tegenbod komen en daarna zou de prijs alleen maar verder oplopen.

'Toch zullen ze achter jou en je walgelijke schepping aankomen,' zei Paul.

'Natuurlijk zullen ze dat,' antwoordde Jinn. 'Alleen zullen ze me nooit vinden, en ook zal blijken dat ze datgene wat ik heb opgebouwd niet kunnen vernietigen net zo min als ze in staat zijn de insecten of de bacteriën op de wereld uit te roeien. Misschien kunnen ze miljoenen van de horde doden. Dan blijven er nog biljoenen over die zich verder zullen voortplanten. Het is voor de microbots een simpele zaak om van de overblijfselen van hun doden nieuwe bots te maken. Daar zijn ze op gebouwd. Zo heeft Marchetti ze ontworpen.'

Marchetti keek de andere kant op en schudde vol spijt zijn hoofd.

'En als iemand probeert me tegen te houden, zal dat verregaande consequenties hebben,' vervolgde Jinn. 'De horde zal zich tot in de verste uithoeken van de wereld verspreiden. Binnen korte tijd zal ik de controle over de zeven zeeën hebben. Als een land zo dom is om me te weerstaan, of simpelweg weigert de bijdrage die ik vraag te betalen, zullen ze dat merken. Hun visgronden zullen worden vernietigd en hun voedselbronnen zullen voor hun ogen worden opgegeten. Hun havens zullen overspoeld worden en hun schepen op zee aangevallen.'

'Ze zullen achter jou persoonlijk aankomen,' bitste Paul. 'Jij bent de slang; ze hoeven jou alleen de kop maar af te hakken.'

'Ze zullen het advies krijgen om de slang met rust te laten,' zei Jinn. 'Ik heb namelijk al een *doomsday code* in de horde geprogrammeerd. Als ik gedood word of om andere redenen zal worden gedwongen die te activeren, verandert de horde van een precisiewapen in een plaag van onvoorstelbare proporties die steeds groter zal worden en alles wat op zijn pad komt aanvalt en opvreet. Net als de sprinkhanen in de woestijn zal de horde alleen maar doden achterlaten.'

De twee Amerikanen keken elkaar aan. Als Jinn de blik die ze wisselden goed inschatte, was het er een van verslagenheid. De stilte die volgde, vatte hij als een bevestiging op.

Hij veegde zijn voorhoofd af. Door alle energie die werd teruggekaatst, steeg de luchttemperatuur rondom het eiland en hij begon te zweten. Er waaide een briesje over het dek, het eerste in dagen, maar die bracht geen verkoeling. Het was een warme wind die door het verschil in opwarming werd veroorzaakt. Het kondigde het begin van de storm aan.

41

Na uren drijven was hun geluk nog steeds niet gekeerd. De zon brandde meedogenloos en ze hadden alleen maar de parachutes die ze als een geïmproviseerd dekzeil gebruikten. De achterste luchtkamer was vrijwel leeg, zodat het weinig zin had om nog langer te proberen de gaten dicht te houden. De boot hing als een auto met een lekke band achterover in het water en ondanks Ishmaels onversaagde pogingen werd ook de rechtervoorkamer steeds slapper.

Kurt gluurde door een scheur in de parachute als een kind dat gaten in een beddenlaken had geknipt en voor spook speelde.

'Zie je iets?' vroeg Leilani.

'Nee,' zei hij. Zijn stem klonk schor. Ondanks het water dat hij aan boord van het vliegtuig had gedronken, begon zijn keel weer droog te worden.

'Misschien zouden we de motor weer moeten starten,' zei Leilani. 'We zitten misschien nog niet in de scheepvaartroute.'

Kurt wist heel zeker dat ze nog niet in de route zaten. Er waren maar weinig schepen die dwars door de Indische Oceaan voeren. Hij had gehoopt dicht genoeg bij Afrika te kunnen komen om in een noord-zuidroute van en naar de Rode Zee te komen, of een tankerroute vanuit de Perzische Golf waar schepen voeren die te groot waren om door het Suezkanaal te gaan en op weg waren naar de Hoorn van Afrika.

Zover waren ze op geen stukken na gekomen. Daar mankeerde nog minstens honderd mijl aan.

'Met het beetje benzine dat we nog hebben, bereiken we die ook niet.'

'Maar we kunnen hier ook niet blijven drijven,' zei ze.

'We hebben nog vijf liter brandstof,' zei hij. 'Die gaan we niet verkwisten en dan later spijt krijgen dat we dat hebben gedaan.'

Leilani keek hem met angstige ogen aan. Ze trilde. 'Ik wil niet dood.'

'Ik ook niet,' zei Kurt. 'En Ishmael ook niet. Zo is het toch, Ishmael?'

'Klopt,' zei Ishmael. 'Nog niet klaar voor. Niet klaar om dood te gaan, zeker weten.'

'En we gaan ook niet dood,' zei Kurt. 'Je moet gewoon kalm blijven.'

Ze knikte, nog steeds achter in de boot, in een poging te voorkomen dat de tube helemaal leegliep.

'Je kunt net zo goed voorin gaan zitten.' zei Kurt. 'Daar is verder niets meer aan te doen.'

Leilani liet het rubber los en kroop voor in de boot aan bakboordzijde. Nu haar gewicht naar voren was verplaatst, kwam de achterkant iets omhoog en waggelde de boot iets minder.

Kurt keek weer onder de geïmproviseerde zonnetent vandaan. Aan de stand van de zon te zien, moest het ongeveer drie uur zijn. Hij wachtte tot het donker zou worden. Als de sterren eenmaal zichtbaar waren, kon hij iets beter bepalen waar ze zaten en aan de hand daarvan een plan maken.

Kurt liet zijn ogen langs de horizon dwalen en zag een vreemd verschijnsel. Het had iets van een beverige luchtspiegeling zoals je die op open woestijnwegen zag. Hij knipperde twee keer met zijn ogen alsof hij dacht dat zijn ogen hem bedrogen, maar het verschijnsel werd alleen maar duidelijker.

Zonder dat er een geluid te horen was, begon de zee te schitteren. Het waren niet de zonnespikkels op het water die iedere zeeman en amateurschilder zo goed kent, het leek alsof de zee begon te bruisen.

Het was het helderst in het westen, in de richting van de zon, maar hij zag hetzelfde verschijnsel ook in het oosten, het noorden en het zuiden.

'Kurt!' riep Leilani.

Hij keek onder de zonnetent naar voren.

'Je fonkelt helemaal.'

Kurt zou naar zichzelf hebben gekeken als hij niet zo geboeid was geweest door wat hij bij haar zag. Het was alsof ze met sterrenstof was bespoten.

Ishmael vertoonde hetzelfde, maar Leilani zat er werkelijk helemaal onder. Het was alsof ze met een hele fijne, reflecterende verf waren bespoten.

'Wat is dat?' vroeg ze.

Kurt keek naar zijn handpalmen, wreef er met zijn vingers over. De reflecterende stof leek op nat poeder en hij kon het voor een deel van zijn handen wrijven. De glinstering was duidelijk zichtbaar, maar hoe hij zijn ogen ook inspande, hij kon niet ontdekken waardoor het werd veroorzaakt. En hij voelde ook niets, zelfs niet als hij het tussen zijn vingers probeerde te wrijven. Dat kon maar een ding betekenen.

'Jinns microbots,' zei hij.

Hij legde haar uit wat het waren en liet haar zien dat de zee er vol mee zat. Als hij recht naar beneden keek, kon hij zien dat de concentratie veel leek op een schep suiker die op een zwart diep bord uitgestrooid was. Hij voelde de hitte die het afstraalde. Hij vertelde haar dat een aantal van die kleine machientjes aan boord van de catamaran waren gevonden.

'Zullen ze ons kwaad doen?' vroeg Leilani.

'Ik denk het niet,' zei Kurt. Hij vertelde er maar niet bij dat ze ook organisch materiaal aten. Gelukkig leken de bots die ze op hun huid hadden niet in de eetstand te staan, zoals die in Marchetti's lab. 'Dat neemt niet weg dat ik er geen bezwaar tegen zou hebben om een schip met een goede douche aan boord tegen te komen.'

Leilani probeerde te glimlachen.

Kurt kon onmogelijk weten dat ze zich in de buurt van de rand van Jinns horde bevonden en dat de concentratie die zij hier zagen en de hoeveelheid zonlicht die hier werd teruggekaatst helemaal niets was vergeleken bij wat Paul, Gamay en Marchetti vanaf het balkon van Aqua-Terra's controlekamer hadden gezien. Niettemin kon hij zijn ogen bijna niet van de fonkelende zee afhouden.

Terwijl hij keek, voelde hij een briesje langs zijn arm strijken en zag hij de parachute rimpelen. Zonder zich te bewegen keek Kurt naar de boeg en zag het dekkleed omhoog komen, zacht weer neerkomen en opnieuw omhoog komen.

De wind werd sterker en Kurt moest de lijnen grijpen om te voorkomen dat de grote parachute te veel opbolde. Hij draaide zich om naar Leilani. 'Bind de parachute aan die handgrepen rechts van je vast en haal de andere ook tevoorschijn.'

Zonder verder iets te vragen, ging Leilani aan het werk. De wind kwam van achteren en waaide in een noordelijke richting. Het was een warme wind zoals de Santa Ana in Californië en de sirocco die vanuit de Sahara naar het noorden waait. Het was alsof er een haardroger op zijn rug gericht was, maar dat kon Kurt weinig schelen.

Leilani en hij werkten snel. De boot had zes handgrepen en vooraf twee kikkers. Nog geen minuut later zaten de lijnen van beide parachutes stevig aan die acht punten vast en kwamen strak te staan toen de parachutes voor de boot opbolden.

Ze vulden zich als zeilen en de boot begon vaart te maken, voortgetrokken alsof de twee parachutes een stel magische paarden waren. Naarmate de parachutes meer wind vingen, nam de snelheid van de boot toe. Doordat de luchtkamers deels leeggelopen waren, ging het niet zo hard als met de buitenboordmotor, maar ze gingen in elk geval.

Kurt had geen idee waar de wind hier in de doldrums opeens vandaan kwam, maar ook dat kon hem niet schelen. Ze maakten weer voortgang en dat was altijd beter dan op een plaats te blijven drijven.

Er ontstonden windvlagen, de lijnen kwamen nog strakker te staan en sleurden de boot mee.

'Hou je vast!' schreeuwde Kurt voor de zoveelste keer die dag. 'Ik heb zo'n gevoel dat dit een wilde rit gaat worden.'

42

De arrestantenruimte van Aqua-Terra bevond zich op het laagste niveau van het eiland, op het dek net boven de waterlijn. Eenmaal terug in hun luxueuze cel, was ook de stemming van Paul, Gamay en Marchetti tot het laagst mogelijke niveau gedaald. Jinn had ze exact drieënvijftig minuten geboeid aan de reling in die verblindende weerschijn, de hitte en de plotselinge windvlagen laten staan.

Paul had nog nooit van zijn leven de binnenkant van een zonnecabine gezien, maar hij had het gevoel dat het net zoiets was als een observatiedek met daarbij ook nog eens het verblindende licht en de hitte.

Het was een onwezenlijke ervaring geweest, al die reflecties die op een duizeligmakende, bijna hypnotiserende manier over Aqua-Terra dansten. Omdat al die heel kleine spiegeltjes onafhankelijk van elkaar op het water bewogen, bewoog het licht dat ze weerkaatsten eveneens onafhankelijk, waardoor het onmogelijk was om het verschijnsel echt goed te bestuderen. Paul kon het alleen maar aanvoelen, ongeveer net zoals wanneer je je in een dichte mist bevond, waarvan je wist dat die niet een geheel vormde, maar opgebouwd was uit miljarden ongebonden waterdampmoleculen.

En was het dan al moeilijk om naar de dekken en de opbouw om hen heen te kijken, naar de zee kijken was volslagen onmogelijk. Om zijn ogen te beschermen, had Paul die vrijwel de hele tijd stijf dicht gehouden, drieënvijftig minuten lang. Het gevolg was dat zijn voornaamste indruk van het oceaanoppervlak een glinsterende massa was, een eindeloze zee van diamanten. Er trokken lage rimpelingen overheen, veroorzaakt door kleine golven die er een uur eerder nog niet waren geweest. De teruggekaatste hitte veroorzaakte luchtstromen die over het schitterende oppervlak streken, waardoor het leek alsof het leefde. Het ademde, bewoog, wachtte. In zekere zin was het mooi, maar tegelijkertijd ook angstaanjagend.

Maar uiteindelijk verstreek de tijd en Jinn had het commando gegeven waarop de zee van diamanten weer grijs werd. De bots verdwenen snel onder water en de oceaan zag er weer net zo uit als elke andere zee.

'Ik heb een gevoel alsof ik op het strand in slaap ben gevallen,' zei Paul, en het verbaasde hem hoe rood en strak zijn huid was.

Tegenover hem ijsbeerde Marchetti door de kamer en Paul keek zo nu en dan eens door de grote ramen naar buiten, terwijl Gamay naast hem zat en pogingen deed een soort verzachtende zalf op zijn kapotte lip en bebloede tong te smeren.

'We weten nu in elk geval hoe ze met de watertemperatuur hebben kunnen knoeien,' zei Marchetti.

'Blijf nou alsjeblieft eens even stil zitten,' zei Gamay.

Ze had een pluk watten en een of ander ontsmettend middel uit de verbandtrommel gehaald, maar telkens als ze wilde beginnen, begon Paul weer te praten.

'Daar hebben we anders maar weinig aan,' zei hij.

'Paul.'

'Ik zit toch stil?'

'Maar je houdt je mond niet en daar wil ik nou juist iets aan doen.'

Paul knikte en sperde zijn mond open alsof hij bij de tandarts zat.

Marchetti hield op met ijsberen. 'De vraag is wat er gaat gebeuren nu ze hun plan in een hogere versnelling hebben gezet.'

Paul aarzelde en wachtte zolang als hij kon. 'Ik kan je precies vertellen wat er gaat gebeuren,' zei hij toen.

Gamay zuchtte en trok haar handen terug.

'Ze creëren een massieve kolom koud water met temperaturen die eerder in de Noord Atlantische Oceaan thuishoren dan hier, midden in een tropische zee. Het is bekend dat dergelijke temperatuurgradiënten onweersbuien en tropische wervelstormen versterken of zelfs kunnen veroorzaken. Niet alleen in de lucht, maar ook onder het wateroppervlak.'

'En als ze ophouden met het terugstralen van de warmte in de lucht, zal het koude water de warmte van de lucht erboven weer absorberen,' zei Marchetti, 'en wordt het systeem omgekeerd.'

'Als dit plan doorgaat,' vervolgde Paul, 'zal de omgevingstemperatuur zeer snel dalen, maar alleen boven het gebied dat ze hebben beïnvloed. Boven de rest van de oceaan zal het nog steeds warm en vochtig zijn. Heb je ooit gezien wat er gebeurt als warme, vochtige lucht zich vermengt met koude?'

'Zware buien,' zei Marchetti.

Paul knikte. 'Ik was een aantal jaren geleden in Oklahoma toen er na drie dagen warm en vochtig weer een koudefront passeerde. In drie dagen tijd ontstonden er honderd tornado's. Volgens mij krijgen we hier één zware storm: een tropische depressie of een wervelstorm. Mogelijk zien we rondom ons een orkaan ontstaan.'

Gamay had haar pogingen om Pauls lip te behandelen opgegeven. 'Maar we zitten hier in de stiltegordel,' zei ze. 'Gewoonlijk ontstaan hier geen tropische stormen. Die ontstaan meer naar het noorden en oosten en trekken vandaar naar India. Daar komen de moessons uit voort.'

Paul overdacht de gevolgen. 'We zitten bijna op de evenaar. Een storm die hier ontstaat, zal een westelijke koers gaan volgen en dan afzwaaien naar Somalië, Ethiopië en Egypte.'

'Dat gebeurt nu al,' zei Marchetti. 'Ik heb iets gelezen over krankzinnige hoeveelheden regen in de Sudanese hooglanden en het zuiden van Egypte. In dat artikel stond dat het water in het Nassermeer gestegen is tot een hoogte die in de afgelopen dertig jaar niet is voorgekomen.'

Paul herinnerde zich nu ook iets dergelijks te hebben gehoord. 'En dat is waarschijnlijk nog maar het begin.'

Marchetti liep weer heen en weer, wreef met zijn hand over zijn kin en zag er bijzonder ontdaan uit. 'Wat gebeurt er als de lucht eenmaal zo gestabiliseerd is dat er een storm ontstaat?'

Paul draaide zich om naar de grote ramen die op het zuidwesten uitkeken. Hij dacht terug aan de colleges die hij had gevolgd over het ontstaan van stormen en aan de factoren die daarbij een rol speelden. 'In de Golf van Mexico nemen de orkanen boven warme plekken in hevigheid toe. Jinns stormen zullen alleen maar over warm water trekken. Ze zullen de hitte en de vochtigheid en de energie stelen die zich gewoonlijk in de moesson verzamelen. Daar gaan ze als dieven mee van-door.'

'Waardoor het in India en Zuidoost-Azië abnormaal droog blijft voor de tijd van het jaar,' zei Gamay. 'Deze gek heeft kans gezien dat-gene te doen wat de mens altijd al heeft gewild: hij kan het weer stu-ren, laten afwijken van zijn normale patroon.'

Marchetti ging verkrampt zitten, zakte min of meer in elkaar op het randje van een stoel. 'En daar heeft hij mijn ontwerp voor gebruikt,' zei hij.

Hij keek hen aan. Van de miljardair die overliep van zelfvertrouwen was niets meer over en ook de trotse ontwerper met de gedurfde ideeën was verdwenen, net als de rationeel denkende ingenieur. Al die ver-schillende persoonlijkheden leken voor hun ogen te verdwijnen en plaats te maken voor een gebroken man.

'Al die mensen,' fluisterde hij. 'Een miljard mensen die wachten op de moesson die nooit zal komen. Het zal de grootste massamoord in de geschiedenis worden.'

Gamay leek op het punt te staan overeind te springen en iets te zeggen om Marchetti op te beuren. Dat deed ze gewoonlijk op een moment als dit, maar ze leek de juiste woorden niet te kunnen vin-den.

Paul probeerde het toen maar eens. 'Je nalatenschap is nog niet ge-schreven. Alfred Nobel vond het dynamiet uit en stond aan het hoofd van een bedrijf dat wapens en oorlogstuig maakte, maar daar wordt hij door niemand om herinnerd. En je hebt nog steeds een kans om de loop der dingen te veranderen.'

'Maar we zijn alleen,' zei Marchetti. 'Je vrienden zijn er niet meer. Niemand heeft zelfs maar een vermoeden wat hier gebeurt.'

Paul keek naar Gamay omdat hij haar verdriet om hun vrienden deelde en omdat hij van haar hield en wilde dat ze iets anders zou voelen dan alleen maar wanhoop. Hij kneep in haar hand en keek haar recht in de ogen. 'Dat weet ik allemaal,' zei hij tegen Marchetti. 'Maar we vinden wel een manier. Eerst moeten we zorgen dat we hier uit komen.'

Gamay glimlachte heel even. Dat gaf hoop, bepaald niet genoeg om alle twijfel en pijn weg te nemen, maar het was een begin.'

'Enig idee hoe?' vroeg Marchetti.

Paul keek rond. 'Ik heb inderdaad een idee,' zei hij. 'Ik weet alleen niet of het je wel zal bevallen.'

'Zoals de zaken er nu voorstaan,' zei Marchetti, 'hebben we erg weinig keus.'

43

De onverwachte wind die Kurt, Leilani en Ishmael had voortge-trokken, hield bijna twee uur aan. Bij tijden dreigde hij de boot uit het water te tillen. Halverwege de rit verdween het vreemde weer-spiegelende effect even snel als het gekomen was, zowel van de zee om hen heen als van hun lichamen.

'Denk je dat ze weg zijn?' had Leilani gevraagd.

'Dat betwijfel ik,' zei Kurt. 'Wat het ook geweest mag zijn waardoor ze gingen glinsteren, lijkt voorbij te zijn, maar ik denk dat ze nog steeds in het water zitten en ook op ons.'

In het daaropvolgende uur begon de wind steeds verder af te nemen om een uur voor zonsondergang helemaal te gaan liggen. De stuur-boordkant zakte verder in het water en ze konden zich alleen nog maar aan de bakboordluchtkamer vastklampen om te voorkomen dat de boot omsloeg. Het gevolg was dat elk golfje, hoe klein ook, over het hel-lende dek spoelde.

Kurt haalde de parachutes binnen, wrong ze uit en borg ze weg. Hij was klaar toen hij werd opgeschrikt door een kreet van Ishmael.

'Land!' riep Ishmael. 'Land vooruit!'

Kurt keek op. Laag aan de horizon was een vage, groene vlek te zien. In de invallende schemering zou het een wolk geweest kunnen zijn die een of andere vreemde weerkaatsing opving.

Kurt haalde de kijker uit zijn zak, maakte de glazen schoon en zette hem aan zijn ogen.

'Laat het alsjeblieft land zijn,' zei Leilani, met gevouwen handen. 'Alsjeblieft.'

Kurt zag groene begroeiing en boomtoppen. 'Het is land,' zei hij en sloeg Ishmael op zijn schouder. 'Het is land, zeker weten.'

Hij stak de kijker weer weg en kroop achter in de boot. Hij zette de brandstofkraan op de reservetank en startte de buitenboordmotor. Die sputterde eerst wat en Kurt draaide het gas open.

Nu de schroef weer draaide, bewoog de boot zich als een krab door het water en Kurt was al gauw drijfnat in het verrassend koude water.

Na ongeveer twintig minuten te hebben gevaren, kon hij midden op het eiland een begroeide heuveltop van misschien vijftien meter hoog onderscheiden. Het land eromheen was vlak. Hij kon de golven zien breken op een rif dat rondom het eiland lag.

'Een vulkanische atol,' zei hij. 'We zullen eerst over het rif moeten om droog land te bereiken. Misschien zullen we moeten zwemmen.'

Hij keek naar Ishmael en toen naar Leilani.

'Heb jij zijn pistool nog steeds?'

Ze knikte. 'Ja, maar…'

'Geef het aan mij.'

Ze overhandigde hem het pistool waarvan ze beiden wisten dat het ongeladen was. Hij bracht het in de aanslag. 'Ze gaat je losmaken,' zei Kurt. 'Als je problemen maakt, schiet ik meer gaten in je dan er nu in deze boot zitten.'

'Geen probleem,' zei Ishmael.

Kurt knikte en Leilani haakte het anker los en gooide het overboord. Vervolgens maakte ze het touw om zijn enkels los en gooide ook dat weg.

Kurt wachtte of hij misschien iets zou ondernemen, maar hij strekte alleen zijn benen en lachte opgelucht.

Intussen waren ze het rif dat het eiland omringde dicht genaderd. De branding viel wel mee, maar daar waar er openingen in het rif zaten, was het water behoorlijk onrustig.

'Kunnen we niet beter gaan kijken of het ergens anders rustiger is?' vroeg Leilani.

'De tank moet vrijwel leeg zijn,' antwoordde Kurt.

Hij nam de eerste opening die hij zag. De gehavende boot ploegde erheen als een bomschuit, en schoof een lage boeggolf voor zich uit. Het water om hen heen veranderde van diepblauw naar turkoois en de golfslag werd heviger op de plaatsen waar het gedeelte van het rif dat onder het oppervlak zat de waterbeweging beïnvloedde.

Het ene moment klommen ze tegen een golf van een halve meter omhoog om direct daarna door een andere golf van opzij te worden getroffen en in de trog te vallen die hun terug leek te sleuren. De harde bodem van de boot schuurde ergens overheen en ook de schroef raakte iets.

Twee achterop komende golven voegden zich samen en duwden de boot naar voren en naar bakboord. Opnieuw schuurden ze over koraal terwijl de schuimkop van een derde golf over hen heen spoelde.

Kurt draaide de buitenboordmotor nu eens hierheen, dan weer daarheen, gaf gas en nam gas terug, gebruikte de motor als roer. De uitgaande stroom in de opening werkte hen tegen, maar de volgende serie brandingsgolven gooide de boot weer vooruit. Deze keer raakten ze het rif nog harder dan de eerste keer en beide luchtkamers aan bakboord werden opengereten.

'We hebben iets geraakt!' schreeuwde Leilani.

'Blijf zo lang mogelijk in de boot,' riep Kurt terug. Hij gaf nog een keer stevig gas. De buitenboordmotor draaide misschien tien seconden op volle toeren, maar begon toen te sputteren. Hij nam iets gas terug, maar het was te laat. De motor kreeg geen benzine meer en stopte. Een volgende golf gooide hen opzij.

'Springen!' schreeuwde Kurt.

Ishmael klauterde overboord. Leilani aarzelde even, maar ging toen ook staan en dook naar voren. Opnieuw werd de zinkende boot door een golf getroffen en nu sprong ook Kurt als laatste de branding in.

Hij zwom uit alle macht. Maar vierentwintig uur zonder voedsel, te weinig water en de zware inspanningen van de laatste dagen hadden hun tol geëist. Het zou niet lang duren voordat de uitputting zou inzetten.

De onderstroom trok hem terug, maar een golf duwde hem vooruit. Hij streek over koraal, zette zijn voet op een stevig stuk en zette zich met kracht af zodat hij nog verder naar voren schoot. De zware schoenen bemoeilijkten het zwemmen, maar telkens als hij zich tegen het rif afzette, waren ze hun gewicht in goud waard.

Toen de onderstroom hem weer te pakken kreeg, zette hij zijn voeten stevig op het koraal en verzette zich tegen de stroom. Het schuim van een volgende golf die over hem heen spoelde, verblindde hem. Er botste iets zachts tegen hem aan.

Het was Leilani.

Hij greep haar vast, duwde haar met de volgende golf vooruit en samen spoelden ze het veel kalmere water achter de beschermende ring van het rif binnen.

Weer zwom Kurt wat hij kon. Leilani deed hetzelfde. Toen zijn voeten het zand raakten, waadde hij verder, waarbij hij Leilani aan haar zwemvest met zich mee sleurde.

Ze kwamen goed door de branding en lieten zich op het witte zand vallen, nog steeds zo laag op het strand dat de uitlopende golven om hen heen spoelden.

Ademhalen was ongeveer het enige wat hij nog kon, maar hij zag toch nog kans een paar woorden uit te brengen. 'Gaat het?'

Ze knikte, hijgend, net als hij.

Kurt keek om zich heen. Ze waren alleen. 'Ishmael?'

Hij zag niets en hoorde ook niets.

'Ishmael!'

'Daar!' zei Leilani en ze wees.

Hij lag met zijn gezicht omlaag in het schuim terwijl de golven hem nu eens op het strand duwden en dan weer terugtrokken.

Kurt stond op, strompelde in Ishmaels richting en liep de zee weer in. Hij greep Ishmael bij zijn schouders en sleepte hem het strand op.

Ishmael begon te hoesten en water uit te spugen. Een korte blik was voor Kurt voldoende om te begrijpen dat hij het wel zou overleven.

Nog voor ze hun redding konden vieren, vielen er een paar lange schaduwen van achteren over Kurt heen. In de surrealistische schaduwen op het zand herkende hij de vormen van geweren en grote kerels.

Hij draaide zich om. Een aantal mannen kwam met de zon in hun rug op hem toe gelopen. Ze droegen versleten uniformen, hadden helmen op hun hoofd en zware grendelgeweren in hun handen.

Toen ze dichterbij kwamen, kon hij ze beter zien. Het waren mannen met een donkere huidskleur die veel op Australische Aboriginals leken, maar ook Polynesische trekken hadden. De geweren die ze bij zich hadden waren oude M1 karabijnen met magazijnen voor vijf patronen en hun uniformen leken op die van de Amerikaanse Mariniers van rond 1945. Tussen de bomen, boven aan het strand, stonden er nog meer.

Kurt was te uitgeput en te verrast om veel meer te doen dan alleen maar kijken toen een van de mannen op hem af kwam. De man hield het geweer losjes in zijn handen, maar de uitdrukking op zijn gezicht was uiterst serieus.

'Welkom op Pickett's Island,' zei hij in het Engels, maar met een zwaar accent. 'Uit naam van Franklin Dean Bosvelt neem ik u gevangen.'

44

Volgens Joe moest het afmeren van de ferry een uiterst gecompliceerde zaak zijn, maar het was ook mogelijk dat het schip en de kapitein niet voor hun taak waren berekend. Een vol uur nadat de deuren van het autodek waren geopend en het schip minstens tien keer heen en weer en op en neer had gemanoeuvreerd, kwamen ze eindelijk met een doffe dreun langszij een kade.

Joe bleef ineengedoken voor in de laadbak zitten. De chauffeurs en bijrijders waren lang voordat het schip afgemeerd lag al in hun cabines geklommen en startten nu de motoren van de grote combinaties. Ze bleven minutenlang stationair draaien en hoewel de deuren open waren, verwachtte Joe niet anders of hij zou nog voordat ze vertrokken bedwelmd raken door de dieseldampen.

Maar eindelijk kwam er toch beweging en terwijl hij intussen een barstende hoofdpijn had gekregen reden de trucks een voor een het autodek af en de kade op. Pas toen ze het haventerrein lang en breed hadden verlaten, durfde Joe voor het eerst naar buiten te gluren. Ze waren nog maar een paar minuten onderweg, maar het verbaasde hem hoe hard ze nu al reden.

Hij kroop langs de vaten naar achteren. Aangezien zijn truck als eerste aan boord van de ferry was gekomen, was die nu als laatste weer van boord gegaan. Zodoende waren ze nu de hekkensluiter van de colonne, wat betekende dat hij naar buiten kon kijken zonder bang te hoeven zijn om ontdekt te worden. Hij tilde het zeil een stukje op en zag grijs verweerd macadam achter hen verdwijnen terwijl de trucks over de weg raasden met een snelheid die ze in Jemen bij lange na niet hadden gehaald.

Na vierentwintig uur op de boot was het al bijna weer nacht. Het enige wat Joe zag, was een woestijnlandschap dat zich in alle richtingen uitstrekte. Het leek wel alsof ze weer terug waren in Jemen.

'Ik dacht toch dat we dat allemaal achter ons hadden gelaten,' mompelde hij.

Toch waren er verschillen, vooral de verharde weg. Er was ook meer begroeiing en zo nu en dan een verkeersbord. Die had hij in de woestijn van Jemen nergens gezien. Joe probeerde te lezen wat er op de borden stond terwijl die voorbij flitsten, maar aan de kant van de weg waar zij reden, kreeg hij telkens alleen de achterkant te zien, terwijl die aan de andere kant van de weg alleen maar door de achterlichten van de truck verlicht werden. Bij dat zwakke rode schijnsel was het onmogelijk iets te kunnen zien voordat ze weer uit het zicht verdwenen.

Het enige wat hij kon zien, was de belettering. Die was in de sierlijke kalligrafie van het Arabisch, maar bovendien in Engelse blokletters, wat alleen maar kon betekenen dat hij veel dichter bij de beschaving was dan hij in dagen was geweest.

Terwijl Joe op de volgende borden wachtte werd het buiten donkerder en het landschap eentoniger. Het enige wat veranderde, was de geur. Hij begon stof en vochtigheid te ruiken en de geur van de woestijn die nat was van de regen. Het deed hem denken aan Santa Fe, de plaats waar hij was opgegroeid, als de droge tijd afgelopen was. Toen hij omhoog keek, zag hij dat de hemel een donker gordijn was zonder een enkele ster.

Even later begon de regen op de vrachtwagen en de weg te vallen. In de verte hoorde Joe het donderen. Terwijl de trucks verder raasden begon het harder te regenen en werd de lucht koel en vochtig. Tot Joe's verbazing was het geen voorbijgaande bui, maar bleef het regenen terwijl de kilometers onder de wielen van de colonne vandaan vlogen. Het duurde niet lang of het zeildoek van de overkapping was doornat en lekte het hier en daar.

'Regen in de woestijn,' fluisterde Joe. 'Ik vraag me af of dat goed of slecht nieuws is.'

Terwijl de regen uit de hemel bleef vallen, passeerden ze weer een aantal borden, net op het moment dat er een auto uit de tegenovergestelde richting passeerde. De grote lichten beschenen het bord aan de andere kant van de weg lang genoeg om Joe de kans te geven te lezen wat erop stond.

'MARS ALAM,' las Joe hardop. 'Vijftig kilometer.'

Hij kende die naam. Marsa Alam was een haven aan de Rode Zee. Die lag achter hen. Dat moest de haven zijn waar de ferry had afgemeerd en waar de trucks van boord waren gegaan. Dat betekende dat ze driekwart van de afstand van Caïro naar de Sudanese grens hadden afgelegd en maar een paar uur rijden van Luxor verwijderd waren.

'Ik ben in Egypte,' fluisterde Joe, die onmiddellijk besefte wat dat betekende. 'Deze jongens zijn op weg naar de Aswandam.'

45

De regen bleef op Jinns colonne vrachtwagens neerkletteren terwijl ze over de hoofdweg van Marsa Alam naar het westen voort denderden. Door de vochtige atmosfeer, de natuurlijke afkoeling van de woestijn in de nacht en de wind die rond de achterkant van de voortrazende truck wervelde, begon Joe het koud te krijgen en hij rilde.

Aanvankelijk had hij na zijn tijd in Jemen en de hitte in het laadruim van de ferry de koelte wel lekker gevonden, maar naarmate de nacht verstreek, begon de kou tot in zijn botten door te dringen en Joe maakte de achterflap dicht om de wind en de vochtige lucht zo veel mogelijk buiten te houden.

Van Marsa Alam naar Aswan was het vier uur rijden, maar na drie uur begon het konvooi vaart te minderen toen ze vanuit de woestijn in de bewoonde strook langs de Nijl kwamen.

De trucks staken via een moderne brug de Nijl over en reden de stad Edfu binnen, op de westelijke oever van de rivier. Joe keek naar buiten en zag huizenblokken van meerdere verdiepingen hoog, winkels en overheidsgebouwen. Het was niet direct een wereldstad, meer een stoffige versie van Oost-Berlijn, maar het hoorde toch in elk geval bij de bewoonde wereld.

De truck ging steeds langzamer rijden en Joe hoopte dat ze voor een rood verkeerslicht zouden komen te staan, maar in plaats daarvan kwamen ze bij een rotonde waarbij ze de tweede afslag namen.

'Ik moet natuurlijk weer een rotonde treffen,' mompelde Joe.

Hij had een vermoeden dat ze straks weer een autoweg op zouden gaan en dat hij in Aswan zou zijn voordat hij ervandoor kon gaan. Terwijl de truck met veel lawaai optrok en snelheid begon te maken, besloot Joe dat het tijd werd om zich uit de voeten te maken.

Hij kroop onder de achterflap door en klom op de achterbumper. Hij gluurde om de hoek van de overkapping om te zien wat er zou komen. Geen telefoonpalen, geen lichten, geen borden. De kust was veilig en Joe sprong van de truck.

Hij kwam op het natte macadam terecht, rolde door en gleed in een grote modderplas waarin het regenwater zich had verzameld. Hij bleef even liggen en keek de trucks na om te zien of een van de chauffeurs zijn stunt soms had gezien, maar ze denderden gewoon verder door de duisternis, zonder snelheid te minderen en zonder dat er remlichten gingen branden.

Doorweekt en vuil krabbelde Joe uit de modder overeind en keek om zich heen. Hij was op een open terrein terechtgekomen. Door de regen zag hij links een enorm gebouw dat door schijnwerpers werd verlicht.

Hij lette niet op de pijn in zijn schouder, deed zijn best om zijn enkel, die opnieuw verschrikkelijk veel pijn deed, te vergeten en strompelde op het licht af. Vanaf een afstand leek het een kruising tussen een bouwplaats en een oude tempel, en pas toen hij dichterbij kwam, drong het tot Joe door dat hij voor de Tempel van Horus stond, een van de best bewaarde oudheden van Egypte.

De voorkant werd gevormd door een hoge poort met aan weerskanten twee reusachtige muren die zich dertig meter in de donkere lucht verhieven. In de muren waren vijftien meter hoge menselijke figuren uitgehakt en op regelmatige afstanden zaten openingen om licht door te laten.

Als het dag was geweest, zou het hier een en al toeristen zijn geweest, maar nu, bij nacht, in de stromende regen, was er helemaal niemand. Behalve twee beveiligingsmensen die Joe in een verlicht hokje zag zitten.

Daar rende hij heen en klopte op het raam. De bewakers kregen bijna een hartstilstand van de schrik en een van hen sprong letterlijk overeind.

Joe klopte nog eens, waarop een van de bewakers het raam uiteindelijk opendeed.

'Ik heb hulp nodig,' zei Joe.

De man was nog steeds niet bekomen van de schrik, maar herstelde zich snel. 'Eh... natuurlijk,' zei hij. 'Kom binnen. Ja, kom gauw binnen.'

Joe liep naar de deur. Hij had de mazzel dat de bewakers van het complex deels werden geselecteerd op hun kennis van de Engelse taal omdat veel bezoekers Amerikanen en Europeanen waren.

Zodra de deur openging, stapte Joe het verlichte wachtlokaal binnen. Hij was doornat en liet een spoor van modderig water op de vloer achter. Een van de bewakers gaf hem een handdoek en Joe veegde zijn gezicht af.

'Dank u,' zei Joe.

'Wat doet u met dit weer buiten?' vroeg de andere bewaker.

'Dat is een lang verhaal,' antwoordde Joe. 'Ik ben Amerikaan. Ik werd door iemand gevangen gehouden tot ik de kans kreeg om uit een rijdende vrachtwagen te springen en nu moet ik dringend van uw telefoon gebruik maken.'

'Amerikaan?' herhaalde de man. 'Een toerist? Moeten we uw hotel bellen?'

'Nee,' zei Joe, 'ik ben geen toerist. Ik moet met de politie spreken. Of, nog beter, met de militaire autoriteiten. We zijn hier in gevaar. We zijn allemaal in gevaar.'

'Hoe bedoelt u, in gevaar?' vroeg de bewaker argwanend.

Joe keek hem recht in de ogen. 'Terroristen zijn van plan een aanslag te plegen op de dam.'

46

De vijf trucks van Jinns colonne daverden nog honderddertig kilometer verder naar het zuiden, verlieten toen de hoofdweg en reden verder over een onverharde weg. Ze passeerden de dam en reden door, over een randweg die langs de grillige oever van het Nassermeer slingerde.

Een kilometer voorbij de dam kwamen ze bij een hek dat op een verdachte manier open was gelaten en daar reden ze doorheen. Sabah zat in de cabine van de voorste truck en hij gaf alle chauffeurs de opdracht hun lichten te doven en nachtzichtkijkers te gebruiken.

Zo verduisterd bereikte het konvooi een boothelling aan de rand van het meer.

'Keer de wagens,' beval Sabah. 'Zet ze achteruit op de helling.'

Sabah klom uit de cabine van de voorste truck en begon het verkeer te regelen. De boothelling was breed genoeg om alle vijf de combinaties naast elkaar neer te zetten, als krokodillen die zich op de oever in het zonnetje lagen te koesteren.

Omdat het waterpeil van het meer door alle regen van de laatste tijd buitengewoon hoog was, stond het grootste deel van de boothelling onder water. Sabah schatte dat er nog wel dertig meter beton onder water verborgen lag voordat de helling de natuurlijke bedding van het meer doorsneed.

Op een teken van Sabah begonnen de trucks heel langzaam de helling af te dalen. De chauffeurs namen er de tijd voor en controleerden hun vorderingen in de spiegels en door open ramen.

Toen de opleggers in het water kwamen, haalde Sabah een speciale zender uit zijn zak. Hij trok de antenne uit, zette het apparaat aan en drukte op de eerste van vier rode knoppen.

Achter in de vijf opleggers sprongen de magnetische sluitringen open waarmee de vaten waren afgesloten. De deksels stonden onder druk en kwamen nu omhoog en gleden opzij.

Een groen lichtje liet Sabah weten dat het activeren volgens plan was verlopen.

Zonder dat iemand daar ook maar iets van kon zien, kwamen het zilverzand en de microbots tot leven en begonnen te draaien en te bewegen alsof er slangen onder het zand verborgen zaten, en klommen over de randen van de vaten.

Zonder zich bewust te zijn van wat er op de opleggers achter hen gebeurde, gingen de chauffeurs verder met langzaam de helling af te dalen, zonder de motor te gebruiken, maar gewoon met gebruikmaking van de zwaartekracht. Ze hadden dit geen van allen ooit eerder gedaan en de meesten hadden het gevoel alsof ze in het water werden getrokken.

Sabah keek het aan. Hij was blij dat ze zo voorzichtig te werk gingen, want het betekende dat ze niet op hem letten.

'Mooi zo,' fluisterde hij en hij drukte op de tweede van de vier rode knoppen.

In de cabines klapten de elektrische sloten van de deuren dicht, de ramen gingen tot op een kier van een paar centimeter na dicht en werden vergrendeld. De chauffeurs schrokken van het geluid en de beweging.

Direct daarop pompten kleine gaspatronen chloroform in de cabines. De mannen hielden het geen twee seconden uit en geen van hen zag kans een deur open te maken. Een van hen kreeg een raam halfopen voordat hij bewusteloos op zijn stoel in elkaar zakte.

Zonder verder te treuzelen, drukte Sabah op de derde knop, waarop de motoren van de trucks sneller begonnen te draaien. Met toenemende snelheid reden ze achteruit de helling af en stortten zich als een stel woeste nijlpaarden in het water.

Op alle trucks was een tweede luchtinlaat voor de motoren aangebracht, vermomd als een uitlaatpijp die hoog boven de cabine uit stak. Toen Sabah de chloroformpatronen had geactiveerd, was de oorspronkelijke inlaat afgesloten en de tweede geopend. Die werkte nu als een snorkel waardoor de motor lucht kon blijven aanzuigen en blijven draaien, zelfs nadat de hele combinatie onder water was verdwenen. Zodoende bleven de motoren lopen en de wielen achteruit draaien, de helling af en verder over de stenen en het grind op de bodem van het meer. De vijf trucks spreidden zich als de vingers van een hand, wroetten zich een weg onder water en verdwenen uit het zicht.

Door de vaart die ze al hadden en de helling van de bodem, gingen de trucks ook nog door nadat de motoren uiteindelijk vol met water waren gelopen. Toen ze ten slotte stopten, lagen ze vijfenveertig meter van de wal op een diepte van negen meter.

De bewusteloze chauffeurs verdronken al spoedig. Als ze ooit zouden worden gevonden, zouden ze worden geïdentificeerd als Egyptische radicalen. Niemand zou ooit weten hoe Jinn en Sabah bij dit incident betrokken waren geweest, behalve generaal Aziz, die zich maar beter stil kon houden en zeer waarschijnlijk geen andere keus zou hebben dan terug te keren aan de onderhandelingstafel.

Nadat het water weer rustig was geworden, drukte Sabah de laatste knop op zijn zender in. Een kilometer verderop begonnen twee tegen de wand van de dam bevestigde apparaten *homing signals* uit te zenden.

De beide apparaten waren ongeveer zo groot als een koffer die je nog net als handbagage mee mocht nemen in de cabine van een vliegtuig, maar hadden de vorm van een soort mechanische krab. Ze waren achtenveertig uur daarvoor door een duiker tegen de dam aangebracht, de ene net onder de waterlijn en de tweede twintig meter lager tegen de glooiend aflopende muur van de dam.

Als de duikers hun werk goed hadden gedaan, waren er inmiddels al kleine gaten geboord, drie meter diep, door de buitenmuur in het daarachter gelegen aggregaat. Vanuit elke krab was een groep speciaal daarvoor bestemde microbots druk bezig die gaten groter te maken.

Het grote leger dat nu bezig was uit de trucks te ontsnappen, zou op de uitgezonden signalen afgaan en het proces versnellen. Over zes uur zou er aan de andere kant van de dam, dicht bij de bovenkant, een klein stroompje water naar buiten komen. Dat stroompje zou een doorgang uitschuren en door de erosie die dat tot gevolg had, zou het stroompje snel een stortvloed worden.

In het eerste stadium van de ramp die te gebeuren stond, zou het water van het Nassermeer over de bovenkant van de dam stromen waardoor het kanaal snel breder zou worden en de onstuitbare watervloed een verwoesting in de lager gelegen Nijlvallei zou aanrichten. Maar dat was nog maar het begin.

De tweede, veel dieper in de dam geboorde tunnel, zou de kern van de dam destabiliseren en een tunnel in het hart van het bouwwerk uitschuren. Uiteindelijk zou de dam het begeven en zou er in één keer een reusachtig V-vormig gedeelte instorten. De overstroming zou een tsunami worden.

In zekere zin had generaal Aziz ze een dienst bewezen. Door de boodschap die hier in Aswan zou worden afgegeven en de actie die Jinn in de Indische Oceaan ondernam, betwijfelde Sabah of er een land op de wereld zou zijn dat zou weigeren aan hun eisen te voldoen of het zou durven wagen hen te bedreigen.

Zouden de Amerikanen bereid zijn de Hooverdam te zien instorten waardoor Las Vegas van de kaart zou worden geveegd en alle staten in het zuidwesten niet alleen zonder stroom, maar ook zonder water zouden komen te zitten? Zou China eenzelfde lot voor de Drieklovendam durven riskeren? Sabah dacht van niet.

Hij gooide de afstandsbediening ver in het meer en liep weg. Een kilometer verderop stond een kameel op hem te wachten. Die zou hij bestijgen, de keffiyeh om zijn hoofd wikkelen en in de woestijn verdwijnen zoals de bedoeïenen dat al meer dan duizend jaar hadden gedaan.

47

Kurt werd uren nadat hij op Pickett's Island gevangen was genomen, wakker in een nissenhut. Gevangen, uitgeput en met de gedachte dat hij de rust later nodig zou hebben, was Kurt vrijwel direct nadat ze opgesloten waren op de grond gaan liggen. Hij was bijna onmiddellijk in slaap gevallen. Toen hij wakker werd, vond hij het jammer dat het allemaal geen droom was geweest.

De mannen in legerkleding brachten hem van deze hut naar een andere die onder de bomen verscholen lag. Binnen trof hij een onmiskenbaar militaire omgeving aan die veel op een soort tribunaal leek. Leilani en Ishmael waren er ook.

Een van de eilandbewoners met een Aboriginal en Polynesisch voorkomen stond op vanachter een bureau helemaal achter in de hut en zat de hoorzitting voor in zijn hoedanigheid van rechter. Hij was langer en magerder dan de man die hen op het strand had gevonden en volgens Kurt ook een stuk ouder. Hij had een grijze lok in zijn zwarte haar.

'Ik ben de achttiende Roosevelt van Pickett's Island,' zei de man.

'De achttiende Roosevelt?' herhaalde Kurt.

'Dat is correct,' zei de rechter. 'En tot wie richt ik mij? Noemt u uw volledige naam voor het verslag.'

'Ik ben de eerste Kurt Austin van de Verenigde Staten van Amerika,' zei Kurt. 'Dat wil zeggen, voor zover mij bekend.'

De rechters en de andere aanwezigen slaakten een collectieve zucht en Kurt probeerde te begrijpen wat hij hier zag en hoorde.

Tijdens de wandeling van het strand naar de tussen de bomen verborgen hutten, waren ze langs fortificaties gekomen, langs loopgraven en opstellingen voor zware mitrailleurs, tot ze uiteindelijk bij een aantal gammele bouwsels kwamen waaronder de oude nissenhutten waarvan de overkappingen waren opgelapt en gerepareerd met riet en gevlochten palmbladeren.

Mannen in groene legerkleding stonden om ze heen. Hun uniformen waren in dezelfde slechte staat als de hutten. Sommige leken zelfs eerder op slechte replica's. De M1-geweren die ze bij zich hadden leken wel authentiek te zijn. Kurt had er thuis verschillende in zijn verzameling, maar bij zijn weten waren ze sinds de Koreaanse Oorlog nergens meer door militairen gebruikt.

Naast hem noemden Leilani en Ishmael hun namen. Geen van beiden deden ze dat op de manier zoals Kurt dat had gedaan. Ze gaven evenmin een land van herkomst op.

De achttiende Roosevelt nam opnieuw het woord. 'U wordt beschuldigd van het betreden van verboden gebied, verboden wapenbezit en spionage. U wordt beschouwd als vijandelijke combattanten en krijgsgevangenen. Hoe wilt u pleiten? Schuldig of onschuldig?'

'Pleiten?' riep Leilani uit.

'Ja,' zei de rechter. 'Behoort u tot de asmogendheden of niet?'

Leilani trok Kurt aan zijn mouw. 'Wat gebeurt hier? Waar hebben ze het over?'

Kurt dacht razendsnel na en kreeg een idee.

'Volgens mij is dit een cargocult,' fluisterde hij Leilani toe.

'Een wat?'

'Tijdens de Tweede Wereldoorlog kwamen eilanden in de Stille Oceaan, waar de bewoners sinds mensenheugenis in stamverband hadden geleefd, plotseling terecht in de grootste oorlog die ooit was uitgevochten. Elk eiland dat van strategisch belang was, werd geclaimd en voor een of ander doel gebruikt, vaak voor opslag van voorraden die in eindeloze hoeveelheden door schepen werden aangevoerd. Lading, *cargo* zoals de Amerikaanse soldaten dat noemden.'

Hij knikte naar de soldaten om hen heen. 'Voor de mensen die eeuwenlang in stamverband hadden geleefd, was het plotselinge verschijnen van mannen uit de lucht of van grote schepen uit de zee die, naar het scheen, eindeloze hoeveelheden voedsel en gebruiksvoorwerpen aanvoerden, een ervaring die leek op de komst van lagere goden.'

'Dat meen je niet,' zei ze.

'Ja, dat meen ik wel. Om de steun en medewerking van deze eiland-bewoners te krijgen, werd een groot deel van al die spullen aan deze mensen gegeven, alsof het manna uit de hemel was. Maar toen de oorlog afgelopen was en de soldaten weer vertrokken, was dat een hele schok. Geen schepen meer die hun lading losten. Geen grote, zilveren vogels die uit de lucht kwamen vallen.

Op de meeste plaatsen hernam het leven zijn normale loop, maar er waren ook eilanden waar de stammen manieren begonnen te bedenken om de terugkeer van de soldaten en hun ladingen te bevorderen. Die werden bekend als cargocults.'

Een tweede rechter, die lager in de pikorde leek te staan dan de acht-tiende Roosevelt, werd ongeduldig van Kurts gefluister.

'De verdachten moeten antwoorden!' zei hij bars.

'We overleggen hoe we zullen pleiten,' antwoordde Kurt.

Hij ging verder met zijn uitleg. 'Wat veel voorkwam, was dat ze gingen nadoen wat ze op de Amerikaanse bases hadden gezien. Van sommige cultussen is bekend dat ze zelf soldaatje gingen spelen. Ze kleedden zich net zoals die kerels, ze exerceerden met houten na-maakgeweren. Ze hielden elke morgen reveille en vlagceremonie. Ze hadden zelfs rangen en medailles en hielden militaire begrafenissen. De meest bekende groep die ik me kan herinneren is de John Frum Cult op Vanuatu. Men zegt dat de cultus aan zijn naam kwam omdat de Amerikanen zich voorstelden met: *"Hi, I'm John from..."* en dan de plaats waar ze vandaan kwamen. Zodoende noemde de cult zich de John Frummers.'

'Dat is allemaal leuk en aardig,' zei Leilani een tikje sarcastisch, 'maar wij zitten niet in de Stille Oceaan. En deze kerels hebben geen houten namaakgeweren.'

'Nee,' zei Kurt. 'Hier is iets anders aan de hand.'

Hij merkte in de hut nog een aantal dingen op. Op een grote tafel lagen kaarten uitgespreid en hij zag een kompas, een barometer en een sextant. Hij zag een ouderwets grijs zwemvest en ook een paar identiteitsplaatjes die zo te zien een ereplaats hadden op het bureau van de achttiende Roosevelt. Een verschoten honkbalpet van de Yankees die toch minstens zeventig jaar oud moest zijn, lag er vlak naast.

'De tijd voor overleg is voorbij,' zei de achttiende Roosevelt. 'U moet nu zeggen hoe u pleit, of anders zullen wij dat voor u doen.'

'Onschuldig,' zei Kurt. 'We zijn Amerikanen, net als u. Nou ja, twee van ons, in elk geval.'

De rechters bekeken hen eens. 'Hoe wilt u dat bewijzen?' zei een van de rechters. 'Zij zou een Japanse spionne kunnen zijn.'

Leilani werd woedend. 'Hoe dúrft u me een spion te noemen! Zelfs als ik deels Japans was, dan zou daar nog niets mis mee zijn.'

'Bent u dat?'

'Nee, ik ben Amerikaanse, uit de staat Hawaï.'

'Ze bedoelt het territorium Hawaï,' viel Kurt haar in de rede.

'Nee, dat bedoel ik niet.'

'Ja, dat bedoel je wel,' hield Kurt vol. 'Hawaï werd pas in negenenvijftig een staat!'

Leilani keek hem met grote kastanjebruine ogen aan. Daarin was vertrouwen te lezen, en een mengeling van hoop en verwarring.

'Laat het praten alsjeblieft aan mij over,' fluisterde Kurt en hij wendde zich toen weer tot de eerste rechter. 'Wat ze bedoelt, is dat ze in de buurt van Pearl Harbor is opgegroeid. Ze is daar vaak geweest om een bezoek te brengen aan het Arizona Memorial en eer te bewijzen aan de gesneuvelden van zeven december.'

Dat leek de rechter te accepteren. 'En u?' vroeg hij aan Kurt.

'Ik werk voor het National Underwater & Marine Agency. Dat is een instelling voor oceaanonderzoek van de Amerikaanse overheid. Die werd opgericht door admiraal James Sandecker.'

'Sandecker?' zei de tweede rechter.

'Nooit van gehoord,' zei een derde rechter.

'Hij is viceadmiraal,' zei Kurt. 'Hij is een goede vriend van me. Ik ben vaak bij hem thuis geweest. Hij is nu vicepresident van de Verenigde Staten.'

De rechters trokken hun gezamenlijke wenkbrauwen op. 'De vicepresident is een goede vriend van u?' vroeg een van hen.

De anderen begonnen te lachen.

De achttiende Roosevelt schudde zijn hoofd. 'Het lijkt me onmogelijk dat de nieuwe Harry Truman een vriend zou zijn van een sjofel uitziende man als u.'

Kurt dacht even na over hoe hij er voor een ander uit moest zien. Hij was gehavend en gekneusd en had een baard van drie dagen. Het gestolen uniform was een maatje te groot en hier en daar gescheurd. Hij was allang blij dat hij op dit moment niet glinsterde.

'U ziet me nu ook niet echt op mijn best,' zei hij.

Leilani boog zich wat dichter naar hem toe. 'De nieuwe Harry Truman?'

'Ik krijg het gevoel dat ze namen en titels door elkaar halen,' zei Kurt. 'Degenen die hier destijds zijn geland, moeten ze hebben verteld dat de leider van het land Roosevelt was en Truman de vicepresident.'

'Zou die man daarom de achttiende Roosevelt van Pickett's Island zijn?'

'Ik denk het.'

'Ik krijg het gevoel alsof ik in een aflevering van de *Twilight Zone* zit,' zei Leilani.

Dat gevoel had Kurt ook. Maar anderzijds had dat volgens hem ook bepaalde voordelen en omdat de levens van zijn vrienden nog steeds op het spel stonden, had hij geen andere keuze dan deze voordelen uit te buiten.

'Wat ik heb gezegd, is de waarheid,' zei Kurt met nadruk. 'En ik ben hier op Pickett's Island in de toestand zoals u die ziet, omdat ik net uit de klauwen van een aantal vijanden van de Verenigde Staten ben ontsnapt.'

De mannen leken onder de indruk en begonnen met elkaar te fluisteren.

'Hoe kunnen we zeker weten dat hij een Amerikaan is?' zei de tweede rechter.

'Hij lijkt veel op Pickett,' zei de achttiende Roosevelt.

'Het zou ook een Duitser kunnen zijn. Zijn naam is Kurt.'

Dat leek de achttiende Roosevelt een redelijke vraag te vinden en hij wendde zich naar Austin. 'U moet het bewijzen.'

'Hoe moet ik dat doen?'

'Ik zal u een aantal vragen stellen,' zei hij. 'Als u antwoordt zoals een Amerikaan dat zou hebben gedaan, geloven we uw verhaal. Als u verkeerde antwoorden geeft, bent u schuldig.'

'Ga uw gang,' zei Kurt vol zelfvertrouwen. 'U vraagt maar.'

'Wat is de hoofdstad van de staat New York?' vroeg de rechter.

'Albany,' zei Kurt.

'Heel goed. Maar dat was een gemakkelijke.'

'Geeft u me dan maar een moeilijke.'

De rechter fronste zijn wenkbrauwen en keek Kurt met half toegeknepen ogen aan voordat hij de volgende vraag stelde. 'Wat wordt er bedoeld met de uitdrukking: de werper maakte een schijn?'

Kurt was verrast. Hij had weer een aardrijkskundige vraag verwacht of misschien iets over geschiedenis, maar anderzijds was het toch ook niet verwonderlijk. Geschiedenis en aardrijkskunde waren gemakkelijk te leren, maar de duistere regels van een nationale sport niet. Toevallig had Kurt zijn hele jeugd honkbal gespeeld.

'Een werper kan op verschillende manieren een schijn maken,' zei hij, 'maar gewoonlijk gebeurt dat als de werper nog niet helemaal stilstaat voordat hij de bal naar het thuishonk gooit.'

De rechters knikten als één man.

'Correct,' zei een van hen.

'Ja, ja,' zei een volgende, nog steeds knikkend.

'Derde vraag: Wie was de zestiende Roosevelt van de Verenigde Staten?'

Kurt nam aan dat hij de zestiende president bedoelde. 'Abraham Lincoln.'

'En waar werd die geboren?'

Ook dat was een goede vraag, omdat algemeen bekend was dat Lincoln uit Illinois kwam, waardoor de meeste mensen aannamen dat hij daar ook wel zou zijn geboren. 'Lincoln werd in Kentucky geboren,' antwoordde Kurt. 'In een blokhut.'

De rechters knikten naar elkaar. Hij leek het goed te doen.

'Ik heb het gevoel alsof we in een slechte spelshow zitten,' mompelde Leilani.

'Alleen jammer dat we geen hulplijnen hebben,' zei Kurt. 'Ik zou wel graag iemand willen bellen.'

'Een laatste vraag,' zei de achttiende Roosevelt. 'Vertel ons wat wordt bedoeld met: Het huis dat Ruth heeft gebouwd.'

Kurt glimlachte. Hij keek naar de oude Yankees-pet. Iemand die van grote invloed op deze mensen was geweest, had van honkbal gehouden en was duidelijk uit New York afkomstig geweest.

'Het huis dat Ruth heeft gebouwd, is Yankee Stadium. Dat is in de Bronx,' zei hij, om er tot grote instemming van de rechters aan toe te voegen: 'Het is genoemd naar Babe Ruth, de grootste honkbalspeler aller tijden.'

'Hij heeft gelijk,' zei de achttiende Roosevelt opgetogen. 'Alleen een echte Amerikaan weet die dingen.'

'Ja, ja,' zeiden de anderen instemmend. 'Maar hoe zit het met die vrouw?'

'Die hoort bij mij,' zei Kurt.

'En de man?'

Kurt aarzelde. 'Hij is mijn gevangene.'

'Dan is hij ook onze gevangene,' zei een van de rechters.

'Onze eerste gevangene,' verklaarde de achttiende Roosevelt tot groot enthousiasme van de andere aanwezigen. 'Voer hem weg.'

Ishmael keek geschrokken toen twee mannen met karabijnen op hem afkwamen en hem vastgrepen.

'Denk erom, hij moet volgens de regels van de Conventie van Genève worden behandeld,' zei Kurt streng.

'Ja, natuurlijk. Hij zal goed worden verzorgd. Maar hij zal dag en nacht worden bewaakt. Er is nog nooit een gevangene van Pickett's Island ontsnapt. Daar staat tegenover dat we nooit eerder een gevangene hebben gehad. Hij zal niet ontsnappen.'

Zonder de kans te krijgen zich te verdedigen, werd Ishmael afgevoerd. Kurt nam aan dat het wel goed zou komen. Terwijl de zaal leegliep, begaf Kurt zich naar de rechterstoel.

De achttiende Roosevelt stak hem zijn hand toe. 'Mijn verontschuldigingen voor de behandeling,' zei hij. 'Ik moest zekerheid hebben.'

Kurt schudde hem de hand. 'Begrijpelijk,' zei hij. 'Mag ik vragen hoe u heet?'

'Ik ben Tautog,' zei de rechter.

'En u bent de achttiende Roosevelt van het eiland,' zei Kurt, bevestigend.

'Ja,' zei Tautog. 'Om de vier jaar wordt er een nieuwe leider gekozen. Ik bekleed het ambt nu twee jaar. Ik verdedig het eiland en de Grondwet van de Verenigde Staten van Amerika.'

Kurt rekende terug. Als iedere ambtstermijn vier jaar duurde en Tautog het ambt zelf nog maar twee jaar bekleedde, dan hield dat in dat de eerste Roosevelt zeventig jaar daarvoor was gekozen, in 1942.

De Tweede Wereldoorlog. Deze eilandbewoners waren met iemand in aanraking gekomen en omgevormd tot een kleine gevechtseenheid.

Het leek erop dat sindsdien niemand de moeite had genomen om ze te vertellen dat de oorlog afgelopen was.

Kurts ogen dwaalden over de nautische instrumenten en het zwemvest. De naam die erop stond was te verbleekt om te kunnen lezen. 'Is hier een schip geland?' vroeg hij.

'Ja,' zei Tautog. 'Een groot schip van vuur en staal. Het stoomschip John Bury.'

'Wat is daarmee gebeurd?' vroeg Kurt.

'De kiel is aan de oostkant van het eiland onder het zand begraven. De rest hebben we gesloopt en het materiaal gebruikt om schuilkelders en verdedigingswerken te bouwen.'

'Verdedigingswerken?' vroeg Leilani. 'Waartegen?'

'Tegen de Japanse Keizerlijke Marine en banzai-aanvallen,' zei Tautog, op een toon alsof dat toch voor de hand lag.

Kurt kon nog net voorkomen dat Leilani verderging. Tautog en zijn mede-eilanders waren buitengewoon geïsoleerd en niet alleen in geografisch opzicht. Hij wist niet hoe ze zouden reageren als ze hoorden dat de oorlog waarop zij en hun vaders en hun grootvaders zich helemaal hadden ingesteld, al vijfenzestig jaar afgelopen was.

'Door wie bent u opgeleid?' vroeg Kurt.

'Door kapitein Pickett en sergeant eerste klasse Arthur Watkins van het Amerikaanse Korps Mariniers. Ze hebben ons de oefeningen geleerd, hoe we moesten vechten, ons moesten verbergen en hoe we de vijand tijdig konden opmerken.'

'Wie was de Yankees fan?' vroeg Kurt.

'Kapitein Pickett hield van de Yankees. Hij noemde ze de Bronx Bombers.'

Kurt knikte. 'En wat gebeurde er nadat ze weer waren vertrokken?'

Tautog keek alsof hij de vraag niet begreep. 'Ze zijn niet vertrokken,' zei hij. 'Ze zijn beiden hier begraven, samen met hun bemanning.'

'Ze zijn hier overleden?'

'Kapitein Pickett stierf acht maanden nadat de John Bury hier aan de grond liep, aan zijn verwondingen. De sergeant was ook zwaar gewond. Hij kon niet lopen, maar hij leefde nog elf maanden en leerde ons vechten.'

Kurt vond het verhaal even verbazingwekkend als intrigerend. Hij had nooit eerder gehoord van een cargocult waarbij de Amerikanen achtergebleven waren. Hij had alleen graag gewild dat hij St. Julien Perlmutter had kunnen bereiken om zodoende van zijn uitgebreide kennis van de geschiedenis van de oorlog ter zee te kunnen profiteren. Het vrachtschip moest ergens in de boeken staan, waarschijnlijk met de aantekening 'vermist en vermoedelijk gezonken', niet meer dan een voetnoot bij de reusachtige oorlog.

'Toch begrijp ik iets niet,' zei Leilani. 'Waarom zou u moeten vechten? Ik begrijp het van de oorlog en de Japanners, maar dit eiland is zo klein. Het ligt zo ver weg van alles. Ik geloof niet dat de Japanners geïnteresseerd waren, eh, ik bedoel zijn, om het te veroveren.'

'We verdedigen het eiland zelf ook niet,' zei Tautog. 'Het gaat om de machine die kapitein Pickett aan ons heeft toevertrouwd.'

Kurt trok zijn wenkbrauwen op. 'De machine?'

'Ja,' zei Tautog. 'De grote machine. De Pijnmaker.'

48

Kurt had geen idee wat de Pijnmaker was, maar met zo'n naam wilde hij dat wel graag weten. Maar eerst moest hij zijn verplichtingen als beroemdheid nakomen.

In scherpe tegenstelling tot hun aanvankelijke ontvangst, waren hij en Leilani nu geëerde gasten op Pickett's Island geworden. Het feit dat hij de eerste Amerikaanse bezoeker in zeventig jaar was, was nog tot daar aan toe, maar het feit dat hij de huidige Harry Truman kende, was voor de stamleden in hun militaire kledij reden om hem te behandelen als generaal MacArthur bij zijn terugkeer op de Filippijnen.

Nadat ze Leilani en hem vers water te drinken hadden gegeven en in de gelegenheid hadden gesteld te douchen en militaire werkkleding aan te trekken zoals alle eilanders droegen, onthaalden de mannen van Pickett's Island hen op een maaltijd van versgevangen vis, met mango's, bananen en kokosmelk van de bomen die op het eiland in overvloed groeiden.

Terwijl ze aten, vertelden Tautog en drie anderen in geuren en kleuren hoe ze alles wat ze bezaten en alles wat ze wisten te danken hadden aan kapitein Pickett en sergeant Watkins. Ze zeiden het niet met zoveel woorden, maar naar het scheen hadden Pickett en Watkins hun beschaving uit het niets geschapen, met als gevolg dat ze bijna als mythische geesten werden beschouwd.

Na de maaltijd kregen Kurt en Leilani een rondleiding over het eiland.

Kurt zag onmiddellijk dat het geheel blijk gaf van vernuft en een grote mate van inventiviteit. Her en der tussen de bomen zaten bouwsels van verroeste stalen platen verborgen. Loopgraven en tunnels vormden de verbinding tussen een met voorraden gevulde grot, uitkijkposten en een gedeelte waarin reservoirs waren uitgegraven om regenwater op te vangen. Overal was materiaal van het schip gebruikt en ook van alle delen; niet alleen platen, maar ook oude ketels, pijpen en stalen balken. Zelfs de scheepsbel van de John Bury was naar een hoge plek op het eiland gebracht waar hij kon worden geluid om anderen te waarschuwen als er iets aan de hand was, of bij een aanval door de Japanners.

'Ik kan gewoon niet geloven dat niemand ze ooit iets heeft verteld,' fluisterde Leilani, terwijl ze op een paar passen afstand achter hun gidsen onder de palmbomen liepen.

'Ik denk niet dat ze veel bezoek krijgen,' zei Kurt.

'Moeten wij soms iets zeggen?'

Kurt schudde zijn hoofd. 'Ik denk niet dat ze het willen weten.'

'Waarom zouden ze het niet willen weten?'

'Ze houden zich voor de wereld verborgen,' zei Kurt. 'Dat moet onderdeel zijn geweest van Pickett's strategie om zijn Pijnmakermachine veilig te bewaren.'

Ze knikte en leek het te begrijpen. 'Als wij nu eens zorgen dat we hier wegkomen en we laten die mensen zich gewoon verborgen houden?' zei ze. 'Het is tenslotte een eiland, dus ze moeten boten hebben. Misschien kunnen we er eentje lenen.'

Kurt wist dat ze boten hadden omdat Tautog had gezegd dat het kamp uit nog twee eilanden bestond die alleen vanaf de top van de centrale piek te zien waren. Een snelle berekening leerde hem dat dit een afstand van minstens vijftien, mogelijk twintig mijl betekende. Als een boot dat aankon, kon hij ook de scheepvaartroutes bereiken. Als iemand tenminste van plan was daarheen te gaan.

'Ze hebben inderdaad boten,' zei Kurt. 'Maar wij gaan nergens heen, alleen ik.'

Leilani keek hem als door een wesp gestoken aan. Haar wenkbrauwen schoten omhoog, haar hele houding verstrakte en ze bleef als aan de grond genageld staan. 'Pardon?'

'Je bent hier veilig,' zei hij.

'Dat wil niet zeggen dat ik wil blijven.'

'Het gaat mij er alleen maar om dat jij veilig bent, terwijl ik Aqua-Terra probeer te bereiken,' zei Kurt.

Ze zweeg alsof ze haar best moest doen om dat wat hij zojuist had gezegd, te verwerken. 'Ga je terug? Zijn we niet bijna verdronken bij onze pogingen om daar weg te komen?'

'En we zijn hier geland,' zei Kurt. 'Er zit verbetering in.'

'Denk je niet dat teruggaan naar dat drijvende eiland dat nu door terroristen is bezet die trend weer zal omkeren?'

'Niet als ik met geweren ga en het verrassingselement in mijn voordeel werkt.'

Ze keek hem even aan en leek zijn gedachten te lezen. 'Je vrienden op het eiland?'

Hij knikte.

'Dat niet alleen,' zei Kurt. 'Jinn is daar ook en die heeft iets veel groters in de zin dan terrorisme of wapensmokkel of witwaspraktijken.'

'Wat dan?'

'Deze hele zaak is begonnen met een onderzoek naar de watertemperaturen. Het weerpatroon boven India is onstabiel geworden. Ze hebben al twee jaar last van verminderde regenval en dit jaar lijkt het droogste tot nu toe te worden. Jouw broer bestudeerde de stroom en de temperatuurpatronen omdat wij dachten dat de oorzaak gezocht moest worden in een tot nu toe onontdekt El Niño-/La Niña-effect.'

Ze knikte. 'En hij vond die kleine machientjes van Jinn verspreid over de hele oceaan.'

'Precies,' zei Kurt. 'En toen die het zonlicht terug begonnen te kaatsen, voelde ik de hitte van het water opstijgen. Die twee dingen moeten met elkaar in verband staan. Ik weet niet precies waarom, maar dat geknoei van Jinn met de temperatuurgradiënt en het butterfly-effect, hebben vreselijke gevolgen.'

Intussen waren ze aan de oostkant van het eiland gekomen op een steil aflopende oever van misschien zes meter hoog. Voor hen lag een breed strand met een veel betere toegang door het rif dan de opening die Kurt vanaf het noorden had genomen.

Hij hoopte dat ze eindelijk waren aangekomen bij datgene wat hij wilde zien.

Tautog zwaaide met zijn hand naar het open strand. 'Kapitein Pickett zei tegen ons dat als de Jappen zouden komen, ze hier zouden aanvallen.'

Daar had hij waarschijnlijk gelijk in gehad, dacht Kurt. Het leek hem een gemakkelijk strand om in te nemen.

'Vandaar dat hij zei dat we de Pijnmaker naar deze kant van het eiland moesten brengen.'

Tautog gaf zijn mannen een teken en die trokken een van riet gevlochten schot opzij. In de grot erachter stond een vreemd uitziend apparaat. Het deed Kurt denken aan een luidsprekersysteem. Het was een rechthoekige bak van anderhalve meter breed en misschien dertig centimeter hoog die verdeeld was in rijen zeshoekige vakjes, vier rijen van tien. De vakjes leken van keramiek te zijn.

'Zet de stroom aan,' zei Tautog. Achter hem begonnen twee mannen een hefboom heen en weer te halen. Ze leken op houthakkers die bezig waren een dikke stam met een grote trekzaag doormidden te zagen, maar in werkelijkheid brachten ze een vliegwiel in beweging. Het vliegwiel was aan een generator gekoppeld en al na enkele seconden draaiden zowel het vliegwiel als de generator snel rond.

De speakerbox begon een krakend gezoem voort te brengen. Een dertig meter verderop begon het water te rimpelen en even later trilde en spetterde een strook water van vijftien meter breed alsof het kookte of op een of andere manier in beroering werd gebracht.

Tautog zwaaide nogmaals met zijn hand. Langs de steile oever werden nog eens zeven schotten van camouflagemateriaal opzij getrokken. Nadat ook de generatoren van deze units waren gestart en op toeren gekomen, kwam het water langs het hele strand in dezelfde staat van beroering.

Kurt zag hoe de vissen op de vlucht gingen en over elkaar heen sprongen als zalmen op een zalmtrap. Een paar vogels doken eropaf omdat ze er een gemakkelijke prooi in zagen, maar zwenkten ook direct weer weg alsof ze in een krachtveld terecht waren gekomen.

Het kon niet anders of de speakerboxen wekten een bepaalde trilling op, maar het enige wat Kurt hoorde, was dat krakerige gezoem zoals je dat ook bij hoogspanningskabels kon horen. 'Geluidsgolven.'

'Ja,' zei Tautog. 'Als de Japanners landen, komen ze niet verder dan het strand.'

Kurt zag dat er verder niets met de vissen en de vogels gebeurde. 'Zo te zien is het niet dodelijk.'

'Nee, maar de pijn die het veroorzaakt, dwingt ze op de knieën. Dan zijn ze een gemakkelijk doelwit.'

'Geluid dat als wapen wordt gebruikt,' zei Leilani. 'Dat lijkt misschien gek, maar in de natuur zie je het ook. Ik heb wel eens met Kimo gedoken en toen gezien hoe dolfijnen hun echolocatie gebruikten om vissen te verdoven voordat ze die tussen hun kaken pakten.'

Daar had Kurt wel van gehoord, maar het nooit zelf gezien. Hij wist wel dat er geluidswapens ontwikkeld werden. 'Bij defensie werken ze al vele jaren aan een dergelijk systeem. De bedoeling is om het bij grote menigten te gebruiken in plaats van al die rubberkogels en traangasgranaten. Maar ik wist niet dat het concept teruggaat tot de Tweede Wereldoorlog.'

'Enig idee hoe het werkt?' vroeg Leilani.

'Daar moet ik naar raden,' zei Kurt, 'maar ik denk dat het om harmonische trillingen gaat. De geluidsgolven planten zich met heel kleine verschillen in snelheid en onder een net even andere hoek voort. Ze komen bij elkaar in het gebied waar het water tekeergaat en versterken het effect. Het is als het ware een bundel geluid.'

'Ik ben blij dat jullie het niet tegen ons hebben gebruikt,' zei Leilani tegen Tautog.

'Jullie landden op het verkeerde strand,' antwoordde Tautog nuchter.

Daar was Kurt blij om. 'Haastige navigatie heeft dus ook zijn voordelen.'

Terwijl hij naar het kolkende water stond te kijken, begon zich in zijn hoofd een plan te vormen, maar om dat uit te voeren, moest hij eerst weten hoe effectief de Pijnmaker werkelijk was.

'Ik wil het testen.'

'We kunnen de gevangene voor een demonstratie gebruiken, als je dat wilt.'

'Nee,' zei Kurt, 'niet de gevangene, maar mij.'

Tautog keek hem vreemd aan. 'Je bent een merkwaardig mens, Kurt Austin.'

'Ik doe wat ik moet doen om te overleven en de klus te klaren,' zei Kurt. 'En bovendien heb ik geen enkele behoefte om iemand te zien lijden. Zelfs een vroegere vijand niet.'

Daar dacht Tautog even over na, maar hij zei niet of hij het er wel of niet mee eens was. Hij haalde een schakelaar over waarop de luidsprekers naast hem uitgeschakeld werden en er een opening in de muur van geluid ontstond die over het strand en over de baai reikte.

Leilani greep hem bij de arm. 'Ben je niet goed wijs?'

'Dat is best mogelijk,' zei Kurt, 'maar ik moet het weten.'

'Ik waarschuw je,' zei Tautog. 'Het doet werkelijk erg veel pijn.'

'Het zal misschien raar klinken,' antwoordde Kurt, 'maar ik hoop werkelijk dat dat zo is.'

Een minuut later stond Kurt op het zand, aan de rand van het water. Hij zag een stuk of wat vissen bewegingloos in het water drijven. Klaarblijkelijk waren ze toch niet allemaal ontkomen. Om hem heen vibreerden de geluidsgolven van de andere speakers en bleven de lucht en het water in beroering brengen, maar het grootste deel van de energie lag buiten bet bereik van het menselijk gehoor. Het enige wat hij hoorde, waren ijle, bijna spookachtige klanken. Kurt keek achterom, over het strand naar de steile oever. Hij zag Leilani met haar beide handen tegen haar mond gedrukt staan. Tautog stond trots rechtop en Kurt bereidde zich voor als een gladiator die op het punt staat het gevecht aan te gaan.

'Toe maar,' zei Kurt.

Tautog haalde de schakelaar over. Ogenblikkelijk voelde Kurt een golf van pijn door elke vezel van zijn lichaam gaan, alsof al zijn spieren op hetzelfde moment verkrampten. Zijn hoofd suisde, zijn ogen deden pijn en het ijle geluid dat hij eerst had gehoord, was nu een geloei dat hij door zijn kaken en in zijn schedel voelde trillen. Hij was bang dat zijn trommelvliezen zouden barsten en zijn ogen misschien ook.

Met al zijn kracht en doorzettingsvermogen zag hij kans op de been te blijven en hij probeerde te lopen. Hij had het gevoel alsof hij een groot rotsblok achter zich aan sleurde of tegen het strand omhoog probeerde te duwen. Hij kon zich nauwelijks bewegen.

Hij deed een stap en toen nog een, maar toen werd de pijn ondraaglijk en hij zakte op het zand in elkaar en bedekte zijn hoofd en oren.

'Zet af!' hoorde hij Leilani schreeuwen. 'Je vermoordt hem.'

Bij andere gelegenheden zou Kurt die woorden mogelijk als vrouwelijke hysterie hebben weggewuifd, maar terwijl de aanhoudende golven van pijn elke millimeter van zijn lichaam folterden, geloofde hij dat ze wel eens gelijk kon hebben.

De luidspreker werd afgezet en de pijn verdween alsof er een elastiekje brak – het ene moment was het er nog en het volgende ogenblik was het verdwenen.

Wat bleef, was vermoeidheid en een gevoel van volledige en totale uitputting. Kurt bleef liggen, niet in staat iets anders te doen dan alleen maar ademen.

Leilani kwam naar hem toe gerend en liet zich op haar knieën naast hem vallen.

'Hoe is het met je?' vroeg ze, terwijl ze hem op zijn zij rolde. 'Is alles goed met je?'

Hij knikte.

'Weet je het zeker?'

'Kun je dat dan niet zien?' wist hij uit te brengen.

'Niet echt,' zei ze.

'Toch is het zo,' hield hij vol. 'Ik zweer het.'

'Ik ken je nog niet zo lang,' zei ze en hielp hem om te gaan zitten, 'maar je bent echt niet goed snik, hoor.'

Ondanks zijn vermoeidheid schoot Kurt in de lach. Eigenlijk had hij gehoopt dat ze iets zou gaan zeggen als 'ik wil je niet verliezen of ik ben om je gaan geven' of iets wat daarbij in de buurt kwam.

'Wat is er zo grappig?' vroeg ze.

'Ik dacht echt even dat je iets anders zou zeggen,' zei hij. 'Maar daarom heb je nog geen ongelijk.'

Ze glimlachte.

'Hoe ver ben ik gekomen?' vroeg hij. Hij had een gevoel alsof hij met volle bepakking Mount Everest had beklommen.

'Iets meer dan een halve meter,' zei ze.

'Is dat alles?'

Ze knikte. 'Het heeft al met al maar een paar seconden geduurd.'

Het had hem een eeuwigheid geleken.

Om hen heen verstomden ook de andere geluidsbundels. Tautog kwam naar beneden en bereikte ze op het moment dat de eerste normale golf het strand op kwam lopen.

'Ik ben het helemaal met haar eens,' zei hij. 'Je bent echt niet normaal. Echt niet.'

Kurt voelde zijn krachten terugkeren. 'Nou, als we het daar dan over eens zijn, zal mijn volgende verzoek niet als een verrassing komen.'

Hij stak zijn hand uit en Tautog trok hem overeind.

'En wat mag dat verzoek dan wel zijn?'

'Ik heb een boot nodig,' zei Kurt, 'twaalf geweren en een van die machines.'

'Je bent van plan je vrienden te redden,' raadde Tautog.

'Ja,' zei Kurt.

Tautog glimlachte. 'Denk je nou echt dat we je alleen zouden laten gaan?'

49

Sinds Joe het bewakingshok bij de Tempel van Horus had gevonden, was het er allemaal niet beter op geworden.

Om te beginnen bleek het een welhaast heroïsche onderneming om iemand van defensie zover te krijgen dat ze in de stromende regen op pad gingen om met hem te praten. En toen ze kwamen, hadden ze geen tolk bij zich zodat de parttime beveiligers gedwongen waren als bemiddelaars te fungeren. Ondanks zijn heldhaftige pogingen, was Joe ervan overtuigd dat belangrijke details in de vertaling verloren gingen.

Bij iedere volgende poging om dingen te verduidelijken, veranderde de uitdrukking van de militairen van verbijstering eerst in ongeloof en vervolgens in ergernis.

Toen Joe bleef volhouden dat hun getreuzel het gevaar alleen nog maar groter maakte, begonnen ze tegen hem te schreeuwen en te wijzen alsof hij dreigementen uitte in plaats van dat hij ze kwam waarschuwen.

Misschien zat er toch iets in dat verhaal van de boodschapper die gedood werd, dacht Joe.

Het eind van het liedje was dat hij onder bedreiging van een pistool uit het hok was gesleurd, achter in een vrachtwagen gegooid en naar een of andere militaire nederzetting gebracht waar hij in de Egyptische versie van het cachot belandde.

De smerige cel zou iemand die last had van bacteriofobie nachtmerries hebben bezorgd. De gedachte dat de cel vroeger of later door tien triljoen liter water vanachter de ingestorte dam zou worden schoongespoeld, bood Joe ook erg weinig soelaas.

Zijn kansen keerden echter weer toen de nieuwe wacht om vier uur die morgen opkwam. Daar was een officier bij die beter Engels sprak.

Majoor Hassan Edo was gekleed in geelbruin werktenue waarop behalve zijn naam verder geen versierselen waren aangebracht. Hij was een man van midden vijftig met kort geknipt haar, een haviksneus en een dun snorretje dat Clark Gable niet zou hebben misstaan.

Hij leunde achterover in zijn stoel, legde zijn schoenen op het enorme bureau voor hem en stak een sigaret op die hij daarna terwijl hij sprak alleen maar tussen zijn vingers hield, zonder er een trek van te nemen.

'Laat me dit nu even goed begrijpen,' zei de majoor. 'Uw naam is Joe Zavala. U beweert dat u Amerikaan bent – wat hier dezer dagen nu niet direct het beste is wat je kunt zijn – maar u kunt dat niet bewijzen. U zegt dat u Egypte bent binnengekomen zonder paspoort, zonder visum of welke andere documentatie dan ook. U hebt niet eens een rijbewijs of een creditkaart.'

'Ik wil niet vervelend zijn,' begon Joe, 'maar "Egypte binnengekomen" klinkt net alsof ik dat vrijwillig zou hebben gedaan. Ik was de gevangene van terroristen die van plan zijn uw land ernstige schade toe te brengen. Ik ben ontsnapt en ben hierheen gekomen om u te waarschuwen, maar tot dusver ben ik behandeld alsof ik een of andere oproerkraaier ben.'

De majoor staarde hem uitdrukkingsloos aan en Joe zweeg even. 'U weet toch wat een oproerkraaier is, hoop ik?'

Majoor Edo haalde zijn schoenen van het bureau en zette ze met een doffe dreun op de houten vloer. Hij pakte de sigaret van de asbak waar hij die had neergelegd, leek even ook echt te gaan roken, maar boog zich in plaats daarvan naar Joe over.

'U bent gekomen om ons te waarschuwen voor problemen?' zei hij, op een toon alsof Joe dat feit tot dat moment zorgvuldig verborgen had gehouden.

'Ja,' zei Joe. 'Terroristen uit Jemen gaan de dam verwoesten.'

'De dam?' herhaalde Edo op ongelovige toon. 'De Aswandam?'

'Ja,' zei Joe.

'Hebt u de dam gezien?'

'Alleen op foto's,' moest Joe toegeven.

'De dam is gemaakt van steen en graniet en beton,' zei de majoor met vuur. 'Hij weegt miljoenen tonnen. Aan de basis is hij zeshonderd meter dik. Die mannen – als ze bestaan – zouden kunnen proberen de dam met vijfhonderd kilo dynamiet op te blazen en dan zouden ze er alleen maar aan één kant een klein stukje uit kunnen hakken.'

Bij elke zin zwaaide de majoor met zijn sigaret in het rond. De as vloog alle kanten op en hij trok een dunnen sliert rook door de lucht, maar nog altijd bracht hij de sigaret niet aan zijn lippen. Volkomen zelfverzekerd leunde hij weer achterover. 'De dam kan niet doorbroken worden,' besloot hij. 'Dat verzeker ik u.'

'Niemand heeft gezegd dat ze van plan zijn om de dam aan de basis op te blazen,' antwoordde Joe. 'Ze graven een geul aan de bovenkant, net onder de waterlijn, waar de dam op zijn smalst is.'

'Hoe?' vroeg de majoor.

'Hoe?'

'Ja,' zei de majoor, 'komen ze met luchthamers en graafmachines en beginnen ze boven op de dam te graven zonder dat wij iets merken?'

'Natuurlijk niet,' zei Joe.

'Vertelt u me dan maar eens hoe ze dat denken te doen.'

Joe wilde iets zeggen, maar bleef met zijn mond wijd open zitten zonder een woord uit te brengen.

'Ja?' zei de majoor vol verwachting. 'Gaat u door.'

Joe deed zijn mond weer dicht. Hij kon wel gaan vertellen dat de dam verwoest zou worden door machines die zo klein waren dat niemand ze kon zien, maar dan zou de majoor hem alleen maar uitlachen en alles wegwuiven. Of hij kon iets verzinnen en daarmee de zaak alleen nog maar verder vertroebelen en de majoor op pad sturen om naar een bedreiging te zoeken die helemaal niet bestond.

'Zou ik van uw telefoon gebruik mogen maken?' vroeg hij uiteindelijk. Als hij de Amerikaanse ambassade of NUMA zou kunnen bereiken, zou hij in elk geval kunnen waarschuwen voor het gevaar dat in Aswan dreigde en ze ook vertellen over de situatie op het drijvende eiland.

'We zijn hier niet in Amerika, meneer Zavala. U hebt geen recht op een telefoongesprek of op een advocaat of op wat dan ook dat ik verkies u niet te geven.'

Joe probeerde het over een andere boeg te gooien. 'Iets anders dan,' zei hij. 'Er zijn vijf trucks hier ergens in de buurt. Vijf identieke opleggers met een huif van zeildoek eroverheen. Die waren op weg naar het zuiden, alle vijf met een partij gele vaten, vaten gevuld met een zilverachtige substantie die op zand lijkt. Spoor ze op en hou ze vast. Ik weet zeker dat u zult merken dat die ook geen visa, paspoorten en creditcards hebben.'

'Ah, ja,' zei de majoor schamper. Hij pakte een notitieblok van zijn bureau en bekeek het onder het kille lamplicht.

'De vijf mysterieuze trucks uit Jemen,' zei hij. 'Daar hebben we naar gezocht vanaf het moment dat u met uw verhaal kwam. We hebben vanuit de lucht, per auto en te voet gezocht. Die trucks zijn nergens te bekennen. Niet hier. Nergens in een loods die groot genoeg is om ze allemaal in te verbergen. Niet in de buurt van de dam of ergens langs de oevers van het meer. Zelfs niet op de weg terug naar Marsa Alam. Volgens mij bestaan ze niet, behalve dan misschien in uw verbeelding.'

Joe slaakte een gefrustreerde zucht. Hij had geen idee waar de opleggers gebleven konden zijn. Edo's mannen moesten iets over het hoofd hebben gezien.

De majoor gooide het notitieblok opzij. 'Waarom vertelt u ons niet wat u werkelijk van plan bent?'

'Ik probeer alleen maar te helpen,' zei Joe, die uit pure frustratie nog nooit zo dicht bij opgeven was geweest als nu. 'Kunt u dan toch op zijn minst de dam inspecteren?'

'Inspecteren?'

'Ja,' zei Joe. 'Kijken of hij ergens lekt, of er mogelijk schade is. Of er iets is wat niet normaal is.'

De majoor dacht even na, ging toen rechtop zitten en knikte. 'Een uitstekend idee.'

'Toch wel?'

'Ja. Dat gaan we doen.'

'We?'

'Uiteraard,' zei de majoor, terwijl hij opstond en de sigaret dan toch eindelijk uitdrukte. 'Hoe kan ik nou weten waar ik naar moet kijken als ik u niet meeneem?'

Joe wist eigenlijk niet of dat nu wel zo'n goed idee was.

'Wacht!' riep de majoor.

De deur ging open en twee Egyptische MP's kwamen de kamer binnen.

'Boei hem volgens de regels en breng hem naar buiten. Ik ga een tochtje maken met onze gast.'

Terwijl de mannen Joe handboeien om deden, zei de majoor: 'Ik zal u laten zien dat de dam ondoordringbaar is en dan kunnen we ophouden met deze schijnvertoning en over uw werkelijke bedoelingen gaan praten, wat die dan ook mogen zijn.'

50

Twintig minuten later zat Joe aan boord van een motorboot die in het donker rustig de Nijl op voer. De Egyptische majoor gaf de bevelen terwijl een tweede soldaat aan het roer stond en een derde man met een geweer de wacht hield.

De nachtlucht was koel, maar gelukkig was het opgehouden met regenen. De hemel was opgeklaard en er waren weer sterren te zien. Er was op dit uur maar heel weinig vaart op de rivier, maar in de vallei was het een en al licht. Hotels en andere gebouwen langs de oevers van de rivier baadden werkelijk in een zee van licht, en ook de dam werd als een voetbalstadion bij avond door enorme schijnwerpers verlicht.

Omdat Aswan geen massieve betonnen dam was, maar gemaakt van aggregaat, paste hij beter in het landschap dan bijvoorbeeld de Hooverdam. In plaats van een hoog oprijzende grijze muur aan het eind van een smalle vallei, zag Joe een reusachtig, glooiend aflopend bouwwerk, een gigantische helling die vrijwel dezelfde kleur had als de omringende woestijn.

De buitenwand van het bouwwerk bestond uit een dunne laag beton die uitsluitend diende om erosie te voorkomen. Daaronder lag een compacte massa aggregaat bestaande uit stenen en zand, met in het midden een kern van waterdichte klei, en met helemaal onder aan de basis een betonnen constructie die moest voorkomen dat er water onder de dam door zou sijpelen, een soort enorm kwelscherm zoals dat ook onder zeeweringen werd aangebracht.

Achter de dam bevond zich een muur van water die meer dan negentig meter hoog was.

'Moeten we echt aan deze kant zijn?' mompelde Joe.

'Wat zei u?' vroeg de majoor.

'Kunnen we de dam niet vanaf de andere kant bekijken, of misschien zelfs vanaf de bovenkant?'

De majoor schudde zijn hoofd. 'We zoeken een lek, nietwaar? Hoe verwacht u aan de hoge kant een probleem te kunnen zien? Alles zit onder water.'

'Ik had eigenlijk gehoopt dat u camera's had of misschien een onderwaterrobot of zoiets.'

'We hebben niets van dat alles,' zei de majoor.

'Ik ken zo hier en daar wat mensen,' merkte Joe op. 'Ik zou er waarschijnlijk wel eentje goedkoop voor u op de kop kunnen tikken.'

'Nee, dank u, meneer Zavala,' zei de majoor. 'We gaan de dam vanaf deze kant inspecteren zodat ik u kan laten zien dat die absoluut veilig is, en daarna gaan we praten over de lange opsluiting die u te wachten staat omdat u mijn tijd hebt verknoeid.'

'Geweldig,' mompelde Joe. 'Als u maar zorgt dat mijn cel hier ver vandaan is.'

De patrouilleboot voer verder en ging de verboden zone van achthonderd meter binnen die zich vanaf de onderkant van de dam uitstrekte.

De dam was in de jaren zestig met hulp van de Russen gebouwd en bestond uit twee afzonderlijke delen. De westelijke kant, aan Joe's rechterhand, had de brede, glooiende voorkant. Aan de oostkant daarvan bevond zich een driehoekig schiereiland van rotsen en zand dat helemaal vol stond met hoogspanningsleidingen en transformatoren, en daar weer naast stond een betonnen muur met openingen voor de afvoerkanalen. Deze muur was een eind achteruit gebouwd in een smalle inham, waar het snelstromende water dat uit de turbines kwam, terugstroomde in de rivier en tot rust kwam.

Joe zag dat het water in die inham betrekkelijk rustig was. 'Wekken jullie geen stroom op?'

'De afvoeropeningen staan op dit moment bijna dicht,' zei de majoor. 'Bij nacht hebben we al die stroom niet nodig. De piekuren zijn 's middags, voor de airconditioners en de bedrijven.'

Ze voeren verder, hielden de rechteroever aan en kwamen steeds dichter bij het glooiende gedeelte van de dam.

Hoe meer ze naderden, hoe gemakkelijker het voor Joe werd om te begrijpen wat een enorm bouwwerk het was. De massieve, in segmenten verdeelde helling was niet alleen breder, maar ook vlakker dan hij had verwacht. Het leek meer op een berg die in de rivier uitliep dan op iets wat door mensenhanden was gebouwd.

'Hoe dik is hij ook alweer?'

'Negenhonderdtachtig meter aan de basis.'

Bijna een volle kilometer, dacht Joe. Hij begon te begrijpen waarom de majoor zo zeker van zijn zaak was. Maar Joe wist zelf ook het een en ander van waterbouwkunde en hij wist wat hij daar in dat bassin in Jemen had gezien.

Bij het model was de breuk hoog begonnen en de instorting was daarvandaan verder gegaan, ongeveer op dezelfde manier als bij het doorbreken van een rivierdijk.

'Hiervandaan kunnen we niets zien,' zei hij. 'We moeten de bovenkant van de dam bekijken. We moeten mensen op de dam zelf hebben om naar lekkage te zoeken.'

De majoor leek geërgerd. 'Ik had eigenlijk gedacht dat ik u hiermee zou kunnen laten inzien hoe dwaas uw pogingen zijn om onze tijd te verspillen,' zei hij. 'Ik ben helemaal niet van plan om u in de gevangenis te gooien. Ik wilde u alleen maar een beetje jennen, meer niet. Maar als u doorgaat met mijn geduld op de proef te stellen, dan word ik kwaad en heb ik geen andere keus dan...'

De majoor maakte zijn zin niet af. Hij keek langs Joe naar de glooiend oplopende dam. Ze waren er nog ongeveer vijftien meter van verwijderd.

Joe draaide zich om. Daar waar de dam het water bereikte was een fosforescerend stroompje te zien, beweging in het water die daar niet behoorde te zijn. Langs de voorkant van de dam liep water naar beneden, de rivier in. Niet veel, meer alsof iemand ergens hogerop een kraan open had laten staan, maar helaas was dat niet zo.

'O nee,' mompelde Joe.

'Breng ons dichter bij de dam,' beval de majoor en hij liep naar de voorsteven van de boot.

De man aan het roer gaf een beetje gas en de patrouilleboot ging vooruit. Even later lagen ze met de voorsteven tegen de dam en werden de twee zoeklichten van de patrouilleboot op het stromende water gericht.

'Het begint harder te stromen,' merkte Joe op.

Hij keek omhoog langs de helling terwijl de majoor een van de zoeklichten omhoog richtte. Ze zagen een langgerekt, kronkelend pad omhoog gaan.

'Dit kan niet waar zijn,' mompelde majoor Edo in zichzelf. 'Dit kan immers niet gebeuren?'

'Ik zweer het u,' zei Joe. 'We zijn in gevaar. De hele vallei is in gevaar.'

De majoor bleef staan staren alsof hij in een shock verkeerde. 'Maar zo erg veel is het nou ook weer niet,' zei hij.

'Het zal erger worden,' hield Joe aan, die nog steeds omhoog keek. 'Kunt u zien waar het vandaan komt?'

De majoor draaide de beide zoeklichten omhoog om het waterstroompje te volgen, maar de bundels reikten niet ver genoeg.

'Nee,' zei de majoor, en alle air van superioriteit was op slag verdwenen.

'U moet een waarschuwing laten uitgaan,' drong Joe aan. 'Iedereen moet weg van de rivier.'

'Dan krijgen we paniek,' zei de majoor. 'Wat als u het mis hebt?'

'Ik heb het niet mis.'

De majoor leek verlamd en niet in staat om te handelen.

'Maak me los,' riep Joe. 'Ik zal helpen zoeken. Als we de plaats waar het vandaan komt eenmaal hebben gevonden, kunnen we misschien iets doen, maar dan weten we het in elk geval zeker.'

Terwijl ze hadden staan wachten, was de stroom gestadig toegenomen. Het waren nu twee kranen die wagenwijd openstonden.

'Majoor, alstublieft.'

De majoor schrok wakker. Hij griste de sleutels uit de handen van een van de bewakers, maakte eerst Joe's handboeien los en vervolgens de kettingen om zijn voeten.

'Kom mee,' zei de majoor en hij greep een walkietalkie.

Joe sprong van de boot op het hellende oppervlak van de dam. Hij rende met de majoor mee omhoog, langs de stroom water.

De helling van de Aswandam was maar dertien graden, wat betrekkelijk weinig is tenzij je in volle vaart naar boven rent. Na tweehonderd meter te hebben afgelegd, was de majoor buiten adem, maar hadden ze de breuk nog steeds niet gevonden.

'Het wordt steeds meer,' zei hij, terwijl hij naast de stroom bleef staan.

Joe zag dat er fijn zand en ander materiaal met het water werd meegevoerd. Het uitschuren was al begonnen. 'We moeten nog hoger gaan,' zei Joe.

De majoor knikte en ze klommen verder. Toen ze nog ongeveer vijftien meter van de bovenkant verwijderd waren, was de stroom inmiddels ruim anderhalve meter breed geworden en voerde het bruisende water kleine steentjes met zich mee. Plotseling stortte een deel van de muur in en kolkte de watermassa met verdubbelde kracht in hun richting.

'Kijk uit,' riep Joe en hij trok de majoor opzij.

Joe en hij liepen bij de stroom weg. Het viel nu niet meer te ontkennen.

De majoor bracht de radio naar zijn mond en drukte de zendknop in. 'Dit is majoor Edo. Ik rapporteer een noodsituatie met alarmfase 1. Geef een algemeen alarm en begin een volledige evacuatie. De dam is beschadigd en dreigt in te storten.'

Vanaf de andere kant kwam iets onverstaanbaars en de majoor reageerde onmiddellijk. 'Nee, dit is geen oefening en ook geen vals alarm! De dam is in gevaar! Ik herhaal: Er is onmiddellijk dreigend instortingsgevaar!'

Opnieuw brak er een stuk van de bovenste rand af en het water stroomde schuimend en bruisend langs de helling naar beneden. Als er mensen waren die aan de waarschuwing van de majoor twijfelden, hoefden ze maar uit het raam te kijken om zichzelf te overtuigen.

In de verte begonnen sirenes te loeien die aan luchtalarm deden denken.

Onder aan de dam voer de patrouilleboot met grote snelheid naar het noorden.

'Lafbekken!' schreeuwde de majoor.

Joe kon het ze eigenlijk niet kwalijk nemen, maar het bracht hem en de majoor wel in een hachelijke situatie. Onder hun voeten begon de dam te schudden. Het mocht dan misschien een enorm bouwwerk zijn en de breuk op dat moment nog maar krap vijf meter breed, maar Joe en de majoor waren veel te dichtbij.

'Kom mee,' zei Joe. Hij greep de majoor bij de schouder en begon omhoog te rennen naar de kruin van de dam. 'We moeten boven op de dam zien te komen, dat is onze enige kans.'

51

Dezelfde duisternis die over Egypte heerste, was ook al over de Arabische Zee en de Indische Oceaan gevallen, maar wel met een klein verschil. Boven Egypte was de hemel opgeklaard, maar op de oceaan begon de lucht te betrekken. Zo zelfs, dat Kurt twee uur voordat de dag zou aanbreken geen sterren meer zag.

Dat baarde hem meer zorgen dan gewoonlijk omdat hij met een vlot van vierenhalve meter midden op zee zat, met een zeventig jaar oude sextant en een set vergeelde, door de motten aangevreten kaarten uit de Tweede Wereldoorlog als enige navigatiemiddelen.

De boot was een soort vlerkprauw. Het leek een kruising tussen het beroemde Kon Tiki vlot en een Hawaïaanse kano. Het had een oplopende voorsteven, was in het midden breder dan voor en achter en had een afgeplat achterschip. Het werd door riemen voortbewogen en bij wind door een vreemd uitziend driehoekig zeil dat bekend stond als een latijnzeil. Het latijnzeil was al sinds de oudheid in gebruik en bijzonder geschikt om kleine boten soepel voort te bewegen. En nog voor dit zeil bolde Kurts eigen aanvulling op het zeiltuig van het vlot op. Dit wat moderner uitziende zeil was een geïmproviseerde versie van een spinnaker. Het werkte enigszins als een wingzeil waardoor het vlot dichter aan de wind kon zeilen.

Achter hem voeren vier soortgelijke vlotten. Een vloot van Pickett's Island.

Het plan was om ongezien aan boord van het drijvende eiland te komen en dat in bezit te nemen. Met achttien man plus Leilani en hij, vijf Pijnmakers en veertig geweren, waarbij de extra wapens bedoeld waren voor de gevangenen die Kurt hoopte te bevrijden, zou het bijna een eerlijk gevecht worden, vooropgesteld dat Kurt erin zou slagen ze ook inderdaad bij het eiland te brengen.

Hij keek nog eens naar de lucht en naar de nu nog duistere horizon die straks helderder moest worden zodat hij een paar sterren zou kunnen zien.

'Zie je al iets?' vroeg Leilani.

'Nee,' zei hij. 'Geen ster te zien. We varen blind.'

Kurt verliet de boeg en legde de sextant weg. Hij wendde zich tot Tautog. 'Laten we deze koers voorlopig maar aanhouden.'

Tautog knikte. Hij en zijn neef Varu bestuurden de boot.

De vloot was op dat moment vijf uur onderweg. Ze waren flink opgeschoten omdat de wind was gedraaid, op dezelfde manier als zee- en landwind elkaar aan de kust afwisselden als de dag in nacht overging. Dat was een patroon dat gebruikt kon worden, hoewel dat op open zee niet had mogen voorkomen. Kurt schreef ook dat toe aan Jinns manipulatie van het weer.

'Je maakt je zorgen,' zei Leilani, terwijl ze wat dichter naar hem toe kwam.

'Het zou best eens kunnen dat ik ons allemaal de vergetelheid binnen vaar.'

Kurt keek weer naar de oude kaarten van de John Bury. Pickett had de juiste ligging van het eiland bepaald en dat op de kaart aangegeven op een plek waar voordien alleen maar blauwe oceaan was geweest. Hij had ook de twee andere eilanden gemarkeerd en er een cirkel omheen getrokken. BURY ARCHIPEL stond er in verbleekte inkt bij aangegeven, met de toevoeging USA. Naar het scheen had Pickett de eilanden voor Amerika geclaimd.

Leilani keek over zijn schouder. 'Waar zijn we?'

'Ongeveer hier,' zei Kurt en hij wees een punt op de kaart aan.

'En waar is Aqua-Terra?'

'Dat is een hele goeie vraag,' zei hij.

Na de ontdekking van de Pijnmaker, was Kurt onmiddellijk naar de kaarten gegaan. Na een aantal schattingen en berekeningen had hij de positie van Aqua-Terra bij benadering vastgesteld, waarbij hij, misschien volkomen ten onrechte, aannam dat het op dezelfde plaats zou blijven. Aan de hand van de wind en de afstand tot Pickett's Island, had hij uitgerekend dat ze Aqua-Terra, als ze direct vertrokken, nog voor het aanbreken van de dag zouden kunnen bereiken.

Verder uitstel zou het onmogelijk hebben gemaakt en zou hebben betekend dat ze tot de volgende nacht zouden moeten wachten omdat het eiland bij daglicht naderen gelijkstond aan zelfmoord. En vierentwintig uur uitstel betekende dat Paul en Gamay en de anderen nog langer in Jinns klauwen bleven. Het betekende ook dat Jinn zoveel meer tijd had om zijn duistere plannen uit te voeren, of hij zou het eiland kunnen verlaten en verdwijnen. Al die mogelijkheden vond Kurt onacceptabel en dus was de kleine vloot met grote spoed vertrokken.

Door de gunstige wind die ze tijdens de reis hadden ondervonden, hadden de kleine boten een betere voortgang gemaakt dan Kurt had verwacht. Ze lagen ruim voor op zijn schema, maar het begon er nu ook op te lijken dat ze niet meer wisten waar ze waren.

'De laatste keer dat we Aqua-Terra zagen, lag het hier te drijven,' zei hij, waarbij hij nogmaals op de kaart wees. 'Als dat zo gebleven is, zouden we er nu zo ongeveer bovenop moeten zitten.'

'Ik zie een licht,' zei Varu. 'Licht aan bakboord vooruit.'

Iedereen keek die kant op. In de verte, op misschien drie mijl afstand, was een zwak schijnsel te zien. Het leek bijna op een spookschip in de mist, maar het was Marchetti's eiland. Het was zo goed als verduisterd, met maar zo hier en daar een paar lichten aan.

Leilani glimlachte. 'Wat zei je ook alweer?'

Kurt grijnsde. 'Laten we koers veranderen naar het noordoosten,' zei hij tegen Tautog en wees toen. 'Die kant op.'

Tautog en Varu wendden het roer en verzetten de zeilen. De boot kwam op een noordoostelijke koers en de rest van de vloot deed hetzelfde.

'Waarom gaan we er niet recht op af?' vroeg Leilani.

Kurt controleerde de koers en begon te tellen. 'Als we eerst een halve mijl meer naar het noordoosten gaan, kunnen we vervolgens weer omdraaien en vrijwel recht voor de wind naar het eiland varen. Dat geeft ons niet alleen meer snelheid, maar we kunnen ook beter manoeuvreren.'

'En wat als ze ons in de gaten krijgen?' vroeg ze.

'Het eiland is ruim zeshonderd meter lang en op sommige plaatsen twintig verdiepingen hoog en toch scheelde het weinig of we hadden het niet gezien. Wij zitten op een onverlicht vlot met donkere zeilen en we naderen in een donkere, mistige nacht. Zelfs een uitkijk ziet ons niet tot het moment dat we boven op ze zitten. En volgens Ishmael heeft Jinn niet meer dan dertig man aan boord, waarvan minstens de helft op dit moment zal slapen. De kans dat iemand ons ziet is erg klein.

Kurt had voor een groot deel gelijk. Van de in totaal dertig man van Jinn sliepen er twintig. Een paar bewaakten de cellen en nog een paar werkten samen met de verraders onder Marchetti's crew in de beschadigde machinekamer. Er waren maar twee mannen aangewezen om te patrouilleren over het eiland, en dat betekende dat ze in feite een kustlijn van anderhalve kilometer en een dekoppervlak van vijf hectare moesten bewaken, dus dat kon onmogelijk. De mannen liepen hun rondjes met het enthousiasme van onderbetaalde beveiligers.

Een derde wacht had mazzel. Hij hoefde geen lange, saaie rondjes te lopen, maar moest in de controlekamer van Aqua-Terra de radar in de gaten houden.

Tot dat moment was er nog niets op het scherm te zien geweest. Dat had intussen al zo lang geduurd dat toen er heel even een paar echo's verschenen, de wacht ze niet zag. Hij keek ook eigenlijk niet echt meer omdat hij voornamelijk zijn best moest doen om niet in slaap te vallen.

De echo's waren snel weer verdwenen om een paar minuten later opnieuw te verschijnen. Er liepen diagonale lijnen naartoe die aangaven dat de automatische afstandsmeting geactiveerd was. De wacht wist niet goed hoe hij het had. Toen hij de lijnen zag, waren de echo's alweer verdwenen en was er alleen nog maar een pop-upvenstertje te zien met de mededeling dat het contact verloren was.

De man ging rechtop in zijn stoel zitten.

Een gevoel van argwaan bekroop hem. Had hij zojuist iets gezien? En als dat zo was, waar was het dan gebleven? Hoe kon het zo opeens verdwijnen? De gedachte aan Amerikaanse stealth-bommenwerpers kwam bij hem op. Hij keek uit het raam, zag alleen maar duisternis en keek toen weer naar het scherm.

Toen de echo's niet meer terugkwamen, groeide zijn achterdocht alleen nog maar.

Hij pakte een grote kijker en liep naar buiten, de observatievleugel op. Het was moeilijk om de kijker in het donker scherp te stellen en hij

zag niets. Dat kwam deels omdat hij gewoonlijk alleen de hemel af-
speurde naar vliegtuigen of helikopters, maar hoewel er 's nachts niet
veel lichten brandden, verspreidde het eiland toch ook een zacht
schijnsel dat het onmogelijk maakte buiten die lichtkring iets te zien.
Zelfs als hij direct in de richting van de vijf bamboevlotten zou hebben
gekeken, zou hij alleen maar de fijne witte sluier van de mist hebben
gezien.

Teleurgesteld ging hij terug naar zijn stoel achter de radar en boog
zich over het apparaat als een kat die een muizenhol bewaakt.

52

Toen Kurt het eiland Aqua-Terra, dat als de Rots van Gibraltar uit de mist opdoemde, met zijn vloot van luciferhouten vlotten naderde, voelde hij zich als een mier die van plan was een olifant aan te vallen.

'Het is gigantisch,' zei Tautog.

'Het is voornamelijk leeg,' zei Kurt, geruststellend.

'Misschien hebben ze sinds wij zijn vertrokken meer mensen aan boord gebracht,' zei Leilani.

Dat was nu niet direct het soort opmerking waar hij op dat moment op zat te wachten en hij keek haar met een ironische glimlach aan. 'Jij zou toch echt eens met Joe kennis moeten maken,' zei hij. 'Volgens mij zijn jullie tweeën bij de geboorte gescheiden.'

Hij wist dat Marchetti's cachot vrijwel achter aan het eiland zat en dus besloot Kurt daarheen te gaan. Hij liep naar de boeg, stapte om de roede van het zeil en maakte het zeildoek los waarmee de luidsprekerbox van de Pijnmaker was afgedekt.

'Leilani,' zei hij zacht, 'start jij deze samen met Varu op.'

Ze ging naar de generator en het vliegwiel achter in de boot. De bediening was op deze kleine boot nogal onhandig, maar als ze het vliegwiel eenmaal op toeren hadden gebracht zou dat door zijn massa verder niet al te veel inspanning vergen.

Kurt hoorde dat de generator ging draaien en zag de voltmeter op de luidsprekerbox bewegen. Ze waren het eiland tot op honderd meter genaderd. Hij stelde de afstand in en zag de openingen van de luidsprekers veranderen.

Ze waren nu zo dichtbij gekomen dat ze vanaf de twee hoofdtorens van het eiland en de controlekamer niet meer zichtbaar waren, ook niet voor eventuele radarbundels. Het enige waar ze nu nog op moesten letten, waren patrouillerende schildwachten. Als Kurt die zag, zou hij ze een stoot geluid moeten geven. Voor het geval dat niet werkte, had hij een geweer bij de hand dat hij van tevoren had getest.

De ramen van het laagste dek waren nu beter te zien en hij begon te tellen. De laatste vijf ramen waren van het cachot.

Kurt pakte de oude scheepskijker en hield hem voor zijn ogen. Achter de vijf ramen was een zwak lichtschijnsel te zien. Binnen zag hij geen beweging.

Hij overwoog om naar de ladder en de gangboorden aan de achterkant van het eiland te gaan, maar bedacht zich. Als er ergens een wacht was opgesteld, zou dat de aangewezen plaats zijn.

In plaats daarvan probeerde hij iets anders. Hij gebaarde dat de andere boten ook dichterbij moesten komen en gezamenlijk voeren ze naar het vijfde raam. Op vijfendertig meter, wat ruwweg de afstand was waarop hij op het strand door de geluidsgolven was getroffen, zette hij de schakelaar op stand-by en richtte de speakerbox met behulp van een hendel op het raam.

Terwijl Leilani en Varu nog steeds voor de ellebogenstoom zorgden, stelde Kurt de afstand in op vijfendertig meter en schakelde van stand-by over op bedrijf. Onmiddellijk begon het apparaat de ijle geluidsgolven te produceren.

De Pijnmaker stond recht op het vijfde raam gericht en Kurt zag dat het dikke glas begon te vibreren.

'Meer power,' zei hij.

Tautog loste Leilani af en de naald van de meter kwam in de rode sector. Kurt hield de bundel recht op het doel gericht.

'Wat doe je?' vroeg Leilani.

'Herinner je je die oude commercial van Memorex cassettebandjes nog? "Is het Ella of is het Memorex?"'

Ze schudde haar hoofd.

'Let op dat raam.'

Het raam trilde en ging op de geluidsgolven heen en weer als een trommelvel. In het zwakke schijnsel kon hij de golven eroverheen zien lopen. Er klonk een vreemd geluid over het water dat deed denken aan een Tibetaanse klankschaal. Kurt was bang dat dit hen mogelijk zou verraden, maar het was nu te laat om te stoppen en het enige wat ze konden doen was doorgaan.

'Meer power,' fluisterde hij, maar toen hij zag dat Varu zweette en totaal uitgeput was, nam hij de plaats van de jonge man in en gooide zijn eigen spierkracht in de strijd. De boot dreef af, maar Leilani hield de Pijnmaker recht op het raam gericht.

Even leek het erop dat het zou mislukken en dat het dikke glas, dat tegen orkaankracht bestand was, ook deze geluidsgolven zou kunnen weerstaan, tot ook twee andere boten hun apparaten inschakelden en op hetzelfde raam richtten.

De drie bundels samen waren voldoende om het glas onmiddellijk te breken. Het explodeerde naar binnen, een effect waar Kurt niet op gerekend had. Hij hoopte maar dat Marchetti en Paul en Gamay in de kamer waren en zo verstandig waren geweest om tijdig bij het trillende raam vandaan te gaan.

Binnen in hun cel was Gamay de eerste die het geluid hoorde: een vreemde galm waarvan ze aanvankelijk dacht dat haar oren floten.

'Wat is dat?' vroeg Paul.

Klaarblijkelijk was het dus toch niet haar verbeelding die haar parten speelde. 'Ik heb geen idee,' zei ze. Ze stond op, verliet haar plaats bij de deur en sloop door de donkere kamer als iemand die op het platteland woonde en 's nachts in een doodstil huis op zoek was naar een tsjirpende krekel.

Het geluid werd geleidelijk aan intenser, maar nam niet toe in volume. Als er een hond aanwezig was geweest, zou die luidkeels zijn gaan huilen.

'Misschien worden we ontvoerd door buitenaardse wezens,' opperde Marchetti.

Gamay negeerde hem. Het geluid leek van buiten te komen en ze liep naar het grote raam dat over zee uitkeek. Ze drukte haar gezicht ertegenaan. Buiten, in het donker, zag ze bij het weinige licht dat Aqua-Terra verspreidde, een aantal inheems uitziende vlotten. Ze herkende de gestalte op de voorste boot.

'Het is Kurt,' zei ze.

Paul en Marchetti haastten zich naar het raam.

'Wat doet hij in hemelsnaam?' zei Paul, die naar het vreemde gebeuren staarde. 'En wie zijn die mensen die hij bij zich heeft?'

320

'Ik heb werkelijk geen flauw idee,' zei Gamay.

Terwijl ze stonden te kijken, kwamen twee van de vlotten naast dat van Kurt liggen en ging de vreemde galm een paar octaven omhoog. Ergens links van hen klonk het geluid van brekend glas.

'Ik geloof dat hij ons probeert te redden,' zei Marchetti.

'Ja,' antwoordde Gamay, trots en verdrietig tegelijk. 'Het is alleen jammer dat hij bezig is in de verkeerde kamer in te breken.'

In de gang hoorden de mannen die belast waren met de bewaking van de gevangenen de trillingen ook eventjes, maar voor hen klonk het net alsof de massagestoel weer eens op volle kracht draaide. Het geluid van brekend glas was echter een heel ander verhaal, en ze sprongen overeind.

'Ga bij de gevangenen kijken,' beval de chef-bewaker.

Twee van zijn mannen grepen hun wapens en renden de gang in. Intussen nam hij zelf de telefoon op en toetste het nummer van de controlekamer in. Nadat de telefoon daar vier keer was overgegaan, had nog steeds niemand opgenomen.

'Kom nou toch,' gromde hij.

Zijn aandacht werd getrokken door nog meer glasgerinkel. Het geluid kwam uit de kamer waar hij tegenover stond en niet verderop uit de gang. Hij dacht aan de mogelijkheid dat de gevangenen ontsnapt waren, of de nog veel dwazere mogelijkheid dat er iemand door het raam naar binnen was gekomen. Het leek hem beter om eerst maar eens te gaan kijken voordat hij het voorval meldde. Hij legde de telefoon weer neer, stond heel omzichtig op vanachter zijn bureau en trok zijn pistool terwijl hij naar de deur liep.

Hij deed de lichten in de gang uit, duwde de deur open en zwaaide met zijn pistool. Hij zag alleen maar duisternis. Toen waaide er een zachte wind door de kamer en hij zag buiten het kapotte raam een vaag verlichte mistvlaag.

Hij keek het vertrek rond, maar zag niets vreemds en al helemaal geen indringers. Toch moest er iets zijn geweest waardoor dat raam gebroken was. Hij liep er voorzichtig naartoe. Glas kraakte onder zijn voeten. Naast de romp van het eiland dreef iets. Hij liep nog iets verder naar voren en zag een vreemd uitziende zeilboot. Ernaast dreef er nog eentje. Geen van beide zagen ze eruit als iets wat door de Amerikaanse Special Forces zou worden gebruikt. Hij deed nog een stap naar voren. Toen hoorde hij een vreemd zoemend geluid en voelde zijn hele lichaam verkrampen alsof hij een hoogspanningsleiding had geraakt.

Hij voelde een verschrikkelijke pijn in zijn armen en bovenlichaam. Zijn nek werd stijf en hij beet op zijn tong toen hij zijn kaken op elkaar klemde. Hij viel op zijn knieën, zakte op het glas in elkaar en liet zijn pistool vallen. De pijn verdween op het moment dat hij op de vloer terechtkwam, maar het effect bleef.

Er sprong een gestalte over de vensterbank van het kapotte raam en kwam naast hem neer.

De wacht tastte naar het pistool dat hij had laten vallen, maar voelde een zware schoen op zijn hand neerkomen die zijn vingers plette. Met een kreet van pijn trok hij zijn hand terug, maar direct daarop werd hij bewusteloos geslagen door de klap van een geweerkolf tegen de zijkant van zijn hoofd.

Vanuit hun cel zagen Gamay, Paul en Marchetti hoe Kurt en een paar anderen enterhaken omhoog gooiden en naar boven begonnen te klimmen. Vanaf de plaats waar ze stonden, konden ze het gebroken raam niet zien, maar Marchetti twijfelde er niet aan dat het een of twee deuren verder naar achteren was.

'Dat wil niet zeggen dat ze hier niet kunnen komen,' zei hij. 'Ze hoeven alleen maar de kerels die ons bewaken een kopje kleiner te maken en het is bekeken.'

Gamays aandacht werd getrokken door een hoop commotie bij de deur. 'Zouden ze dat kunnen zijn?'

'Te vroeg,' zei Paul.

'Dan zijn het de bewakers.'

Gamay rende terug naar haar plaats bij de deur. Ze hoorde de sleutelkaart van de wacht in het slot, hoorde het slot zoemen en toen opengaan. Ze nam een duik over de vloer naar de andere kant van de kamer en gleed op het moment dat de deur open begon te gaan tegen de wand aan, naast het stopcontact.

Pauls plan om de massagestoel als wapen te gebruiken, berustte op timing. Terwijl Gamay tegen de wand kwakte, greep ze het snoer en duwde de stekker in het stopcontact, in de hoop dat het niet te laat was.

Er spatte een regen van vonken uit de muur en ook bij de stalen deur klonk een enorm geknetter. De wacht, die zijn hand nog op de deurpost had, kreeg een enorme schok en vloog achterover. De draden die ze uit de stoel hadden getrokken en met de deur verbonden, rookten en vonkten en ergens sloeg een zekering door.

Paul dook boven op de wacht en graaide naar diens pistool. Er ontstond een worsteling, maar een knietje in de mans maag was voldoende om daar snel een einde aan te maken. Samen met Marchetti sleurde hij de man de kamer in terwijl Gamay het snoer lostrok en de deur vastgreep om te voorkomen dat die weer dicht zou vallen. Een snelle blik door de gang was voldoende om te zien dat er verder niemand was.

'Kom mee,' zei ze.

Paul en Marchetti lieten de met een beddenlaken vastgebonden bewaker op de vloer achter en met zijn drieën glipten ze de deur uit en sloegen rechts af.

Kurt was bij de ruimte aangekomen waar de bewakers van Marchetti's cachot verbleven. Daar leek het meer op de receptie van een kuuroord dan de wacht van een gevangenis. Op een witte balie stonden een computer en een telefoon met meerdere lijnen.

Tautog en Varu kwamen binnen. Kurt wees naar twee plaatsen van waaruit de gang kon worden verdedigd. 'Blijf hier kijken of er soms moeilijkheden komen.'

Hij draaide zich om en wilde de gang verder in rennen, toen hij drie gestalten in zijn richting zag komen schuifelen. Tot zijn verrassing en opluchting herkende hij Gamay, Paul en Marchetti.

'Man, wat ben ik blij je te zien,' zei Gamay. 'We dachten dat je dood was.'

Kurt trok ze achter de balie. 'En ik was bang dat jullie misschien dood waren. Hoe komt het dat jullie niet in je hok zitten?'

'We zijn ontsnapt,' zei Gamay. 'Nu net.'

'Terwijl ik helemaal hierheen ben gekomen om jullie te redden,' zei Kurt, grijnzend.

'Is Joe hier ook?'

'Nee,' zei Kurt. 'Die heb ik twee dagen geleden in Jemen in een vrachtwagen gezet.'

'Een vrachtwagen waarheen?'

'Dat is een goeie vraag,' zei Kurt. Het feit dat Paul, Gamay en Marchetti nog steeds achter slot en grendel hadden gezeten en niet door een of andere eenheid van de Amerikaanse Speciale Troepen waren gered, was voor Kurt een bewijs dat Joe nog altijd niet uit de problemen was. Hij wist dat Joe heel goed voor zichzelf kon zorgen en hoewel hij zich een stuk beter zou voelen als hij zeker wist dat met hem alles in orde was, kon hij daar verder ook weinig aan doen.

'Hoe is de situatie?' vroeg hij, zich weer op het heden concentrerend.

'We hebben een bewaker uitgeschakeld,' zei Paul. 'Die zit nu in onze cel opgesloten.'

'Wij hebben de man hier te pakken genomen,' zei Kurt.

'Wie zijn je vrienden?' vroeg Gamay.

'Ik ben Leilani Tanner,' zei Leilani. 'De echte.'

Gamay glimlachte. 'En de rest van de cavalerie?'

'Aangenaam kennis te maken,' zei Tautog. 'Ik ben de achttiende Roosevelt van…'

'Dat komt later wel,' zei Kurt. 'Er komt iemand aan.'

De voetstappen naderden. Het was opnieuw een bewaker die, zo bedacht Kurt, waarschijnlijk op pad was gestuurd om de andere gevangenen te controleren. Hij kwam de hoek om, stond oog in oog met drie geweerlopen en bleef als aan de grond genageld staan.

Kurt greep de man zijn pistool en sleutelkaart.

'Wat nu?' vroeg Paul. 'Gaan we weg?'

'Nee,' zei Kurt. 'Als het moment van de overwinning gloort, moet dat worden aangegrepen.'

Ze keken hem niet-begrijpend aan.

'Sun Tzu,' zei Leilani, op een toon alsof ze een oudgediende was.

'En wat betekent dat in gewoon Engels?' vroeg Gamay.

'Het betekent dat nu we eenmaal aan boord zijn, we nergens heengaan tot we Jinn, Zarrina en Otero gevonden hebben. Zodra we die te pakken hebben, is het afgelopen.'

Hij wendde zich naar Marchetti. 'Zit jouw crew hier ook?'

'De meesten wel.'

'Dan nemen Paul en jij deze kerel mee en ga dan je crew bevrijden. Sluit hem op in de cel waar zij uitkomen.'

Paul knikte en ging op pad.

Nu wendde Kurt zich naar Tautog. 'Laten we de boten vastleggen en de rest van je mannen aan boord halen. We hebben nu alle hens aan dek nodig.'

Nadat even later de gevangenen en de bewakers van plaats hadden gewisseld en de kleine vloot aan een waterleiding in de hut met de gebroken ruit was vastgebonden, stond Kurt aan het hoofd van zevenendertig gewapende mannen en vrouwen waarvan Marchetti's mannen het eiland kenden en die van Tautog getraind waren in het gebruik van de geweren en de Pijnmakers.

Kurt had twee van de machines aan boord laten brengen en twee dolly's gevonden om ze op te monteren. De ene was voor de groep die op weg ging naar het bemanningsverblijf en de tweede bleef bij Kurt, Leilani, Gamay en Paul. Als een stel roadies die de versterkers van een rockband gingen opstellen, reden ze het grote apparaat met zijn vieren en met Tautog en Varu de lift in.

De hoofdmacht ging naar het bemanningsverblijf, maar Kurt was van plan om Jinn al-Khalif te vinden.

'Op welke verdieping is de Presidentiële Suite?' vroeg hij.

'Bedoel je mijn verblijven?' zei Marchetti.

'Als dat de meest luxeuze van het eiland zijn, dan bedoel ik die inderdaad.'

'Bovenste verdieping, uiteraard,' zei Marchetti en hij drukte op de knop.

Terwijl de liftdeur dichtging, klopte Kurt met een grote grijns op de luidsprekerbox.

'Tijd om de buren wakker te maken,' zei hij.

53

Joe rende voor zijn leven. Ondanks zijn pijnlijke enkel stormde hij schuin tegen de natte helling van de Aswandam omhoog, op zoek naar een hogere en vooral veiligere plek. De majoor kon schijnbaar nog altijd niet bevatten wat er gebeurde en bleef wat achter.

'Als ik jou was, zou ik niet steeds omkijken.'

De majoor begreep dat Joe gelijk had en draafde verder om Joe in te halen.

Joe wilde helemaal naar boven, bij de steeds groter wordende breuk vandaan om van daaraf de schade op te nemen. Boven aangekomen bleef hij op de weg staan die over de dam liep. Er was intussen al een V-vormige bres van misschien wel tien meter diep in de dam geslagen. Het water stroomde er vanuit het Nassermeer doorheen en vandaar verder naar beneden.

In het helle licht van de schijnwerpers kon Joe zien dat het water de stenen en het zand wegspoelde als een plotselinge overstroming die door een smalle bergkloof raasde, met als gevolg dat de schade zich in beide richtingen uitbreidde en de V zich steeds meer naar beide kanten van de dam verwijdde.

Het water spoelde het aggregaat onder de weg uit, maar aanvankelijk hield de geasfalteerde deklaag het nog zodat die als een soort brug boven het water hing. Maar de ondergrond spoelde verder weg en grote stukken asfalt stortten naar beneden.

Joe keek naar het meer en zei: 'Het water staat erg hoog.'

'Het is nooit eerder zo hoog geweest,' gaf de majoor toe. 'We hebben twee jaar lang zware buien gehad en de neerslaghoeveelheden hebben alle records gebroken.'

Joe wist niets van generaal Aziz en de zaken die hij met Jinn deed, maar het moesten de buitensporige hoeveelheden neerslag zijn geweest die hem brutaal genoeg hadden gemaakt om zijn contract met Jinn te verbreken. Diezelfde regens zouden nu zijn land verwoesten.

'Waar is de controlekamer?' schreeuwde Joe.

De majoor wees naar de oostkant van de dam naar een nieuw gebouw dat vrijwel op het midden van de dam stond, ongeveer ter hoogte van het schiereiland. 'De nieuwe controlekamer is bij de centrale.'

'Kom mee.' Joe begon weer te rennen en deze keer hield de majoor hem bij. Achter hen werd het gat in de dam elke twintig seconden ongeveer een halve meter breder.

Bij de controlekamer aangekomen smeet de majoor de deur open en rende met Joe op zijn hielen naar binnen. Daar heerste een totale chaos. De helft van de controleposten was onbezet. De moedige mannen en vrouwen die waren gebleven, probeerden te bevatten wat er gebeurde.

Een supervisor kreeg de majoor in de gaten. 'Zijn we aangevallen?' vroeg hij. 'We hebben geen explosies gehoord of gezien.'

'U moet alle sluisdeuren opengooien,' riep Joe, voordat de majoor antwoord kon geven. 'Zelfs de noodspuien.'

'Wie bent u?' vroeg de man. Hij klonk niet echt boos, maar leek alleen geschrokken van het feit dat deze smerig uitziende man die de majoor had meegebracht, bevelen gaf.

'Ik ben een Amerikaanse ingenieur. Ik heb in mijn leven een keer of wat aan waterbouwkundige projecten gewerkt en ik zeg u dat u werkelijk alles open moet gooien als u een kans van een op tien wilt hebben om dit te overleven.'

'Maar…'

'Er zit een gat van tien meter in de bovenkant van de dam,' onderbrak Joe de supervisor. 'Het zit net beneden de waterlijn, halverwege tussen hier en de westoever. Als u de waterspiegel tot beneden het gat kunt verlagen, overleeft u het mogelijk. Lukt dat niet, dan spoelt de hele dam weg.'

De supervisor staarde Joe even aan, keek toen de majoor aan. Die knikte en riep: 'Vertrouw hem nou maar!'

De supervisor aarzelde niet langer, draaide zich om en riep door de controlekamer: 'Open alle spuischuiven! Open alle sluizen volledig!'

Zijn medewerkers begonnen schakelaars en hendels over te halen.'

'Spuischuiven gaan open!' zei een van hen. 'Blok een en twee lopen vol. Blok drie en vier reageren ook.'

Op een groot beeldscherm aan de wand, sprongen de signalen van rood op groen. Twaalf blauwe kanalen op het scherm gaven de twaalf kanalen naar de generatoren onder de dam aan.

'Hoe staat het met de noodspuien?' vroeg Joe.

Alle grote dammen hadden de mogelijkheid om het water in noodgevallen om de dam heen te leiden. Deze bypasskanalen die enorme hoeveelheden water konden verwerken, werden zelden gebruikt.

'Die gaan nu open,' zei de supervisor. Hij keek en telde af: '... achtentwintig, negenentwintig, dertig. Alle deuren zijn open. Ook die van het Toshkakanaal. Nog tien seconds en dan lozen we de maximum hoeveelheid water. Twaalfduizend kubieke meter per seconde.'

Joe hoorde en voelde zware trillingen die het gebouw van binnenuit deden schudden. Hij keek naar de Nijl die daar beneden hen lag. In de spuiboezem kolkte het water als in een stroomversnelling van wereldklasse.

Nu alles openstond, dumpten de spuischuiven een hoeveelheid water waarmee elke vijftien seconden een supertanker kon worden beladen. Twee keer die hoeveelheid stroomde op dat moment al door het gat in de dam. Joe vreesde dat het allemaal nog niet genoeg zou zijn. Als het Nassermeer werkelijk tot aan het randje vol was, zou het uren of zelfs dagen duren voordat het water tot onder de breuk zou zijn gedaald. Intussen zou het gat alleen nog maar dieper uitschuren en dat ook blijven doen. Joe vreesde dat ze nooit sneller zouden kunnen spuien dan dat het gat groter werd.

De enorme watermassa die naar buiten stroomde, deed het miljoenen tonnen zware bouwwerk schudden als een stad die door een aardbeving werd getroffen. Maar in plaats van af te nemen, hielden de bevingen aan en werden zelfs sterker.

Opnieuw brak er een groot stuk van de dam en rolde als een lawine langs de helling naar beneden. Binnen een paar minuten was alles door het water weggespoeld en nu was het gat zestig meter breed geworden. De hoeveelheid water die daar doorheen stroomde, moest tien keer groter zijn dan die van alle andere spui-openingen bij elkaar. Het begon op de Niagara-watervallen te lijken.

Stroomafwaarts sleurde het water boten en steigers en alles wat het verder op zijn weg vond mee. Bakken waarmee lading werd vervoerd en schepen die met toeristen cruises over de Nijl maakten, werden van hun trossen geslagen en door de stroom als kinderspeeltjes in een badkuip meegesleurd.

Het water raasde langs de oevers van de Nijl, sloeg op sommige plaatsen gedeelten van de oeververdediging weg, schuurde het zandsteen en de ondergrond weg en veroorzaakte aardverschuivingen en instortingen die aan het afkalven van gletsjers in het poolgebied deden denken.

Het water overspoelde de oevers en kolkte om de hotels en andere gebouwen. Kleinere gebouwen werden weggevaagd alsof ze van tandenstokers waren gemaakt. Het ene moment stonden ze er nog, het volgende waren ze verdwenen en was er alleen nog maar een kolkende, voortrazende watermassa.

De supervisor keek het zwijgend aan. De majoor keek het zwijgend aan. Ook Joe zweeg. Ze konden alleen maar machteloos toekijken.

Negentig procent van de Egyptische bevolking woonde binnen twintig kilometer van de Nijloevers. Als de hele dam instortte, voorzag Joe een ramp die miljoenen slachtoffers zou veroorzaken. Zelfs als het water zich over de vallei verspreidde waardoor de vernietigende kracht verder stroomafwaarts minder slachtoffers zou eisen, zou de nasleep wel eens erger kunnen zijn dan de overstroming zelf.

Miljoenen zouden dakloos worden. De helft van de Egyptische landbouwgronden zou onder water komen te staan en ten minste voor enige tijd onbruikbaar zijn. Er zouden door slechte hygiënische omstandigheden epidemieën uitbreken, zoals cholera en dysenterie en ziekten die door muggen en andere insecten worden overgebracht.

De dam voorzag in vijftien procent van de totale Egyptische behoefte aan elektriciteit en Joe vreesde dat al deze problemen samen met de wankele politieke situatie, wel eens tot gevolg zouden kunnen hebben dat de regering de greep op de situatie totaal zou verliezen. Hij kon zich voorstellen dat een land met tachtig miljoen inwoners dan in één klap tot anarchie zou vervallen.

'Hoe lang voordat de dam volledig instort?' vroeg hij.

'Moeilijk te zeggen,' antwoordde de supervisor. 'Het ligt er maar aan of de kern het uithoudt.'

Het viel Joe nu op dat het gat aan de bovenkant van de dam aanzienlijk breder was geworden, maar nauwelijks dieper. Het had niet langer een V-vorm, maar leek meer op een uitgerekte U. 'Waar is de kern van gemaakt?' vroeg hij, terugdenkend aan de doorsnede van de dam waarbij de kern van een ander materiaal leek te zijn.

'Semiplastische, ondoordringbare klei,' zei de supervisor. 'Een basis van beton.'

Als Joe zich niet vergiste had het water het aggregaatmengsel weggespoeld en de kern bereikt. De erosie was vrijwel opgehouden. 'Loopt die kern over de hele breedte van de dam?'

De supervisor knikte. 'Hij loopt aan beide kanten door tot in de rotswand.'

'Kan die het hele meer tegenhouden?'

De supervisor dacht even na. 'De kern zal niet op dezelfde manier eroderen als het aggregaat, maar als de achterkant van de helling wordt weggeschuurd, zal de hoeveelheid rotsen en stenen die de kern op zijn plaats houden geleidelijk minder worden. Er komt een moment dat het gewicht van het Nassermeer de kern simpelweg opzij zal schuiven zoals een bus een klein autootje weg zou duwen.'

Joe keek naar buiten, naar de breuk. Het water stroomde over de rand, stortte naar beneden en verspreidde zich. Maar de zacht glooiende helling van maar dertien graden en de stenen bedekking leken te helpen. Die stenen bedekking leek het althans voor dit moment te houden.

'Ik geloof dat de oppervlaktebedekking het houdt,' zei hij. 'Als het waterpeil ver genoeg daalt, zou de kern ons wel eens kunnen redden. En nu de bres zo breed is geworden, kan dat niet meer dan een paar uur duren.'

De supervisor knikte. 'Het zou kunnen,' zei hij, op een toon alsof hij vooral niet te vroeg wilde juichen.

Majoor Edo wees naar iets anders, iets wat Joe nog niet was opgevallen. Verder naar beneden spoot een straal water als een kleine geiser recht omhoog. Te midden van die enorme waterstroom was het nauwelijks te zien, maar hij spoot omhoog als een fontein in een park. In het felle licht van de schijnwerpers was de fijne mist van het opspuitende water duidelijk te zien.

'Wat is dat dan?' vroeg majoor Edo.

Joe's hart kromp ineen. Hij herinnerde zich het proefmodel in Jemen. Daar was het water ook eerst over de bovenrand van de dam gelopen, maar het was de lager gelegen tunnel geweest waardoor de kern bezweken was en daarmee de hele dam.

'Dat is een veel groter probleem,' zei Joe.

'Hoe heeft dat kunnen gebeuren?' vroeg de supervisor.

Joe begon uit te leggen wat microbots waren en hoe ze zich door dingen groeven, ook door beton en klei. Deze keer trok niemand zijn woorden in twijfel.

'Kunnen ze nog steeds daar beneden zijn?'

'Mogelijk,' zei Joe. 'Misschien graven ze zich door de klei en maken ze de tunnel groter op een manier zoals water dat niet kan.'

'Als hij te groot wordt...' begon de supervisor. Hij hoefde zijn zin niet af te maken.

'Hebben jullie soms iets om zoiets als dit te dichten?' vroeg Joe.

De supervisor wreef over zijn kin. 'Er is misschien een manier,' zei hij. 'We hebben een middel dat Ultra-Set heet. Het is een polymeer die zich verbindt met klei en expandeert tot vele malen zijn eigen volume, om zodoende kleine gaten te vullen. Binnen een paar seconden is het ondoordringbaar. Als we dat in de tunnel zouden kunnen pompen die die dingen waar u het over hebt, hebben geboord, zou dat het misschien kunnen stoppen. Als de bovenkant het houdt en het waterpeil daalt snel genoeg, zouden we een totale instorting mogelijk kunnen vermijden.'

Het gebouw schudde door een nieuwe beving.

'Wat zijn de bezwaren?' vroeg Joe.

'Er is maar één manier om de Ultra-Set in de tunnel te krijgen,' zei de supervisor. 'We moeten het er onder hoge druk in pompen. Om dat te doen, moet iemand de opening aan de binnenkant van de dam proberen te vinden.'

Joe keek de supervisor aan en het handjevol mensen dat in de sidderende controlekamer op hun posten was gebleven. 'Jullie hebben dus een duiker nodig,' zei hij, en hij kon nauwelijks geloven hoe het lot hem zo had weten te vinden. Hij glimlachte toch maar. 'Bof ik even.'

54

De liftdeuren gingen open op de bovenste verdieping van Marchetti's piramide. Ze kwamen uit op een fraai ingerichte hal waar drie van Jinns mannen waren opgesteld die zich omdraaiden bij het horen van de ping die de lift aankondigde.

Dat was een normale reactie. Ze hadden geen reden om moeilijkheden te verwachten. Ze leken zelfs in de houding te springen op het moment dat ze door de geluidsgolf van de Pijnmaker werden getroffen en op hun knieën vielen.

Eentje slaakte een gesmoorde kreet, een tweede struikelde achterover en gooide een tafeltje om met een vaas die op de vloer aan scherven viel, en de derde man ging gewoon neer.

Kurt liet de bedieningshendel van het systeem los en Paul, Gamay, Tautog en Varu deden de bewakers de boeien om die ze uit het arrestantenverblijf hadden meegenomen. De mannen leken verdoofd en verward.

'Ik voel jullie pijn,' zei Kurt. 'Die heb ik tien uur geleden in elk geval gevoeld.'

Ze plakten de mannen een strook brede tape over de mond en stopten ze in een bezemkast.

'Deze kant op,' zei Marchetti en sloeg rechts af. Ze kwamen bij de hoek waar de hal overging in een gang. Kurt keek voorzichtig om de hoek en zag dat er niemand in de gang was.

'Kom mee.'

Halverwege de gang kwamen ze bij een paar grote, dubbele deuren. Marchetti liep naar een toetsenpaneeltje. Terwijl hij zijn code intikte, klonk ver beneden hen het geluid van schoten. Kleine knalletjes die klonken alsof er met klappertjes werd geschoten.

'Sommigen van Jinns mannen bieden blijkbaar tegenstand,' zei Gamay.

Kurt knikte. 'Opschieten.'

Marchetti tikte de toegangscode in terwijl Paul en Tautog de Pijnmaker opstartten.

Kurt schopte de deuren open en haalde op hetzelfde moment de schakelaar over. Er was niemand.

'Verkeerde kamer?' vroeg Gamay.

Kurt schakelde de machine uit, ging naar binnen en keek rond. Het bed was beslapen. Hij rook de geur van jasmijn, hetzelfde parfum dat Zarrina had gedragen. Ze was klaarblijkelijk toch intiemer met Jinn dan ze hadden gedacht.

'De goeie kamer,' zei hij. 'We hebben ze net gemist.'

Terwijl hij terugrende, langs Marchetti, mompelde hij: 'Ik zou het bed verschonen, als ik jou was.'

'Of verbranden,' zei Marchetti.

Kurt rende al door de gang toen opnieuw het geluid van schoten klonk. De anderen kwamen haastig achter hem aan.

'Dat verklaart waarom zijn mannen in de houding sprongen,' zei Paul. 'Ze dachten dat er iemand terugkwam.'

'Maar waar zijn ze naartoe gegaan?' vroeg Leilani.

'Ik kan maar één plaats bedenken,' zei Kurt.

Jinn was in de controlekamer van Aqua-Terra, van zijn stuk gebracht door wat er was gebeurd. Zarrina, Otero en Matson stonden om hem heen, samen met de radaroperator en nog iemand. De rest van zijn mensen, misschien nog een man of tien of zelfs minder, vocht overal verspreid tegen Marchetti's mensen, die zo te zien Amerikaanse mariniers waren.

'Hoe kan dit?' vroeg hij. 'Hoe is dit mogelijk? Ik zie nergens patrouilleboten of helikopters. Waar zijn ze vandaan gekomen?'

'We hebben videobeelden van de arrestantenruimte,' zei Otero, die op een laptop keek. 'Het spijt me dat ik het moet zeggen, maar het is Austin.'

'Dat kan niet,' zei Jinn. 'Die is dood. Ik heb hem twee keer gedood.'

'Dan is hij uit de dood opgestaan,' zei Otero, en hij draaide de laptop naar Jinn. 'Kijk zelf maar.'

Het was Austin. Jinn kon zich niet voorstellen hoe dat mogelijk was.

Het was alsof Austin als een geest in hun midden was verschenen. Dat was niet zo'n vreemde gedachte omdat Jinn er zeker van was geweest dat hij hem naar de verdoemenis had gestuurd.

Het schieten kwam dichterbij. Vanaf het observatiedek was te zien hoe een aantal van Jinns mannen in de richting van Marchetti's centrale park rende. Ze haalden het niet.

'We moeten maken dat we hier wegkomen,' zei Zarrina. 'Deze slag is verloren.'

Jinn bekeek de situatie. Ze zouden nooit kans zien om bij het droogdok te komen waar de vliegboot gemeerd lag. En zelfs als ze het haalden, zouden ze door een paar goed gemikte kogels of de raketten die hij aan boord had gebracht, worden neergeschoten.

'We kunnen niet vluchten,' zei hij.

'En we kunnen dit gevecht niet winnen,' antwoordde Zarrina scherp. 'We zijn maar met zijn vijven.'

'Stil,' snauwde Jinn.

Hij probeerde na te denken, probeerde wanhopig iets te bedenken wat de kansen zou keren. Hij keek Otero aan. 'Maak verbinding met de horde en start de zender op.'

Otero tikte het een en ander in op zijn laptop en schoof hem toen over de tafel naar Jinn.

'Ga je gang.'

'Wat ga je doen?' vroeg Matson.

Jinn negeerde hem. Hij begon te typen. Eerst langzaam, om zich ervan te overtuigen dat hij in het juiste gedeelte van het systeem zat, toen sneller. Schoten in de hal spoorden hem nog meer aan. Hij koos een commando op het menu en drukte op de entertoets.

De deur van de controlekamer vloog open en er volgde een schotenwisseling waarbij de kogels door de kamer ketsten.

Jinn zocht dekking, terwijl Matson en de radaroperator werden getroffen. Een paar seconden later werd Jinns andere bewaker gedood toen hij een schot probeerde te lossen.

'Geef je over, Jinn!' riep de stem van Austin.

Jinn zat in het midden van de controlekamer achter een grote console van waaraf een groot deel van de vitale functies bediend konden worden. Otero en Zarrina zaten in elkaar gedoken naast hem. 'En als we dat doen, wat dan?'

'Dan sluit ik je in de boeien en draag ik je over aan de bevoegde autoriteiten.'

'Verwacht je nou echt dat ik geloof dat je ons niet zult doden?'

'Dat zou ik maar wat graag willen,' antwoordde Austin, 'maar die keuze is niet aan mij. Je moet er alleen niet op rekenen dat je terug naar Jemen kan. Ik denk aan het Wereldhof of een of andere Amerikaanse militaire basis.'

'Aan die lui laat ik me niet uitleveren!' schreeuwde Jinn.

'Dan moet je tevoorschijn komen zodat we dit man tegen man kunnen uitvechten.'

Jinn kon Austins weerspiegeling zien. Hij stond verborgen om de hoek van een stalen schot. Jinn kon niet schieten. Als hij ging staan, zou Austin hem neerschieten. Als hij zich hier verborgen bleef houden, zou Austin of iemand van zijn team hem straks vanuit de flank aanvallen.

'Ik heb een beter idee,' zei Jinn. 'Ik zal je een lesje leren over macht en de juiste manier om die te gebruiken.'

Hij keek naar de laptop. Een knipperend groen vensertje meldde dat zijn instructies waren verzonden en ontvangen. Hij kon tot actie overgaan.

Voorzichtig trok hij het pistool uit de holster, drukte op de veiligheidspal tot die klikte en hield het wapen dicht tegen zijn borst gedrukt.

'Het wordt zo langzamerhand tijd,' zei Austin.

Dat wist Jinn.

Hij zette de loop van het pistool tegen Otero's achterhoofd en haalde de trekker over. De kracht van de gedempte explosie smeet de computerprogrammeur en wat er nog van zijn hoofd over was achter de console vandaan op de vloer. Jinns tweede schot trof de laptop en stukken plastic en microchips vlogen alle kanten op. Voor alle zekerheid schoot hij ook het beeldscherm van de laptop nog aan stukken.

Hij gooide het wapen weg. 'Ik geef me over,' zei hij en hij stak zijn handen omhoog.

Vanachter het stalen schot keek Kurt naar dezelfde weerspiegeling waarin Jinn hem had gezien. Er klopte iets niet. Hij had Jinn het wapen zien trekken en had niet anders verwacht dan dat de man vechtend ten onder wilde gaan, maar dat hij Otero een kogel door het hoofd schoot om vervolgens het wapen weg te gooien, was op zijn minst verdacht te noemen.

Ook Zarrina gooide haar wapen weg en stak haar handen omhoog. Zij en Jinn stonden langzaam op en Kurt richtte de M1-karabijn op Jinns borst.

'Een beweging en je bent dood.'

Kurt stapte de controlekamer binnen. Paul en Tautog volgden. Ze verspreidden zich.

Kurt voelde dat er iets mis was. Met zijn geweer nog steeds op Jinn gericht, bekeek hij de doden: Jinns bewaker, Matson, dat wat er nog van Otero over was en de radaroperator.

Hij kon niets ongewoons ontdekken, maar de zelfvoldane uitdrukking week nog altijd niet van Jinns gezicht. Alsof hij net een aas in zijn mouw had laten verdwijnen of ongemerkt iets anders had geflikt.

'Wat heb je gedaan?' fluisterde Kurt, in de veronderstelling dat er elk moment een boobytrap af kon gaan. 'Wat heb je gedaan?'

Jinn zei niets. Kurt keek naar de kapotte laptop. Daarnaast had Jinn zojuist Otero geëxecuteerd, de computerprogrammeur. Die twee zaken moesten met elkaar in verband staan.

Door de open deur klonken opgewonden stemmen van beneden. Het waren Tautogs mannen op dek nul.

'Er gebeurt iets,' riep een van hen. 'De zee begint te leven!'

Kurt liep naar buiten. In de mistige duisternis kon hij het water zien kolken.

'Marchetti, doe de lichten aan!'

Marchetti rende naar het controlepaneel en begon driftig schakelaars over te halen. Overal om het eiland heen werd de oceaan verlicht door de schijnwerpers die Marchetti zowel boven als onder water had aangezet. Kurt zag onmiddellijk wat er aan de hand was.

Het water leek haast te koken. De horde om hen heen was naar de oppervlakte gekomen en kwam nu massaal op het eiland af.

'Hij heeft ze te hulp geroepen,' fluisterde Marchetti angstig. 'Hij heeft ze naar huis geroepen.'

Jinn begon te lachen, een diepe lach, sinister, sadistisch en vervuld van een megalomane trots.

'Nu zul je gaan begrijpen wat ik met macht bedoelde,' zei hij. 'Als je me niet laat gaan, worden jullie allemaal door de horde opgevreten.'

55

Zodra hij Jinns krankzinnige lach hoorde, wist Kurt dat ze dubbel in de problemen zaten. Hij stormde de controlekamer weer binnen en zette de loop van de karabijn tegen Jinns hoofd, precies tussen de ogen.

'Trek ze terug!'

'Laat ons gaan,' zei Jinn, 'en ik doe wat je vraagt.'

'Trek ze terug of ik smeer je hersens over de hele wand.'

'En wat bereikt u daarmee, meneer Austin?'

Kurt deed een stap naar achteren. 'Marchetti, pak een computer. Je moet opnieuw je codebrekerskunsten vertonen.'

Marchetti rende naar een andere laptop die op de hoofdconsole in een docking station stond.

'Die breekt hij nooit,' zei Jinn met overtuiging. 'Hij komt niet eens in het systeem.'

Marchetti keek op. 'Hij heeft gelijk. Ik kon die truc van Otero terugdraaien omdat ik bij de files kon komen, maar nu zijn we volledig buitengesloten.'

'Kun je het systeem niet hacken?'

'Het is een negencijferige code die met de hoogste encryptie beveiligd is. Een supercomputer zou minstens een maand werk hebben om deze code te breken.'

'Maar je moet toch iets kunnen doen.'

'Ik kan niet eens inloggen.'

Nu begreep Kurt waarom Jinn zowel Otero als de laptop overhoop had geschoten. Het was Otero's code. Nu hij dood was kon hij de code onmogelijk verraden en Marchetti kon onmogelijk op de laptop gaan zoeken naar toetsaanslagen of een tijdelijk bestand.

Leilani dook op naast Kurt. 'Wat gebeurt er allemaal?'

'Die dingetjes waardoor wij zo begonnen te glinsteren? Die zitten nu om het hele eiland heen, maar veel dikker dan toen wij ze zagen. Jinn heeft ze helemaal dol gemaakt. Ze komen straks als een zwerm sprinkhanen aan boord en eten alles op wat ze tegenkomen, ons inbegrepen.'

'Wat gaan we doen?' vroeg Leilani.

'Is er een manier om ze tegen te houden?' vroeg Kurt aan Marchetti.

Marchetti schudde zijn hoofd. 'Het zijn er te veel. Ze strekken zich vijftig mijl in alle richtingen uit.'

'Dan zullen we het eiland moeten verlaten. Waar zijn die luchtschepen van je?'

'In de hangar naast het heliplatform.'

'Neem die laptop mee en zorg dat iedereen zich daar verzamelt,' zei Kurt. Hij keek Tautog aan. 'Laat je mannen hierheen komen. We vertrekken door de lucht.'

'Niet met de boten?' vroeg Tautog.

'Aan de boten hebben we nu niets.'

Tautog liep naar buiten, het balkon op en begon naar zijn mannen te schreeuwen en te wuiven dat ze naar boven moesten komen. Marchetti greep een microfoon en verspreidde via een aantal luidsprekers de mededeling over het eiland.

Kurt zag twee kleine radio's op het vlakke gedeelte van de console liggen. Hij pakte ze en duwde vervolgens Jinn in de richting van de liftdeuren. 'We gaan.'

Even later stond Kurt samen met zijn nog steeds groeiende aantal volgelingen op het verlichte heliplatform, dat tussen de twee piramidevormige gebouwen hing. Vanaf dit hoge punt gezien leek de zee rondom Aqua-Terra meer op vaste grond die met miljoenen kevers was bedekt. In het licht van Aqua-Terra's schijnwerpers hadden ze een rokerige, antracietkleur.

'Ze lijken dik genoeg om overheen te kunnen lopen,' zei Paul.

'Dat zou ik maar liever niet proberen,' zei Kurt.

In de zijkant van de stuurboordpiramide ging een hangardeur open en Marchetti's mensen begonnen een van de luchtschepen naar buiten te rollen. Erachter stonden er nog twee.

'Hoeveel mensen kunnen er in elk toestel?' vroeg Kurt.

'Acht. Negen op zijn hoogst,' zei Marchetti.

'Gooi alles eruit wat je niet nodig hebt,' zei Kurt. 'Kijk of je ze lichter kunt maken.'

Marchetti liep weg om dat te regelen. Paul en Gamay gingen met hem mee. Leilani liep naar Zarrina die met Jinn aan de rand van het heliplatform stond.

'Dus jij hebt je voor mij uitgegeven,' zei ze.

'Je kunt maar beter niet te dicht bij haar komen,' waarschuwde Kurt.

'Jij bent een zwak, klein vrouwtje,' zei Zarrina. 'Dat maakte het wel moeilijk.'

Kurt greep Leilani bij de arm en trok haar achteruit toen ze Zarrina een klap in haar gezicht wilde geven.

'Ze probeert je op te hitsen,' zei Kurt. 'Ga de anderen helpen.'

Leilani was woedend, maar deed toch wat haar gezegd werd.

'Jammer dat je niet wat meer je best hebt gedaan om me te troosten,' zei Zarrina. 'Je zou er best van hebben genoten.'

'Verbeeld je vooral niet te veel,' zei Kurt.

Naast haar was Jinn duidelijk ziedend.

Tautog verwelkomde zijn laatste mannen en begeleidde ze naar de hangar. 'Hoe zit het met de gevangenen?' vroeg een van hen.

Kurt keek de sadistische leider aan. 'Ja, wat wordt het, Jinn? Laat je je mannen achter om levend opgevreten te worden?'

'Of ze leven of sterven betekent helemaal niets voor me,' zei hij. 'Maar aangezien jij zoveel om ze schijnt te geven, wil jij ze misschien gaan ophalen.'

'Nee,' zei Kurt, 'dat doe ik niet en ik stuur ook niemand.'

'Dan ben je net zo meedogenloos als ik.'

Kurt keek Jinn aan. Hij walgde van de man, maar wilde het leven van een goed mens niet riskeren voor die lieden daar beneden.

'Het volgende gaat gebeuren,' zei Kurt. 'Wij stappen aan boord van die luchtschepen en vliegen weg en jij blijft achter om te sterven op een manier die je rechtens toekomt. Je machtsspel heeft alleen maar tot gevolg dat je je eigen mannen vermoordt, terwijl het voor jullie beiden een langzame zelfmoord betekent.'

Hij pakte de laptop, zette hem op het ruwe oppervlak van het heliplatform en schoof hem naar Jinn.

Jinn keek ernaar, maar deed niets.

Zarrina leek nerveus te worden. Ze beet op haar lip, aarzelde, maar sprak toen toch. 'Typ de code in,' zei ze tegen Jinn.

Achter hen waren de eerste twee luchtschepen klaar. De gondels waren helemaal opgeblazen en de propellers begonnen op toeren te komen. De derde stond er direct achter.

'Wat wordt het?' vroeg Kurt aan Marchetti zonder zich om te draaien.

'Als we de luchtankers gebruiken en genoeg snelheid maken voordat we over de rand gaan, denk ik dat we elf man mee kunnen nemen,' zei Marchetti. 'Dat denk ik.'

'Zet twaalf mensen in elk toestel.'

'Maar ik weet eigenlijk niet of...'

Kurt legde hem met een enkele blik het zwijgen op en keek Marchetti recht in de ogen. 'Ik heb straks je hulp nodig,' zei hij en gaf hem een van de twee kleine radio's. 'Dus, wat wordt het?'

'Twaalf,' zei Marchetti. 'Twaalf zal wel lukken... hoop ik.'

'Dat zijn er maar zesendertig,' zei Gamay die een snelle berekening had gemaakt. 'We zijn met zevenendertig mensen.'

Jinn glimlachte bij het horen van de getallen. 'Dan zal er dus iemand moeten achterblijven om te sterven.'

'Ik,' antwoordde Kurt zonder zelfs maar met zijn ogen te knipperen.

56

Joe ging in het Nassermeer te water in een ouderwetse duikuitrusting. Het was niet direct de oude Mark V duikuitrusting met de koperen helm die de Amerikaanse Marine tot kort na de Tweede Wereldoorlog had gebruikt, maar het scheelde niet veel.

Een roestvrijstalen helm van bijna vijftien kilo paste over zijn hoofd en op de schouders van het pak. Een loodgordel van ruim twintig kilo en verzwaarde schoenen zorgden ervoor dat hij, als hij een paar passen moest lopen, sprekend op het monster van Frankenstein leek.

Aan zijn schouders waren een luchtslang en een stalen kabel bevestigd, plus nog een hogedrukslang voor het verpompen van de Ultra-Set. Die gaven hem het gevoel dat hij een marionet was, maar eenmaal in het water was Joe blij met al dat gewicht en de veiligheid van die stalen kabel. Het gewicht hield hem in de wervelende stroom in balans. Maar met al dat gewicht kon hij alleen met de stalen kabel, die verbonden was aan een boot boven hem, weer naar boven worden gehaald. Als die brak, zou hij als een steen naar de bodem zinken om over duizend jaar of langer mogelijk te worden opgegraven door archeologen die zich verbaasd zouden afvragen wat ze hadden gevonden.

Joe voelde er niets voor om opgenomen te worden in de Dodenvallei. Het enige wat hij wilde, was voorkomen dat de dam weggespoeld zou worden.

Als de supervisor en hij gelijk hadden, was het grote gat in de bovenkant beheersbaar en hoewel het een ramp was, vooral voor degenen dicht bij de dam, was het niet catastrofaal. De bres zou nog breder worden en misschien zelfs de volle breedte van de dam bereiken, maar de kern van klei en de zacht glooiende helling van het bouwwerk zouden voorkomen dat de erosie zich in de diepte zou voortzetten.

Uiteindelijk zou het waterpeil, net als bij een overlopende badkuip, geleidelijk aan dalen tot de diepte van de breuk en op den duur niet meer over de rand stromen.

Maar als de microbots zich vanuit de tunnel steeds verder in de kleikern groeven, zou de onvoorstelbare druk van het water de kern zelf verzwakken, tot hij het uiteindelijk zou begeven. Dan zou er een veel groter, dieper en onregelmatiger gevormd gat ontstaan en zou er niets meer zijn wat de dam voor totale instorting zou kunnen behoeden.

Op het moment dat Joe's voeten het hellende oppervlak onder hem raakten, begon de luidspreker in zijn helm te kraken.

'Duiker, kunt u me horen?' Het was de stem van de supervisor. Die riskeerde in de boot boven hem zijn leven, samen met de majoor en nog een technicus.

'Met moeite,' zei Joe.

'We zitten hier op ruim dertig meter van de bres,' zei de supervisor. 'Die wordt nog steeds ongeveer een meter per minuut breder. Je hebt krap een halfuur om de opening te vinden anders krijgt de stroom ons te pakken en worden we over de bovenkant van de dam gesleurd.'

Volgens Joe hadden ze zelfs nog minder dan een halfuur. Over ongeveer twintig minuten zou de bres zowel de boot als hem te dicht zijn genaderd om tegen de stroom te kunnen vechten.

'Ik heb er nooit ook maar iets voor gevoeld om in een vat door de Niagara-watervallen te gaan,' zei hij. 'En daar voel ik nog steeds niets voor. Laten we opschieten. Begin maar kleurstof te pompen.'

In de boot begon een pomp te brommen en een tweede slang die aan de dikkere slang voor de Ultra-Set was bevestigd, kwam onder druk te staan.

Beneden spoot een stroom lichtgevende oranje deeltjes onder hoge druk uit de slang. Joe zette een uv-lamp op zijn helm aan. De deeltjes lichtten op als vuurvliegjes toen ze door het troebele water dwarrelden en langzaam meer naar links wegstroomden.

In de lichtbundel van zijn lamp zag Joe hoe ze verderop meer vaart kregen en met de stroom mee naar boven werden gevoerd, naar de bres in de dam. Dat was de doodszone. Als hij in de greep van die snelle stroom kwam, was er geen ontsnappen meer mogelijk.

Joe verplaatste zich zijwaarts langs de muur, springend als een maanwandelaar in een ruimtepak. Hij spoot de kleurstof heen en weer en op en neer over het gedeelte waar ze vermoedden dat de toegang tot de tunnel zich bevond. Het zweefde in onregelmatige patronen over de rotsblokken en stenen.

Tien minuten en twintig zoekstroken later, had dit nog steeds niets opgeleverd.

'We moeten dieper gaan,' zei Joe. 'Ga achteruit, verder bij de dam weg.'

'Hoe verder we teruggaan, hoe sterker de stroom in de richting van de breuk wordt,' zei de supervisor.

'We moeten achteruit en dieper gaan, of we kunnen het verder vergeten,' zei Joe.

'Ogenblikje.'

Direct daarop voelde Joe hoe hij door de staalkabel van de helling werd getild. Hij werd tien, misschien twaalf meter verder naar achteren getrokken en weer neergelaten.

Toen hij neerkwam, voelde hij hoe de stroom probeerde zijn voeten zijwaarts te trekken. Hij haalde de trekker van de lichtgevende spray over en zag hoe die door de dwarsstroom naar links werd weggevoerd. Aanvankelijk leek het niet anders dan de vorige pogingen om de lekkage te markeren, maar deze keer zag Joe toch een ander patroon.

'Drie meter naar links,' zei hij.

'Dichter naar de bres?'

'Ja.'

Joe begon te lopen. Hoog boven hem verplaatste de boot zich met hem mee. Weer haalde hij de trekker over en richtte de lichtgevende stroom nu recht op de stroomrafeling. De oplichtende deeltjes wervelden rond en werden voor het merendeel in een opening tussen twee verticale betonnen balken ter grootte van spoorbielzen gezogen waar ze in een oogwenk verdwenen als visjes die bij het zien van een roofvijand tussen het koraal wegschoten. Het gebeurde zo snel dat Joe de trekker nog een tweede keer moest overhalen om zekerheid te krijgen.

'Ik heb het gevonden,' zei hij. 'De opening zit tussen twee betonnen pylonen in de steenstorting. Ik voel de zuiging.'

Naarmate hij dichterbij kwam, voelde hij dat hij de opening binnen werd getrokken. Hij zag zand en grind om de hoeken van de betonnen

343

pilaren verdwijnen. Onder hem zag hij een steeds groter wordende krater, een gat van ongeveer vijftig centimeter doorsnede.

Hij zette zijn voet tegen een van de betonnen balken om te voorkomen dat hij meegezogen werd. Hij wilde het gat maar wat graag stoppen, maar voelde er weinig voor om zelf als stop dienst te doen.

'Kom maar op met die troep.'

'Troep?'

'De Ultra-Set,' verbeterde Joe, die zich met moeite staande hield.

'De pomp wordt nu gestart,' zei de supervisor.

Joe zette zich extra schrap om te voorkomen dat hij zijn evenwicht zou verliezen en stopte het spuitstuk in de opening. Toen hij druk op de slang voelde komen, haalde hij de trekker over.

De Ultra-Set kwam onder hoge druk naar buiten waar het voor een deel in het omringende water ontsnapte. Het zag eruit als een soort magentakleurige slagroom terwijl het uitzette en hard werd. Het grootste deel ervan werd door de zuiging de ongewenste tunnel binnengetrokken.

'Hoeveel zet dat spul uit?' vroeg Joe.

'Twintig keer het oorspronkelijke volume,' zei de supervisor. 'Daarna wordt het hard.'

Joe hoopte maar dat dit snel zou gebeuren. En als er nog microbots in de kern waren achtergebleven die het gat groter probeerden te maken, hoopte hij dat die erin gevangen zouden worden als insecten in barnsteen.

De stroom trok hem naar links en boven zich hoorde hij het geruis van de waterval boven het geluid van de motor en de pomp in de boot uit.

'Gebeurt er al iets?' vroeg Joe na ongeveer een halve minuut.

'De controlekamer meldt dat de geiser nu oranje kleurstof spuit,' zei de supervisor. 'De hoeveelheid water is nog hetzelfde.'

'Hoeveel van dit spul hebben we?'

'In de tank zit tweeduizend liter,' zei de supervisor. 'We verpompen achthonderd liter per minuut.'

Joe kon alleen maar hopen dat het voldoende zou zijn. Hij greep het spuitstuk nog steviger vast en verplaatste zijn voeten om weerstand te bieden tegen de stroom.

De volgende stem die over de radio kwam, was die van de majoor.

'Meneer Zavala, we komen nu wel erg dicht bij de bres. We draaien volle kracht, alleen maar om uit de stroomversnelling te blijven. Als u wat voort zou kunnen maken…'

Joe keek omhoog door het venster boven in de enorme helm. Hij zag de lampen aan de onderkant van de boot en de werveling van het water rondom de op volle kracht draaiende schroef.

'Ik zit hier echt geen lunchpauze te houden,' zei hij.

Joe sloot het spuitstuk even af, klom wat hoger op de steenstorting en duwde met zijn voet een flinke steen de helling af en het gat in. Dat hielp een heel klein beetje. Hij drukte de slang weer op zijn plaats en haalde de trekker opnieuw over. 'Ik spuit met de volle druk,' zei hij. 'Het is nu of nooit.'

Joe bleef in de trekker knijpen en de Ultra-Set spoot naar buiten. Toen voelde hij een verandering in de stroom om hem heen. De zuiging van de opening voor hem werd minder, maar de kracht waarmee hij opzij werd getrokken, naar de bres, nam toe.

'Controlekamer meldt dat de waterhoeveelheid afneemt. Er spuit Ultra-Set uit de geiser!'

Joe's linkervoet gleed onder hem vandaan door de kracht van de zij-stroom en plotseling was hij omgeven door rood schuim. De tunnel zat vol en de Ultra-Set spoot uit het nu afgesloten gat als een flesje cola dat eerst flink was geschud voordat het werd opengemaakt.

Joe hervond zijn evenwicht, maar struikelde opnieuw. Hij sloot de slang af.

'Haal me omhoog!' schreeuwde hij.

De staalkabel trok hem van de helling en liet hem weer vallen, maar hij werd niet omhoog getrokken. Hij werd opzij getrokken en ging bijna omver. Even begreep Joe er niets meer van. Waarom trokken ze hem opzij?

Een kreet van boven verklaarde alles. 'De stroom heeft ons te pakken!' riep de majoor. 'We worden in de bres getrokken!'

57

Gamay keek naar Kurt zoals hij daar op de donkere, koude brug van het heliplatform stond. Niets in de kille lucht had haar erger kunnen verkillen dan het ene woordje dat hij zojuist had uitgesproken.

'Jij blijft niet hier,' zei Gamay.

'Die dingen zijn met twaalf mensen aan boord al te zwaar beladen,' zei hij. 'Doe daar nog eens negentig kilo bij en er gaat gegarandeerd eentje de plomp in.'

Beneden doofden steeds meer lichten doordat de horde van metaalzand eroverheen kroop en ze volledig bedekte. Het hele hoofddek was nu donker en het hele park ongetwijfeld kaalgevreten.

Van alle kanten klonken vreemde geluiden, alsof er blokken beton over metaal werden getrokken. Het geluid werd veroorzaakt door de biljoenen microbots die over elkaar gleden terwijl ze alle hoeken en gaten van het eiland opvulden en nu ook verticaal omhoog begonnen te klimmen.

'Maar dan sterf je hier!' riep Leilani uit.

'Ik sterf niet,' zei Kurt met volle overtuiging.

Gamay zag dat zijn ogen gefixeerd bleven op Jinn. 'Hij gaat ons de code geven en die dingen uitschakelen voordat ze ons levend opvreten.'

'Daar zou ik maar niet op rekenen,' zei Jinn.

Links van hen begon het eerste luchtschip vaart te maken en reed over de rand van het platform om daar naar beneden te vallen... verder... en verder, naar het hoofddek. Maar naarmate de snelheid toenam, nam de daling af tot het op een hoogte van misschien tien meter begon te klimmen.

'Jullie tweeën moeten aan boord van die luchtschepen gaan en maken dat je hier wegkomt,' zei Kurt.

Leilani staarde Kurt met open mond aan. Gamay begreep wat hij van plan was. Hij was bezig uit te maken wie hier de sterkste was, Jinn of hij.

'Kom mee,' zei ze tegen Leilani. Ze liepen langs de rand van het platform terwijl het tweede luchtschip startte. Marchetti stond bij het laatste te wachten.

'Wat doet hij toch?' vroeg Leilani.

'Hij denkt dat hij Jinn kan breken en hem dwingen de tegenorder te geven.'

'Maar dat is krankzinnig,' zei Leilani.

'Misschien wel,' zei Gamay. 'Maar als het waar is wat Jinn ons gisteren heeft verteld, dan gaat zijn vernietigingsbevel heel veel levens kosten en wereldwijd vele jaren ellende veroorzaken. Als hij sterft, wordt de tegenorder nooit gegeven, maar als we hem meenemen, zal dat betekenen dat er twee of drie van onze mensen achter moeten blijven en zullen sterven. Dat zal Kurt nooit toelaten en dat kan ik hem niet kwalijk nemen. We kunnen hem alleen maar helpen door het eiland te verlaten. Dat is voor hem in elk geval weer een zorg minder.'

Marchetti duwde hen haastig aan boord van het luchtschip terwijl de propellers volle kracht begonnen te draaien.

'Klaar,' zei ze.

Er werden nog wat schoenen naar buiten gegooid en de geweren die de mannen bij zich hadden, zelfs een stuk of wat zware jacks, alles wat het toestel een paar kilo lichter kon maken.

Ze begonnen snelheid te maken en Paul greep haar hand.

Gamay hield haar adem in toen ze over de rand gingen. Het was een gevoel alsof ze over de top van een achtbaan gingen. Haar benen leken verlamd en haar maag leek te zweven toen de neus naar beneden ging en het luchtschip met toenemende snelheid naar beneden viel.

Ze zag de open vlakte van het centrale park op hen af komen waar het zwermde van de microbots. De daling leek niet vlug genoeg af te nemen.

'Marchetti?'

'Momentje,' zei hij.

Ze daalden nog steeds veel te snel. Marchetti was druk in de weer met de besturing en het afschuwelijke geluid van ontelbare etende metalen machientjes ging haar door merg en been. De daalsnelheid nam af, het toestel kwam vlak en scheerde over het park, waarbij ze maar net een boom misten die van onder tot boven met microbots bedekt was.

Eindelijk begonnen ze te klimmen, heel langzaam, terwijl ze het eiland verlieten en boven de oceaan kwamen te vliegen.

'Vlieg jij het toestel,' zei Marchetti tegen zijn chief. 'Zorg dat we voldoende snelheid houden, maar ook dat we dicht genoeg bij het eiland blijven om het wifi-signaal te ontvangen.'

'Wat ga je doen?' vroeg Gamay.

'Ik moet de computer klaarmaken,' zei hij.

'De computer?'

Hij knikte. 'Voor het geval je vriend inderdaad weet waar hij mee bezig is.'

58

Het afschuwelijke gevoel dat hij het verloop van de gebeurtenissen absoluut niet meer in de hand had, vervulde Joe met angst. Boven hem werd de boot naar de bres in de dam getrokken waar hij met fatale gevolgen over de rand zou gaan en in de waterval terecht zou komen. En aangezien hij met een stalen kabel en een luchtslang aan die boot vast zat, zou hij spoedig volgen.

Slang en kabel kappen zou niet helpen. Hij kon niet naar de oppervlakte zwemmen. Zelfs als hij zijn loodgordel los zou maken, had hij altijd nog een vijfentwintig kilo aan uitrusting op zijn schouders en aan zijn voeten.

Zijn voeten kwamen weer op de dam terecht en hij probeerde te blijven staan, maar hij werd ook direct weer zijwaarts weggesleurd.

'Geef me meer lijn!' riep hij. 'Vlug!'

Hoog boven zich zag hij de boot en het fosforescerende schroefwater erachter terwijl die tegen de stroom vocht, nu eens die kant opging, dan weer daarheen, een teken dat de bootsman uit alle macht probeerde de kop recht in de stroom te houden. Als ze dwars zouden vallen, was het onherroepelijk met ze gebeurd omdat ze dan binnen een paar seconden meegesleurd zouden worden.

Eindelijk voelde Joe loos in de kabel komen. Hij belandde weer met zijn voeten op de helling en begon eroverheen te klauteren. Hij vond een grote kei, ongeveer half zo groot als een VW of zelfs een VV.

Hij liep eromheen en wond ook de staalkabel eromheen.

'Haal de loos uit de kabel!' zei hij.

De kabel kwam strak te staan, knelde zich om de kei en kwam zelfs zo strak dat hij hem hier in de diepte bijna kon horen zingen. Boven bleef de boot op zijn plek liggen.

'We liggen stil,' riep de majoor naar beneden. 'Wat is er gebeurd?'

'Ik heb een anker voor jullie gemaakt,' zei Joe. 'Hé, weet een van jullie wat centripetale kracht is?' Hij moest zich goed schrap zetten. De kabel zat om de kei, maar dreigde te breken.

'Ja,' zei de majoor. 'De supervisor weet wat dat is.'

'Richt de steven van de boot op de rotsen, maak een hoek van vijfenveertig graden en als de kabel het houdt moet je als het goed is naar de wal worden gekatapulteerd. Zet de boot aan de grond en vergeet niet mij omhoog te halen.'

'Oké,' zei de majoor, 'we zullen het proberen.'

Joe hield de kabel stevig vast en zette zijn stalen schoenen tegen de kei.

Boven hem veranderde de boot van koers en begon zijwaarts uit te gaan. Zoals de zwaartekracht van de aarde de maan in haar baan houdt, zorgde de staalkabel dat de boot een bocht begon te beschrijven en snelheid kreeg. De boot sneed door de stroom en werd vooruit geslingerd.

Onder water klonk een 'tjing' en Joe viel achterover. De kabel was gebroken.

Aanvankelijk werd Joe door de stroom omhoog gevoerd, naar de bres in de dam, maar direct daarna werd hij door de lijnen en de slangen waarmee hij aan de boot verbonden was de andere kant opgetrokken.

Terwijl de boot met een vaart in ondiep water terechtkwam en op de rotsen liep, werd Joe beneden over de steenstorting gesleurd. Iedere klap voelde alsof hij een auto-ongeluk kreeg en opeens was hij erg blij met die roestvrijstalen helm.

Toen de rit ten einde was, lag Joe negen meter onder water. Zijn pak liep vol met water en de zuurstofslang was gebroken of ergens afgekneld want hij kreeg geen lucht meer. Joe wist dat hij niet kon zwemmen, maar hij kon wel klimmen. En daar ging hij, omhoog, over de betonnen pylonen en de keien als een wasbeer op een vuilnisbelt.

Hij gooide zijn loodgordel af, wat het iets makkelijker maakte. Naarmate hij hoger kwam, werden de lichten aan de onderkant van de boot helderder. Met zijn lucht vrijwel verbruikt, hees Joe zich naar de oppervlakte en kwam als het Monster van de Zwarte Lagune boven water.

Daar kon hij met de zware helm en het schouderharnas niet overeind blijven en hij zakte tussen twee keien in elkaar. Hij worstelde om de helm af te zetten, maar die gaf geen krimp tot twee paar helpende handen hem van zijn hoofd trokken.

'Hebben we het gefikst?' vroeg Joe.

'Jíj hebt het gefikst,' zei de majoor, die zijn armen om Joe heen sloeg en hem overeind trok. 'Dat heb jij gedaan.'

59

Hoog op het heliplatform bleef het griezelige, alomtegenwoordige geluid van de microbots alsmaar aanzwellen. Het kwam van alle kanten op hetzelfde moment, alsof miljarden geestelijk gestoorde elektromagnetische krekels allemaal tegelijk tjirpten, en het kwam met elke seconde die er verstreek dichterbij.

Kurt vond het een irritant geluid, maar het leek toch meer invloed op Zarrina en Jinn uit te oefenen dan op hem.

Zarrina keek over de rand en liet haar blik toen omhoog dwalen, langs de zijkanten van de gebouwen waartussen het heliplatform hing. De vlek van de naderende horde was inmiddels tot driekwart van de hoogte tegen de piramides opgeklommen en bedekte de witte gebouwen met een donkergrijze, bijna zwarte laag.

'Geef hem de code,' zei ze.

'Nooit,' antwoordde Jinn.

'Je kunt maar beter naar haar luisteren, Jinn,' zei Kurt. 'Ze is dan wel slecht, maar gek is ze niet.'

'We hebben mensen, geld, advocaten,' zei ze om hem te overtuigen. 'We hoeven niet te sterven.'

'Zwijg!' beval Jinn.

Ze greep hem vast. 'Alsjeblieft, Jinn,' smeekte ze.

Jinn sloeg haar hand weg en greep haar bij de kraag van haar shirt. Hij keek haar met een van woede vertrokken gezicht aan. 'Je verzwakt me, vrouw!'

En voordat ze iets kon zeggen, duwde hij haar achteruit, over de rand van het platform.

Zarrina gilde terwijl ze naar beneden viel. Ze kwam tien verdiepingen lager terecht op een inmiddels vijftien centimeter dikke laag microbots die als een stofwolk alle kanten opstoven. Ze lag daar niet meer dan een paar seconden onbedekt, toen de zwerm van alle kanten op haar toe kwam, haar volledig bedekte en begon te eten.

Jinn keek heel even, en op zijn gezicht was woede te zien, geen medelijden. Desondanks dacht Kurt toch ook angst bij hem te bespeuren. De snelheid waarmee microbots dingen verslonden, was inderdaad angstwekkend. Jinn wist dat beter dan wie ook.

'Kijk maar eens goed, Jinn. Zo ga je sterven,' zei Kurt. 'Ben je klaar om zo aan je eind te komen?'

Om hen heen werd het steeds donkerder. De bots waren tot op een verdieping lager genaderd en onderschepten al het licht dat omhoog scheen. Het enige licht dat hen nu nog bescheen, was dat van de halogeenlampen naast de deur van de hangar en de rode lichten op de hoeken van het heliplatform.

Jinn leek iets minder zeker van zichzelf te zijn. 'Jij sterft samen met mij,' herhaalde hij tegen Kurt.

'Ik sterf voor mijn vrienden. Voor mijn land. Voor alle mensen op de wereld die zullen lijden als jij wint. Ik heb daar geen moeite mee. Waar sterf jij voor?'

Jinn staarde hem aan, zijn gezicht rood van woede, zijn lippen vertrokken in een grimas terwijl zijn ogen zich vernauwden. Hij wist dat zijn bluf was doorzien en dat Kurt hem tartte om zijn woorden waar te maken. Sterven leverde hem niets op. Geen rijkdom, geen macht, geen nalatenschap. Zijn hele wereld bestond uit zijn eigen ik, zijn eigen arrogantie, zijn eigen grootsheid. Als zijn bestaan eindigde, zouden zelfs de vernietigende actie van de microbots hem geen voldoening schenken.

Op dat moment haatte hij Kurt met iedere vezel van zijn wezen. En dat ging met hem op de loop zodat hij alle controle verloor. Hij stoof op Kurt af als een worstelaar die een eind aan het gevecht wil maken.

In plaats van Jinn neer te schieten, hield Kurt het geweer als een stok dwars in beide handen. Hij ving Jinn op en gebruikte diens vaart tegen hem. Kurt liet zich achterover vallen, schopte Jinn in zijn maag en gooide hem over de kop. Jinn vloog door de lucht en kwam hard neer.

Kurt stond alweer op zijn benen toen hij Jinn plat op zijn rug zag neerkomen. Jinn kwam wat traag overeind, meer verdoofd dan gewond.

'Jij bent niet gewend om te vechten, hè?' zei Kurt, tartend.

Jinn greep een stuk pijp dat uit een van de luchtschepen was gegooid en ermee zwaaiend als een zwaard kwam hij op Kurt af.

Met het geweer nog steeds in beide handen, weerde Kurt de pijp af en gaf Jinn met de kolf een klap in zijn gezicht, wat hem een hevig bloedende wond bezorgde.

Jinn strompelde achteruit, liet de pijp vallen en drukte zijn handen tegen zijn bloedende gezicht. Kurt kwam naar voren en schopte het stuk pijp van het platform. De open uiteinden maakten een vreemd fluitend geluid toen de pijp in de duisternis verdween.

Intussen had de oprukkende vlek van de horde de rand van het heliplatform bereikt en kropen de eerste tastende vingers ervan over het oppervlak. Ze kwamen van alle kanten tegelijk en kropen naar het midden.

Kurt had nog maar heel weinig tijd.

Jinn schreeuwde door een masker van bloed: 'Als je dat geweer niet had, zou ik je met mijn blote handen vermoorden!'

Kurt richtte het geweer op hem en gooide het vervolgens met een zwaai over de rand van het platform. 'Je kunt me niet verslaan, Jinn!' riep hij. 'Ik ben beter dan jij. Ik vecht voor iets wat van belang is, maar het enige wat jij doet is het zo lang mogelijk rekken. Jij wilt niet dood. Je bent bang om te sterven. Ik zie het in je ogen.'

Opnieuw stoof Jinn met een van woede vertrokken gezicht op Kurt af, Deze keer zette Kurt zich schrap, liet zijn schouder zakken en ramde die in Jinns maag. Hij sloeg zijn armen om Jinns lijf, tilde hem op en sloeg hem tegen het dek.

Vanuit het niets haalde Jinn een mes tevoorschijn. Voordat hij Jinns pols kon grijpen had Kurt al een snee over zijn arm te pakken. Er vloeide bloed en de pijn sneed door hem heen, maar zijn kracht en vastberadenheid hielden de overhand. Hij sloeg Jinns hand op het dek, en moest dat drie keer herhalen voordat Jinn het mes losliet.

Kurt veegde het weg en het gleed in de steeds dichterbij komende golf microbots.

Het was nu of nooit. Jinn probeerde overeind te komen, maar Kurt gaf hem een elleboogstoot in zijn gezicht en sloeg hem vervolgens met zijn hoofd op het dek. Hij greep Jinn bij zijn haren en draaide zijn gezicht opzij, om hem te dwingen naar de naderende horde te kijken.

'Kijk dan!' schreeuwde Kurt, terwijl hij Jinns wang tegen het dek gedrukt hield. 'Kijk naar ze!'

Jinn had het gevecht opgegeven. Hij staarde naar de oprukkende horde. Ze kwamen steeds dichterbij, de cirkel om hen heen werd alsmaar kleiner.

Ze kwamen bij een bloedspoor en zwermden er als mieren overheen. Ze schitterden in het lamplicht en het geluid van hun bewegingen was overweldigend, als een monsterachtige zwerm bijen vermengd met het geluid van vingernagels die over een schoolbord krasten.

'Geef me de code!' gebood Kurt.

De laptop stond een eindje verderop. De horde had hem al omringd en hij dreef letterlijk op de zee van microbots.

'Wat heb je daar nou nog aan?'

'Geef hem nou maar!'

Kurt hield hem stevig vast en Jinn drukte zich tegen hem aan in een poging zijn gezicht te beschermen tegen de naderende bots. Zijn lippen trilden toen ze over hem heen begonnen te kruipen en op de snee in zijn wang af gingen. Hij spuugde ze uit, maar een aantal was in zijn ogen gekomen en dat beet als zuur.

'Nu, Jinn! Voor het te laat is!'

'221-978-615,' schreeuwde Jinn.

Kurt trok Jinn met een ruk overeind. 'Heb je dat gehoord, Marchetti?'

Uit Kurts zak klonk een heel klein stemmetje. 'Code wordt nú verzonden!'

Het krassende geluid ging maar door. Kurt trok Jinn achteruit, maar de kring veilige grond was geslonken tot het formaat van een keukentafel en was direct daarna niet groter dan een mangatdeksel.

'Marchetti?!'

Plotseling werd de horde stil. Het geluid van hun gekauw en gekruip en gekras verdween in een golf die naar alle kanten wegvloeide, als een gigantische hoeveelheid omvallende dominostenen.

Ze vielen in reusachtige plakken van de zijkanten van de gebouwen, stroomden naar beneden en vormden daar duinen van grijs en zwart. Een grote zwerm microbots dreef als een stofwolk over het hoofddek.

Nu dat verschrikkelijke lawaai was opgehouden, keerden de normale geluiden terug. Het gekraak van het reusachtige stalen eiland en het zachte gezoem van de propellers van de luchtschepen die eromheen cirkelden.

'Mooi werk, Marchetti,' zei hij. 'Kom nu maar snel naar beneden en help me deze rotzooi op te ruimen.'

60

Kurt bleef in het donker staan wachten terwijl de luchtschepen rondcirkelden en een voor een aan de nadering voor de
landing begonnen. Aan de rand van het heliplatform zag hij hoe het
voorste schip binnen kwam zweven en langzaam naar het platform daalde. De propellers waren naar beneden gericht om de daalsnelheid te vertragen, net als de remraketten van een maanlander,
waardoor de microbots als vulkaanas alle kanten op werden geblazen.

Ze dwarrelden door de lucht, een wolk metaalstof die wegdreef en
op het hoofddek viel.

Een meter verderop lag Jinn op zijn knieën bewegingsloos naar de
wolk te kijken. Hij was een verslagen man, een gebroken man. Hij zag
er anders uit, constateerde Kurt.

'Je stuurt me naar de gevangenis,' mompelde hij.

'Je krijgt minstens tien keer levenslang,' antwoordde Kurt.

'Hoe lang denk je dat een man als ik in de gevangenis overleeft?'
vroeg Jinn, die naar Kurt opkeek.

'Lang genoeg om hartstikke gek te worden.'

Jinn keek naar de rand van het platform. De duisternis lonkte. 'Laat
me gaan.'

Kurt begreep wat hij van plan was. 'Waarom zou ik?'

'Als een edelmoedig gebaar tegenover een verslagen vijand,' mompelde Jinn.

Kurt keek hem een paar seconden aan. Zonder een woord te zeggen,
deed hij een stap naar achteren.

Jinn kwam overeind en keek Kurt even aan. 'Dank je,' zei hij en hij draaide zich om. Hij zette drie stappen en was verdwenen.

61

Tegen de middag was in Egypte het gevaar bij Aswan bijna geweken. Het waterpeil van het Nassermeer was zes meter gedaald. Er stroomde nog steeds een golf van bijna twee meter hoog door de honderdtwintig meter brede bres over de kruin van de dam, maar de stroom was nu minder wild en meer gecontroleerd. Met alle spuisluizen, turbinekanalen ook de deuren van het omleidingskanaal wijd open, zou het evenwichtspunt hopelijk de volgende dag rond de middag worden bereikt.

Toch was een tragedie niet te vermijden geweest.

Toen Joe stroomafwaarts keek, bood dat een totaal andere aanblik dan de avond ervoor. De gebouwen waren verdwenen – niet beschadigd, niet overstroomd, gewoon verdwenen. Hetzelfde gold voor de steigers en de boten en zelfs voor een deel van de hoge zandstenen oevers. De smalle rivier was ver buiten haar oevers getreden en leek nu eerder een meer.

Boven dat meer cirkelden tientallen helikopters als libelles boven een vijver. Van her en der waren kleine boten aangevoerd en die schoten nu heen en weer over het water. De waterkrachtcentrale wekte nog steeds stroom op, maar die kon nergens naartoe omdat alle hoogspanningsleidingen waren weggevaagd.

Joe draaide zich om en liet zich bij een auto van het leger op de grond vallen. Op aandringen van majoor Edo werd hij door een verpleegkundige onderzocht. Hij had een infuus kunnen gebruiken, maar dat weigerde hij. Hij nam aan dat er al spoedig een tekort aan geneesmiddelen zou zijn en anderen zouden die harder nodig hebben dan hij.

De verpleegkundige gaf hem een fles water, gooide een deken over zijn schouders en ging weer weg.

Majoor Edo kwam naast hem zitten en bood hem een sigaret aan. Joe bedankte en de majoor stopte het pakje weer in zijn zak. 'Smerige gewoonte,' zei hij met een geforceerde glimlach.

'Hoeveel?' vroeg Joe.

'Minstens tienduizend,' zei de majoor somber. 'Waarschijnlijk twee keer zoveel als we alles goed hebben bekeken.'

Joe had het gevoel dat hij twaalf ronden met een zwaargewicht had overleefd, in de veronderstelling dat hij had gewonnen, om vervolgens tot de ontdekking te komen dat de jury anders had beslist.

'Het hadden er miljoenen kunnen zijn,' zei de majoor en hij legde een hand op Joe's schouder. 'Dat begrijp je toch?'

Joe keek hem aan en knikte.

Even verderop landde een helikopter. Een soldaat kwam naar de majoor toe gerend. 'We zitten vol met gewonden.'

'Waar brengen jullie die naartoe?' vroeg de majoor.

'Naar Luxor. Dat is het dichtstbijzijnde ziekenhuis dat elektriciteit heeft.'

'Neem hem ook mee,' zei de majoor.

'Wie is dat?' vroeg de soldaat.

'Zijn naam is Joseph Zavala. Hij is een held van het Egyptische volk.'

62

Een week later zaten Paul en Gamay aan een grote, ronde tafel in het luxueuze restaurant Citronelle in Washington, DC. Rudi Gunn en Elwood Marchetti kwamen er ook bij zitten. Ze bestelden een drankje en wisselden ervaringen uit terwijl ze wachtten tot de andere gasten zouden arriveren.

'Hoe moet dat nu verder met je eiland?' vroeg Paul aan Marchetti.

Het creatieve genie haalde zijn schouders op. 'Dat is onherstelbaar beschadigd. Bovendien kan er niemand een voet aan boord zetten voordat we zeker weten dat alle bots eraf zijn. Dat kan jaren duren. Tegen die tijd heeft de Indische Oceaan Aqua-Terra dusdanig murw gebeukt dat het maar beter naar de zeebodem kan zinken.'

'Wat verschrikkelijk,' zei Gamay. 'Al die moeite en inspanning van vele jaren voorgoed verdwenen.'

Marchetti glimlachte sluw. 'Dat is precies wat de verzekeringsmaatschappij zal zeggen als ik een claim indien wegens irreversibele infestatie.'

Paul keek naar twee lege stoelen. 'Waar zijn onze geëerde vrienden?'

'En bovendien onze gastheren,' voegde Rudi Gunn daar nog aan toe.

Kurt en Joe waren overeengekomen dat hun weddenschap onbeslist was geëindigd. Ze waren graag bereid om de kosten te delen en alleen maar blij dat ze nog leefden en deze feestelijke bijeenkomst konden aanbieden. Die avond had echter nog niemand iets van ze gehoord.

'Hoe is het afgelopen met de Pijnmachine van Pickett's Island?' vroeg Gamay.

'Onze computerafdeling heeft er uiteindelijk het een en ander over gevonden in lang vergeten dossiers,' antwoordde Gunn. 'Het werd beschreven als een geheim project uit de Tweede Wereldoorlog dat bedoeld was om een einde te maken aan de Japanse banzai-missies. In die dagen geloofden de Japanners dat het een roemrijke daad was om voor de keizer te sterven. Als ze niet op een normale manier vanuit de flank konden aanvallen, deden ze zelfmoordaanvallen door in menselijke golven op de vijand af te stormen, met kreten als "Banzai" of "Tenno Heika Banzai!" wat zoveel betekende als "Tienduizend jaar zal de keizer regeren!" De Pijnmaker was ontworpen om de aanvallers uit te schakelen en willoos te maken zodat de Amerikanen belangrijke gevangenen konden ondervragen, en tegelijkertijd om een einde te maken aan de enorme slachting die de Japanners over zichzelf wilden afroepen.'

'Waarom is de machine tijdens de oorlog niet gebruikt?' vroeg Paul.

'Kort nadat de John Bury als vermist werd gemeld, besloot het ministerie van Oorlog dat de machine te gemakkelijk na te maken zou zijn als hij in handen van de vijand viel en dan tegen onze eigen troepen gebruikt zou kunnen worden.'

'En dus staan de machines van Pickett's Island nu in een of andere obscure militaire opslagplaats stof te verzamelen,' voegde Gamay er aan toe.

'Daar komt het wel op neer,' antwoordde Gunn.

Op dat moment werd hun aandacht getrokken door een lange gestalte met een verweerd gezicht, donkere haren en scherpe groene ogen, die het privévertrek binnen kwam.

'Blijf alsjeblieft zitten,' zei Dirk Pitt met een brede glimlach. Hij hield een klein kaartje omhoog. 'Een creditcard van NUMA. Alles is voor rekening van Uncle Sam.'

Gamay schoot in de lach. 'Dan zullen Kurt en Joe wel blij zijn.'

'Waar zijn ze?' vroeg Paul.

'Vlak achter me,' zei Dirk en hij gebaarde naar de boogvormige doorgang.

Iedereen draaide zich om en Kurt en Joe kwamen binnen, direct gevolgd door Leilani. De vrouwen omhelsden elkaar. De mannen schudden elkaar de hand, sloegen elkaar op de rug en kusten de dames op de wang.

'We waren maar vast begonnen,' zei Paul en wenkte een kelner. 'Wat drinken jullie?'

Dirk bestelde een Don Julio Blanco Tequila met ijs, citroen en zout. Joe nam een Jack Daniel's met ijs. Leilani wilde graag een Kettle One Cosmopolitan en Kurt vroeg om een Bombay Sapphire Gin Gibson straight up, een martini met uien in plaats van olijven.

'Kom,' zei Dirk tegen Joe. 'Aangezien jij de man van de dag bent, met een gouden ster op je kaart, willen we je Egyptische medaille graag zien.'

Joe bloosde gegeneerd. 'Die krijgt niemand meer te zien.'

'Wat heb je ermee gedaan?'

'Onder in mijn sokkenla gestopt.'

Gamay lachte. 'Dát noem ik nog eens bescheidenheid.'

Paul hield een roze krant omhoog. *The Financial Times*, gedrukt in Engeland. Hij begon aan een opsomming van de mogelijke gevolgen als de ramp niet zou zijn afgewend. Er werd gesproken van een miljoen doden, hongersnood, anarchie en mogelijk zelfs een totale oorlog in het Midden-Oosten als Israël bij vergissing de schuld zou hebben gekregen in plaats van Jinn en zijn groep in Jemen.

Toen stopte hij en keek hij geërgerd op. 'Dit vindt Joe vast niet leuk,' zei hij en hij las verder: 'Dit alles en meer kon worden vermeden door de heldhaftige inspanningen van het technisch personeel van de dam, de strijdkrachten, waaronder majoor Edo en een niet met name genoemde Amerikaan die tot een Egyptische held is uitgeroepen en de felbegeerde Orde van de Nijl zal ontvangen.'

Gamay schudde haar hoofd. 'Dat is niet eerlijk.'

'Hij heeft in elk geval een medaille gekregen,' zei Kurt grijnzend.

'Was dat alles wat de regering kon doen voor Joe die miljoenen levens heeft gered?'

Leilani greep in. 'Ik ken Joe inmiddels goed genoeg om te weten dat hij er niet van houdt om in het middelpunt van de belangstelling te staan, dat wil zeggen: tenzij hij wordt omringd door een schare beeldschone vrouwen.'

Joe lachte. 'Je hebt me zojuist een reden gegeven om terug te gaan naar Egypte.'

'Alle gekheid op een stokje,' zei Dirk, 'maar als Joe zijn leven niet zou hebben gewaagd bij een onverschrokken onderneming om de lek in de Aswandam te stoppen, zouden er langs de rivier een miljoen slachtoffers zijn gevallen.'

'Weten ze al een aantal?' vroeg Rudi Gunn.

'Minstens tienduizend,' zei Pitt.

Joe leek van verlegenheid helemaal in zijn schulp te zijn gekropen.
'Ik wil graag nog een Jack Daniel's. Een dubbele.'

Een poosje dronken ze zwijgend tot Paul de stilte verbrak. 'Hoe staat
het met die ondergrondse fabriek van Jinn?'

Dirk keek op de oranje wijzerplaat van zijn Doxa duikhorloge. 'Als
we het tijdsverschil in aanmerking nemen, is die exact veertig minuten
geleden tot een hoop puin en schroot gebombardeerd.'

'Kun je een fabriek die zo diep in de bergen ligt wel vanuit de lucht
vernietigen?' vroeg Gamay. 'Dringen die bommen wel diep genoeg
door?'

'Dat kan en dat hebben ze ook gedaan,' wist Pitt te vertellen. 'Een
zware drone heeft twee raketten afgevuurd. Een eerste impuls die
vanaf de grond onzichtbaar was, gaf ze een snelheid van vijfhonderd
kilometer per uur recht naar beneden. Vervolgens zijn de hoofdboos-
ters ontbrand waarna de snelheid toenam tot ruim boven de 3000 kilometer per uur. Die hebben een krater van zes meter diep geslagen,
maar dat was niet voldoende om in Jinns uitgestrekte ondergrondse fabriek door te dringen.

Daarom is er vijf minuten later een wapen van een geheel andere
orde ingezet. Vier B-2 stealth-bommenwerpers zijn over Jemen gevlogen met elk een MOP aan boord, het militaire acroniem voor *Massive
Ordinance Penetrators*. Dat zijn GBU-57's, ook wel "bunkerbusters"
genoemd, bommen van bijna veertienduizend kilo en daarmee het
krachtigste niet-nucleaire wapen dat we kennen. In iedere bom zit
bijna tweeënhalve ton springstof, verpakt in een metalen omhulsel dat
alleen al elf ton weegt. Ze komen met zo'n klap neer en veroorzaken
zo'n enorme explosie dat ze door honderdtwintig meter aarde en rots
heen kunnen slaan. Toen de stofwolken opgetrokken waren, bleek de
hele berg te zijn verdwenen. Alles wat er van is overgebleven is een
grote hoop zand en puin. De machines en het materiaal om microbots
te maken, alles is verdwenen.'

'En hoe zit het met Jinns rechterhand, Sabah?' vroeg Kurt, die
ook op zijn horloge keek en blij was dat hij het weer terug had, al
was de prijs daarvoor een nieuwe scooter van het duurste model geweest.

'Die is verpulverd tot het formaat van microbots,' zei Pitt.

Eindelijk werd het diner dan toch opgediend onder leiding van de chef-kok. Het eerste gerecht was gekruide King Olav zwarte-zeezalm. De volgende gang was gerookte steur, gevolgd door pâté de foie gras en een terrine van varkenspaté en eend.

Het hoofdgerecht bestond uit St. Louis-style baby back ribs met daarbij ravioli van kreeft en gesmoorde prei met gebakken eieren.

Het toetje bestond uit een crêpe gevuld met guave en mascarpone. De rode wijn was Purple Angel Carménère en de witte een Duckhorn Sauvignon Blanc.

Tevreden na het goede eten, heerlijke wijn en opwekkend gezelschap, namen ze afscheid van elkaar en verlieten het restaurant om uiteindelijk met een stretchlimo die Dirk had geregeld te worden thuisgebracht.

Leilani verbleef in een hotel en Kurt beloofde dat hij haar thuis zou brengen.

Dirk keek hem even strak aan. 'Ik weet dat je goed tegen drank kunt, maar als je toevallig wordt aangehouden, ga je de bak in wegens rijden onder invloed. Ik raad je ten sterkste aan om een taxi te nemen.'

'Dat zal ik zeker doen,' zei Kurt.

Nadat de anderen in de limo waren vertrokken, stopte er een taxi voor het restaurant. Kurt en Leilani gingen achterin zitten en vertrokken naar haar hotel.

'Heb je besloten die baan bij de mariene biologieafdeling van NUMA aan te nemen die Dirk je heeft aangeboden?' vroeg hij.

Ze keek een tikje verdrietig. 'Washington is niks voor mij. Ik ga terug naar Hawaï, naar het biologisch instituut op Maui.'

Kurt kneep even in haar hand. 'Ik zal je missen.'

'Ik jou ook,' zei ze. 'Ik hoop dat je het begrijpt.'

Kurt glimlachte. 'Hoe heet hij?'

Heel even werden haar ogen groter, maar toen lachte ze ook. 'Hij heet Kale Luka.'

Weer glimlachte Kurt. 'Ik ben blij dat je niet alleen zult zijn.'

De taxi stopte voor het hotel. Ze deed het portier open, maar bleef zitten.

'Het ga je goed,' Leilani,' zei Kurt zacht. 'Ik zal nog vaak aan je denken.'

'En ik aan jou.' Ze boog zich naar hem over en kuste hem heel licht op zijn lippen. Toen sloeg het portier dicht en was ze verdwenen.

Lees ook de actiethriller *Serpent* met
Kurt Austin in de hoofdrol!

Kurt Austin en zijn NUMA-team redden een archeologe van de ver-
drinkingsdood. Ze blijkt de enige overlevende van een expeditie. Heeft
het door haar opgedoken beeld iets te maken met de moord op haar
collega's? Dan blijkt dat de resten van het scheepswrak van de Andrea
Doria een nog veel groter geheim herbergen. Het spoor leidt naar een
machtige industrieel uit Texas, die op het punt staat een revolutie te
ontketenen in het Zuidwesten van de Verenigde Staten.

'Meer dan bevredigend voor alle Cussler-fans.' *Booklist*

Clive Cussler – *Serpent*
ISBN 978 90 443 4032 7
ISBN 978 90 443 4033 4 (e-book)